W9-AJN-977

LE FRANÇAIS POUR DEBUTANTS

MORRIS A. SPRINGER
Roosevelt University

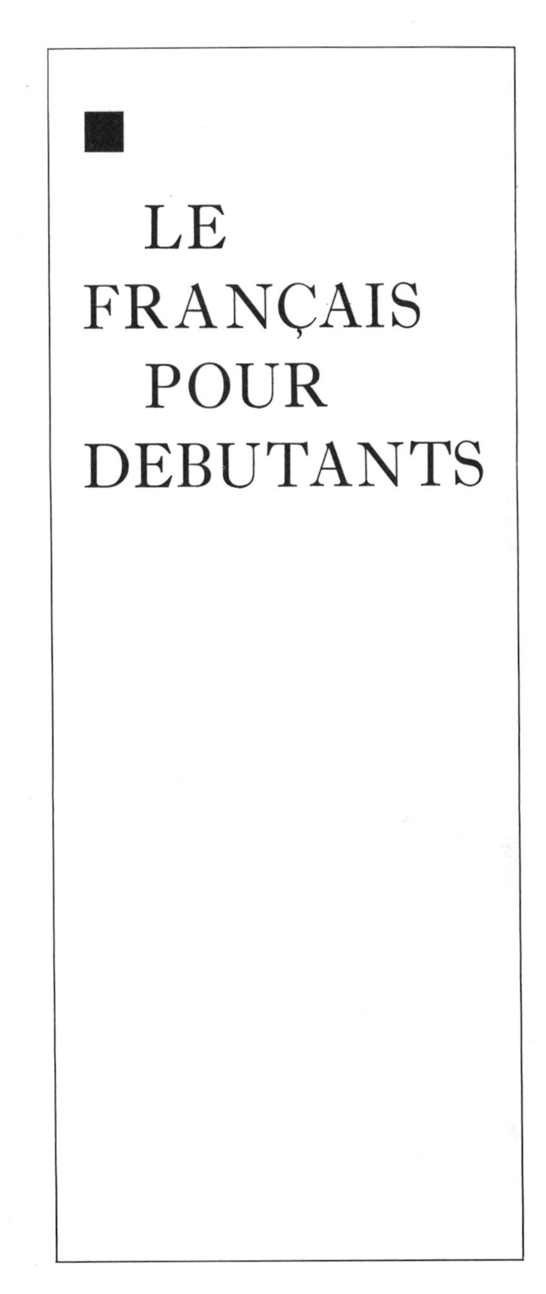

LE FRANÇAIS POUR DEBUTANTS

Xerox College Publishing
Lexington, Massachusetts · Toronto

CONSULTING EDITOR ANDRÉ MALÉCOT
University of California
Santa Barbara

Photograph on page 332 courtesy of French Government Tourist Office.
All other photographs by Robert F. Rapelye.

ISB Number: 0–536–00697–0
Library of Congress Catalog Card Number: 78-170353
Printed in the United States of America.

To

Louise Wilson Finston
Magistre Optissime

Pierre Robert Vigneron
Maître

Lili Springer
My Wife

PREFACE

Before writing this text, I had classroom experience with half a dozen current ones and examined a dozen more. These texts represented a wide range of content and approach. I have gained valuable insights from all of them.

In this book, I am frankly cutting back to the kind of beginning text aimed specifically at three-hour credit courses, for the following reasons:

a. I am now teaching at a medium-sized urban university with fairly good lab facilities. This does not alter certain facts about students likely to appear in beginning courses, even with the increasing "flexibility" of present language requirements. Many have mediocre preparation or talent for language study, though they may range, in other fields, from competent to brilliant. And outside of the small minority planning to major or minor in languages, the rest are often difficult to interest in studying language beyond catalog requirements.

b. Regarding the audio-lingual method and the skills it is expected to develop, I find that a total of 150 minutes per week, *plus* lab, generally permits real development in one or two areas only. Each of us, I believe, must therefore make a choice of areas to emphasize.

c. Most current beginning language texts are based on the presence of laboratory facilities; many can hardly be used to best advantage without them. I taught five years in a college whose only "laboratory" consisted of one Wollensak shared by the entire language department, and I am reasonably sure that many colleagues are in the same situation. At present, the whole issue of language requirements in colleges and universities is being reexamined, not to say shaken to its foundations. Schools are reducing these requirements or making them "flexible," with resulting or anticipated drops in enrollment. This situation makes for insecurity among language teachers and prevents their predicting with any certainty what goals they can reasonably pursue. However, many schools, on the university or departmental level, still require one year of language for B.S. candidates and two for the B.A., with each course carrying three—occasionally four—credit hours.

Until a few years ago, basic language texts seemed written with this latter fact in mind. It was usually possible to cover them in two semesters. More recently, however, beginning texts have appeared that are more suited for classes meeting five hours per week plus lab. Those of us attempting to adapt them to a three-hour credit course have needed three semesters to complete them. The classic "review and enrichment" function of the second year is thus reduced to one semester. My aims in writing this book are therefore the following:

a. First, to do what the French call *délier la langue* of the students: many require much patience and sympathy before we can "untie the knots" in their tongues. I hope to help remove some of the roadblocks—fear, antipathy, insecurity, plain stagefright—that students encounter in trying to speak a foreign language.
b. I cannot flatter myself that a text aimed at beginning classes carrying only three hours' credit will, in two semesters' work, enable students to gain more than a limited competence in speaking. Still, I hope that the dialogues, questions on the contents of the latter, and varied drills may arouse interest and promote "insightful" fluency.
c. Because the speaking skill, unless steadily exercised, is highly perishable; because I prefer to give students something of more lasting value; because I am convinced that a good insight into the structure of French and a good passive vocabulary may stand them in good stead years after they have stopped studying language; because it is easier to reacquire the reading skill years after disuse with the aid of a good dictionary and sufficient reading practice, I choose next to teach students to read French efficiently.
d. I feel that language learning should be made as smooth as possible and have therefore tried to remove as many barriers as I could in presenting grammar. Many students are linguistically unsophisticated and find difficulties in understanding certain entrenched grammatical terms. I have tried to make the tone of the grammatical explanations as informal as possible without lapsing into whimsy or self-conscious humor. I believe in a firm grammatical foundation in language teaching and feel that evasion or downgrading of grammar is intellectually dishonest; but in this book grammar is treated, not as a fetish to be approached with formal respect, but as an outward aspect of language, springing from the psychology of the native users and with frank admissions of its frequent inconsistencies.
e. I have incorporated in this book features from some of my predecessors in this field—features I have found workable and good.
f. The number of exercises are fitted to what I have found is the relative difficulty, for an English-speaking person, of a given grammatical problem. For example, partitives, relative pronouns, and subjunctives receive ampler treatment than, say, adverbs, the future tense, time-telling, etc.
g. Beginning classes generally contain students whose previous experience with French is far behind them. I have therefore included such features as cumulative personal pronoun charts, complete samplings of verb conjugations

(especially of the *être* and reflexive verbs, where agreement is such a problem), etc. I prefer being overly specific rather than insufficiently so.

h. Even those schools with few or no laboratory facilities should be able to cover the text satisfactorily in two semesters, assuming the beginning courses are of three credit hours minimum.

i. Writing practice, as a bolstering feature in learning, may be provided through the *dictées* suggested at the end of each lesson; through assigning any or all of the oral exercises for writing; and through use of the laboratory manual. The second and third sources are especially valuable where grammatical or spelling differences make no difference in pronunciation.

j. Since beginning students benefit most from pronunciation practice by imitating a live model in class, I have included supplementary exercises in phonetics, usually basing the drills on the study of one sound or group of sounds per lesson.

ACKNOWLEDGMENTS

The author gratefully acknowledges his debt to the following persons for their help and encouragement during his preparation of this text: to the typists and proofreaders who helped to prepare the manuscript; to Mr. Walter Glanze, formerly of Scott, Foresman and Company and now of Bantam Books, for the initial idea of this text and substantial aid and encouragement thereafter; to Mr. William H. Berman of Xerox College Publishing for his faith in the possibilities of this text, his many valuable suggestions, and his infinite tact and good humor in the course of countless long distance calls; to Mlle Evelyn Boulanger, formerly my colleague at Roosevelt University, for serving as French consultant; to Miss Mary Ann Brown of the Chicago City College system and to Mr. Philip W. Stetson, classmate and good friend, for encouragement and advice; to my friend Dr. Wallace Rusterholtz who, in the attractive surroundings of Chautauqua, N. Y., provided me, during two consecutive summers, with a tranquil setting for work on my glossary; and to the students of my French 101 and 102 classes (1969–70) who served as valuable sounding-boards for the first tryout of the script in a classroom situation.

I would be less than just in not paying tribute, also, to two other persons whose dedication to language teaching became decisive factors in my life and career. Louise Wilson Finston is—and deserves to be—still remembered with affection and respect by those of us who were fortunate enough to have had her as our Latin teacher at Hugh Manley High School, Chicago, in the late thirties. From the very first *hic est mensa* onwards, her obvious enthusiasm, quiet strength, and captivating warmth did wonders in bringing to life a so-called "dead" language. Later, when she chose to use these talents to become the school adjustment teacher, I (and a few others) had the benefit of almost private lessons as we did our fifty daily lines of Virgil. Neither she nor I realized it then, but she laid the foundation for the career which has helped produce this book.

M. Robert Vigneron, Professor Emeritus of Romance Languages at the University of Chicago, Balzac scholar, Stendhal scholar, Proust scholar *par excellence*, presided over my scholarly destiny for seventeen consecutive quarters and, during the birthpangs of my dissertation, for a considerable time afterwards. I have come to think of M. Vigneron's adamant clinging to a rigid set of standards in terms of the holder of a fine mesh: he allowed to pass through it only those who submitted themselves to a rigorous refining process. Working with him often provoked inner—and outer!—rebellion and a certain level of fatigue, but these labors paid off in a high degree of proficiency and certain insights hard to obtain otherwise or elsewhere.

Finally, to my wife, I express my grateful thanks for some six years of alternate prodding and encouragement, as needed; and to her and my children, for their willingness to create the free time indispensable for the writing of this book.

MORRIS SPRINGER

Chicago, Ill.

CONTENTS

SUGGESTED TEACHING PROCEDURES

I Presentation of Materials: Role of the Teacher and Students

Among the colorful coinages of our contemporary slang is the word "uptight," which describes exactly how many beginners feel about formal language study, even if the language is their own. It also describes, hopefully, how a language instructor does *not* feel about teaching. Which is a roundabout way of saying that an atmosphere of friendly informality—with proper control, of course—is essential for dissipating the "uptightness" of beginning language students.

It is important to remember at all times that in other subjects these students are using their native tongue. When studying a foreign one, they are therefore somewhat like fish flailing about in unknown waters. Students may be made more secure by the teacher who employs such devices as moving away from behind the physical—and psychological—barrier of the desk, moving about, acting out "actable" verbs and expressions, indicating interesting cognates or linguistic oddities on the blackboard (such as double *i* in *nous* ***étudiions*** and triple *e* in ***créée***), inviting shy students to open their mouths, raise their voices, get into the act. . . .

Not everyone may feel comfortable with these indications for achieving relaxation and greater involvement of the class. They may resemble stage directions, but they have proved helpful.

II Presentation of Materials: Sequence

A. Dialogues

The following is suggested: First, possibly with a preliminary *Ecoutez le dialogue, s'il vous plaît*, read the dialogue through carefully, with proper intonation, while the students follow it in the text. Next, dividing each sentence into logical phrases, have the students repeat each phrase twice, speaking along with them the first time and leaving them on their own the second time. Third, give them the entire sentence and have them repeat it once or twice, depending on its length and difficulty. Give difficult words or phrases extra attention. Place emphasis on imitation of your intonation as well.

When the entire dialogue has been completed, have the students read it in unison without a break. Ask them to read with as much "drama" as they can muster. This procedure serves to lend credibility and continuity to the contents of the dialogue. Give only occasional help in the very bumpy spots.

Dialogue drill with texts *open* is advocated, because students generally benefit from the visual reinforcement thus afforded. However, drill with books closed is a valuable additional exercise, particularly for imitation of the teacher's lip movements and learning avoidance of the "English treatment" in reading.

B. Rhythm Exercises

The first two chapters contain rhythm exercises designed to give the class some preliminary notion of accentuation and intonation. It is preferable to point out here the absence of a strong tonic accent in French. Mainly, however, the teacher would do well to pronounce each sentence once or twice in quasi-metronome fashion to bring out the staccato quality of French pronunciation: he then asks the class to imitate him as closely as possible. If he finds it desirable, the teacher can continue such rhythm exercises beyond the third lesson by extracting suitable sentences from subsequent dialogues.

C. Drills

The first drills in *Leçon 1* contain a series of directed questions, each with a model to follow. The first two are of the simplest factual form. The following procedure is suggested for the third drill:

The first time around, the teacher cues the response as directed: *Dites-moi: Etes-vous Mme Casiez?* At a later session, the directed question itself may be used as the stimulus for the response: *Demandez-moi si je suis Mme Casiez*, *Demandez-moi si je suis M. Parry*, etc.

This text contains several different types of drills, intended for particular purposes. Some types are used for introduction or presentation of new material:

1. Substitution Drills

These consist of a model sentence, or sentence fragment, designed to be combined in turn with a series of other fragments which complete it. The instructor cues the class on the first combination; the class repeats the combination; thereafter the cues consist only of the new fragment, which the class combines with the model fragment.

MODEL AND CUE	ANSWER
Vous aimez la rue Rambuteau?	Vous aimez la rue Rambuteau?
. . . le quartier Rambuteau?	Vous aimez le quartier Rambuteau?

. . . les marchands des quatre saisons?	Vous aimez les marchands des quatre saisons?
. . . les boutiques françaises?	Vous aimez les boutiques françaises?

2. Repetition Drills

Here the students simply repeat each sentence after the teacher. These drills combine new vocabulary and grammatical concepts with more familiar material.

MODEL AND CUE	ANSWER
Voilà le boulanger.	Voilà le boulanger.
Liliane parle au boulanger.	Liliane parle au boulanger.
Voilà le pâtissier.	Voilà le pâtissier.
Voilà le charcutier.	Voilà le charcutier.

3. Response Drills

In this text, response drills are used for presentation more often than any other, since they introduce new, and often complex, material in a setting most closely approximating a natural conversation. For maximum benefit, they may, and often should, be used with the teacher and class reversing roles after each drill has been completed as indicated.

MODEL AND CUE	ANSWER
Est-ce que je suis vraiment jolie?	Mais oui, tu es vraiment jolie!
Est-ce que Liliane est vraiment jolie?	Mais oui, elle est vraiment jolie!
Est-ce que tu es vraiment gentille?	Mais oui, je suis vraiment gentille!
Est-ce que Victor est vraiment américain?	Mais oui, il est vraiment américain!

Suggested Variation:

CLASS	TEACHER
Est-ce que je suis vraiment jolie?	Mais oui, tu es vraiment jolie! etc.

4. Transformation Drills

When used for presentation purposes, the transformation drill is a kind of response drill in which the students, instead of answering a question asked by the teacher, "transform" the cue sentences by analogy. Usually a grammatical change is called for: affirmative to negative, use of *y* and *en*, passé composé to pluperfect, etc.

MODEL AND CUE	ANSWER
Je pense à notre dîner.	J'y pense.
Victor va à la gare.	Victor y va.
Il ne sera pas à la Sorbonne.	Il n'y sera pas.
Liliane fait des courses aux Galeries Lafayette.	Liliane y fait des courses.

The following kinds of drills are used for testing purposes, under the heading "Exercices":

1. Correlation Drills

With few exceptions, correlation drills are used in this text to lend variety to verb conjugation. The model sentence contains a subject noun or pronoun and the corresponding form of the verb. In the following sentences, a different subject is given, with the expected change in the verb form left blank.

MODEL AND CUE	ANSWER
Je trouve le fromage chez le crémier.	Je trouve le fromage chez le crémier.
Vous . . .	Vous trouvez le fromage chez le crémier.
Victor et Liliane . . .	Victor et Liliane trouvent le fromage chez le crémier.

2. Expansion Drills

In these drills, which may or may not be involved with a grammatical change, a cue word or phrase, or a sentence, is added to a model sentence or sentence fragment.

MODEL AND CUE	ANSWER
Madame Vallin. (Nous connaissons)	Nous connaissons Mme Vallin.
Elle est française. (Nous savons)	Nous savons qu'elle est française.
Elle est très gentille.	Nous savons qu'elle est très gentille.
M. Vallin.	Nous connaissons M. Vallin.
Il aime le gâteau au chocolat.	Nous savons qu'il aime le gâteau au chocolat.

3. Chain Drills

Chain drills resemble correlation drills in that they call for a necessary grammatical change cued by a substitution; but in addition, the class repeats a sentence before making the required change. The paired sentences are used for contrasts or similarities.

MODEL AND CUE	ANSWER
J'aime beaucoup ce ballet; j'attends l'occasion de le voir.	J'aime beaucoup ce ballet; j'attends l'occasion de le voir.
Tu aimes beaucoup ce ballet; tu . . .	Tu aimes beaucoup ce ballet; tu attends l'occasion de le voir.
Liliane aime beaucoup ce ballet; elle . . .	Liliane aime beaucoup ce ballet; elle attend l'occasion de le voir.

4. Transformation Drills

When used for testing purposes, transformation drills offer considerable versatility, since they can cue, by analogy, a large range of grammatical changes. In the presentation stage, the changes are provided for the students; in the testing stage, they are, of course, omitted.

MODEL AND CUE	ANSWER
Je suis descendue dans la rue.	Je viens de descendre dans la rue.
Victor est sorti.	Victor vient de sortir.
Nous avons pris le métro.	Nous venons de prendre le métro.
Liliane est allée aux Galeries Lafayette.	Liliane vient d'aller aux Galeries Lafayette.

5. Response Drills

Response drills, when used for testing purposes, involve not only the grammatical changes of transformation drills but also the changes inherent in correlation drills: the question-response pattern usually involves a change of person in the response:

MODEL AND CUE	ANSWER
Ecris-tu une lettre à ton oncle?	Oui, je lui écris une lettre.
Ecris-tu à Paulette aussi?	Oui, je lui écris aussi.
Ecris-tu ces détails à tes parents?	Oui, je leur écris tous ces détails.
Me demandes-tu tous ces détails?	Oui, je te demande tous ces détails.
Te demandent-ils beaucoup de détails?	Oui, ils me demandent beaucoup de détails.

In addition to these drills, the text contains a limited number of other kinds: recognition of numbers, time-telling, translation, and others involving special functions.

The testing drills represented in the "Exercices" can be put to use as writing drills also. Quizzes, midterms, and even comprehensive final exams can—perhaps should—come in the form of such drills, since they provide the familiar stimulus for the audiolingual testing process. What the student has vocalized can then be transferred to, and expressed by, the writing skill.

A final word about drills in this text: it contains what may, for many, seem an overabundance of them. It goes without saying that each instructor will adjust the amplitude of his choice to the needs of his class. Not all the drills need be utilized. These drills, also, may be used orally with books open or closed, as the instructor sees fit. They should, as far as possible, be accomplished at natural conversational speed.

D. Questions sur le Dialogue

Beginning with *Leçon 4*, questions on the content of the dialogue are placed near the end of the lesson, just before the pronunciation drills. It can be reasonably expected that, by this time, the contents of the dialogue have been mastered enough to elicit ready responses. These questions offer the students an extra exposure to the vocabulary and grammar content of the dialogue at the same time as they review its story content. The questions should be followed in close succession by the suggested dialogue review.

E. Pronunciation Exercises

Here, since one sound at a time is emphasized in most cases, it would be useful to have the students begin with books closed, taking special pains to imitate the teacher's lip movements. The persistent similarity of the featured sound, despite varied spellings, is thus entrenched to some extent before the students see these spellings.

F. Dialogue Review

Two procedures are offered, but the teacher may invent his own variations. It is suggested that, starting with *Leçon 1*, the class give a final unison reading of the dialogue *after* the pronunciation exercises, then follow with a little staging of the dialogue by several students who would read it with some attempt at dramatization.

Starting with Leçon *2*, the teacher would do well to assign certain students to learn the *first* dialogue by heart. This being old and familiar material by then, such an assignment helps the overlearning process while still offering a challenging exercise, and lends an additional sense of accomplishment.

G. Dictées

It is suggested that the teacher, at the end of *Leçon 3*, give a *dictée* based on Dialogue 1. All subsequent *dictées* are thus based on a dialogue which is two full lessons behind the current one. A *dictée*, if well done, coordinates hearing and understanding as well as writing. The following procedure may be used:

1. Give one session's notice about the coming *dictée*. Suggest that the best preparation is simply to sit down and copy the assigned passage several times.
2. Before giving the first *dictée*, write out on the board the commonest punctuation marks and their French equivalents: *point*, *virgule*, *point d'interrogation*, *point d'exclamation*, *point-virgule*, *deux points*, *guillemets*, *tiret*, and even *à la ligne* ("new paragraph, indent"). Announce that even these will be given in French. They will not confuse the class very long, especially if the teacher uses a change of tone when he comes to them, indicating that they are not to be spelled out as part of the text.
3. Give the *dictée*, dividing the phrases into logical (and feasible!) lengths. Give each phrase twice. Speed of dictation can be worked up to natural French speech velocity as time goes on.
4. When the *dictée* is done, announce, "*Révision!*" Tell the students you intend to give a final reading of the text, during which they may correct errors and omissions. Then do so, with continuity, at a moderate pace.

Other Suggestions:

If used in beginning courses carrying three hours' credit, this text should be covered in two semesters' work, with the first fifteen *leçons* completed in the first semester and the rest (*Leçons 16–33*) in the second term. If is of course not possible to block out this pacing to any absolute degree: depending on the nature of the class and other extraneous circumstances, the teacher will find himself going at different rates of progress. It often happens that at the end of the second term, a couple of lessons are left which must be presented at the start of the third semester.

In a fifty-minute session, at least at the start, one might spend ten minutes for rhythm exercises and fifteen for dialogue practice. *Dictées* should preferably be accomplished in about ten minutes, as crisply and efficiently as possible; brief passages of manageable length seem best able to maintain student interest, lend a sense of progress, and avoid taxing their memories.

About the pattern drills: since cue questions containing *je* can logically elicit either *tu* or *vous*, and those containing *vous* can elicit either *je* or *nous*, I have in some instances purposely indicated a *specific* pronoun to be used in the response. The class thus gets more practice in using certain verb forms, and is more likely to produce a uniform answer to the cue questions.

Victor and Lillian meet Mme Casiez.

■ PREMIERE LEÇON

Arrivée à Paris

VICTOR: Bonjour, madame. Vous êtes Mme Casiez?	VICTOR: Good morning. Are you Mme Casiez?
MME CASIEZ: Bonjour, monsieur. Oui, je suis Mme Casiez. Et vous êtes M. Parry?	MME CASIEZ: Good morning. Yes, I'm Mme Casiez. And you're Mr. Parry?
VICTOR: Oui, madame. Mme Vallin habite ici?	VICTOR: Yes. Does Mme Vallin live here?
MME CASIEZ: Oui, monsieur.	MME CASIEZ: Yes.
VICTOR: Voici ma femme, Liliane. Chérie, c'est Mme Casiez, la concierge.	VICTOR: This is my wife, Lillian. Dearest, this is Mme Casiez, the concierge.
MME CASIEZ: Enchantée, madame. Madame est très jolie, monsieur. Vous parlez français, madame?	MME CASIEZ: Very happy to meet you. Your wife is very pretty, sir. Can you speak French, Mrs. Parry?
LILIANE: Oui, madame, je parle français. Mme Vallin parle beaucoup de vous.	LILLIAN: Yes, I can speak French. Mme Vallin talks a lot about you.
MME CASIEZ: Elle est très gentille.	MME CASIEZ: She's very nice.
VICTOR: Où est l'appartement?	VICTOR: Where is the apartment?
MME CASIEZ: Par ici, s'il vous plaît.	MME CASIEZ: This way, please.

FAUX AMIS: This means "false friends" and refers to French words that *look* like English words but mean something different from what you may think. One "false friend" in this lesson is **jolie**. It means *pretty*, not *jolly* (**gai**). Others are **gentille**, meaning *nice* in a general sense, not *gentle* (**doux**), and **habite**, *lives* (*inhabits, resides*), not *habit* (**habitude**).

About the Dialogue

In French apartment houses the *concierge* is doorkeeper, custodian, and many other things rolled into one. From his (or her) *loge*, or apartment near the entryway to the building, the concierge looks out upon everyone entering or leaving and dispenses mail, greetings, and generally, gossip. By French law, concierges work from 6:00 a.m. to 10:00 p.m. six days a week. Their pay is very low; it is only lately that action is being taken to guarantee them social security and paid vacations. Because of this, landlords of other buildings are beginning to dispense with them. Modern buildings with mailboxes and intercom phones obviously do not need them, so they are probably a dying breed.

Those who play certain musical instruments know what finger exercises are. Such exercises are often not melodic and even may be monotonous, but they must be mastered. The same is true of learning a language: plenty of repetition is part of the game. In the following exercises, watch your instructor closely and repeat after him as faithfully as possible:

Rhythm Exercises

A. Repeat in four short, sharp syllables:

1. Bonjour, madame.
2. Bonjour, monsieur.
3. Voici ma femme.
4. Voici Liliane.
5. C'est la concierge.

B. Repeat in five short, sharp syllables:

1. Elle habite ici.
2. C'est Mme Casiez.
3. Enchanté, madame.
4. Vous parlez français?
5. Oui, je parle français.
6. Je suis enchantée.
7. Elle est très gentille.

C. Repeat in six short, sharp syllables:

1. Vous êtes Mme Casiez?
2. Je suis Mme Casiez.
3. Vous êtes M. Parry?
4. Je suis M. Parry.
5. Vous êtes Mme Parry?
6. Je suis Mme Parry.
7. Elle parle beaucoup de vous.
8. Voici ma femme, Liliane.
9. Chérie, c'est la concierge.
10. Madame est très jolie.
11. Oui, elle habite ici.

12. Où est l'appartement?
13. Par ici, s'il vous plaît.

D. Repeat in seven short, sharp syllables:

1. Oui, je suis Mme Casiez.
2. Et vous êtes M. Parry?
3. Oui, je suis M. Parry.
4. Et vous êtes Mme Parry?
5. Oui, je suis Mme Parry.
6. Vous parlez français, madame?
7. Madame est jolie, monsieur.
8. Mme Vallin parle de vous.
9. Chérie, c'est Mme Casiez.

The following exercises consist of a "give-and-take" dialogue with your instructor. At times he will be asking you factual questions based on the dialogue:

Mme Casiez est la concierge? *Is Mme Casiez the concierge?*

The directions give you your cue to reply:

Oui, monsieur, Mme Casiez est la concierge. *Yes, Mme Casiez is the concierge.*

Or he may tell you to do something:

Dites-moi: Etes-vous Mme Casiez? *Tell me: Are you Mme Casiez?*

You follow suit:

Etes-vous Mme Casiez? *Are you Mme Casiez?*

You will eventually become familiar, and then quite fluent, with these procedures. It is important to take active part in these dialogues: missing a word or phrase here or there is not serious; nor does it matter if your French occasionally comes out sounding as if you were tongue-tied. The main thing is to keep trying.

The following questions are based on the dialogue found at the beginning of this chapter. Here's the model to follow:

PROFESSEUR: Mme Casiez est la concierge?
ETUDIANTS (STUDENTS): Oui, monsieur, Mme Casiez est la concierge.

1. Mme Vallin habite ici?
2. Liliane est la femme de Victor?
3. Liliane est très jolie?

4. Victor parle français?
5. Liliane parle français?
6. Mme Casiez parle français?

Now for the second set of questions:

PROFESSEUR: Qui (*who*) est la concierge?
ETUDIANTS: Mme Casiez est la concierge.

1. Qui est Mme Casiez?
2. Qui est très jolie?
3. Qui parle de Mme Casiez?
4. Qui est très gentille?
5. Qui est Liliane?
6. Qui est la concierge?

PROFESSEUR: Dites-moi: Etes-vous Mme Casiez?
ETUDIANTS: Etes-vous Mme Casiez?
PROFESSEUR: Oui, je suis Mme Casiez.

1. Dites-moi: Etes-vous M. Parry?
2. Dites-moi: Etes-vous Mme Parry?
3. Dites-moi: Etes-vous Mme Vallin?
4. Dites-moi: Etes-vous la concierge?
5. Dites-moi: Etes-vous Victor?
6. Dites-moi: Etes-vous Liliane?

Prononciation [ɛ]

Ecoutez bien le professeur et prononcez chaque mot après lui (Pay close attention to the professor and pronounce each word after him):

très	fidèle	deuxième	être	même	
excès	Adèle	crème	forêt	chêne	
préfère	oxygène	élève	bête	rêve	
première	hydrogène	nièce	fête	champêtre	
collège	Agnès	diète	blême	hêtre	
seize	neige	air	vaine	aise	aimer
treize	Seine	paire	Lorraine	chaise	palais
peine	Américaine				
beige	aide				
reine	je vais				
beignet	Baudelaire				

Dialogue Review

A. Class gives Dialogue a final reading in unison, or in small groups.
B. Individual students or small groups take roles and read the Dialogue as a scene from a play.

Lillian goes shopping in the Rambuteau district.

DEUXIEME LEÇON

Le quartier Rambuteau

MME VALLIN: Eh bien, Liliane, vous aimez le quartier Rambuteau?

LILIANE: Oh, oui! C'est si vivant! J'aime beaucoup la rue Rambuteau. Les marchands des quatre saisons sont si intéressants!

MME VALLIN: Vous aimez les boutiques?

LILIANE: Oh, oui, beaucoup.

MME VALLIN: Ordinairement, elles sont petites. Les Américains aiment les grands magasins!

LILIANE: Pas toujours. Justement, j'aime les petites boutiques françaises.

MME VALLIN: Vraiment? C'est intéressant. Ordinairement, les Américains aiment les grands magasins, les grandes voitures, et les grandes maisons.

MME VALLIN: Well, Lillian, do you like the Rambuteau district?

LILLIAN: Oh, yes! It's so lively! I like the rue Rambuteau very much. The people who sell fruit and vegetables are so interesting!

MME VALLIN: Do you like the shops?

LILLIAN: Oh, yes, very much.

MME VALLIN: They're small, usually. Americans like department stores!

LILLIAN: Not always. As it happens, I like the small French shops.

MME VALLIN: Really? That's interesting. Usually, Americans like department stores, big cars, and big houses.

FAUX AMIS: **quartier** = *neighborhood, district,* not *twenty-five cents* (**vingt-cinq centimes**) or **1/4** (**un quart**); **magasin** = *shop,* not *magazine* (**revue, magazine**). **Magasin** is related to *magazine* only in an expression like *powder magazine*—the idea of a storehouse containing large quantities of things.

About the Dialogue

Rue Rambuteau is located not on the famous Left Bank of the Seine, with all its associations of the Sorbonne district, but on the Right Bank, not far from the river. It is a very old street, leading in one direction to the Marais, formerly a fashionable part of town inhabited by Victor Hugo (1802–85) and, two centuries earlier, by Mme de Sévigné (1626–76) whose many breezy letters to her daughter and other correspondents give a vivid account of life at the court of Louis XIV. Now, however, the rue Rambuteau is lower middle class, and residents buy produce, cheeses, herbs, and flowers from open carts.

A *marchand des quatre saisons* is a person who sells fruits and vegetables from a cart (the produce of the "four seasons").

A *boutique* is usually a small shop whose wares may be displayed in a window open to passersby. A *magasin* is generally a larger shop; a *grand magasin* is a department store. Mme Vallin's statement, of course, shows one of the clichés existing in the minds of many Frenchmen about American tastes.

Exercice de Rythme

A. Repeat in six short, sharp syllables:

1. Vous aimez le quartier?
2. J'aime beaucoup le quartier.
3. Vous aimez les marchands?
4. J'aime beaucoup les marchands.
5. Vous aimez les boutiques?
6. J'aime beaucoup les boutiques.
7. J'aime la rue Rambuteau.

B. Repeat in seven short, sharp syllables:

1. J'aime le quartier Rambuteau.
2. Le quartier est si vivant!
3. Ils sont si intéressants!

C. Repeat in eight short, sharp syllables:

1. Vous aimez la rue Rambuteau?
2. J'aime beaucoup la rue Rambuteau.
3. Vous aimez les petites boutiques?
4. J'aime beaucoup les petites boutiques.
5. Vous aimez les boutiques françaises?
6. J'aime beaucoup les boutiques françaises.
7. Vous aimez le quartier, Liliane?
8. Les marchands sont intéressants.

Répondez aux questions suivantes d'après le modèle ci-dessous (Answer the following questions according to the model given below):

PROFESSEUR: Liliane aime le quartier?
ETUDIANTS: Oui, Liliane aime le quartier.

1. Le quartier est vivant?

2. Liliane aime les marchands des quatre saisons?
3. Les marchands sont intéressants?
4. Les boutiques sont petites?
5. Les Américains aiment les grands magasins?
6. Liliane aime les petites boutiques?
7. Liliane aime les boutiques françaises?
8. Les Américains aiment les grands magasins?
9. Les Américains aiment les grandes voitures?
10. Les Américains aiment les grandes maisons?

PROFESSEUR: Les boutiques françaises sont toujours grandes?
ETUDIANTS: Non, les boutiques françaises ne sont pas (*are not*) toujours grandes.

1. Les voitures françaises sont toujours grandes?
2. Les maisons françaises sont toujours grandes.
3. Les Américains, ordinairement, aiment les petites boutiques?
4. Les Américains, ordinairement, aiment les petites voitures?
5. Les Américains, ordinairement, aiment les petites maisons?

PROFESSEUR: Qui aime le quartier Rambuteau?
ETUDIANTS: Liliane aime le quartier Rambuteau.

1. Qui aime beaucoup la rue Rambuteau?
2. Qui aime les petites boutiques?
3. Qui aime les boutiques françaises?
4. Qui n'aime pas toujours les grands magasins?
5. Ordinairement, qui préfère les grands magasins?
6. Ordinairement, qui préfère les grandes voitures?
7. Ordinairement, qui préfère les grandes maisons?

The next exercise, or substitution drill, has two purposes:
a. To familiarize you with some basic French speech patterns.
b. To help you gain variety and flexibility in these patterns by combining them with different words and phrases.

Your instructor will cue you on the first combination:

Vous aimez la rue Rambuteau?

You repeat:

Vous aimez la rue Rambuteau?

Thereafter, he will cue you only partially, with each new variation:

PROFESSEUR: . . . le quartier Rambuteau.
ETUDIANTS: Vous aimez le quartier Rambuteau?

A. Vous aimez
 le quartier Rambuteau?
 la rue Rambuteau?
 les marchands des quatre saisons?
 les boutiques françaises?
 les boutiques américaines?
 les grands magasins?
 les grandes voitures?
 les grandes maisons?
 Mme Casiez?
 Mme Vallin?
 Victor Parry?
 Liliane Parry?

B. Le quartier Rambuteau
 est si vivant
 est si intéressant
 est si grand

C. Liliane aime
 la rue Rambuteau
 le quartier Rambuteau
 les marchands des quatre saisons
 les boutiques françaises
 les petites boutiques
 les petites boutiques françaises

D. Les Américains aiment
 les grands magasins
 les grandes voitures
 les grandes maisons

Prononciation [ɛ]

cher	message	payer	ils paient	asseyez
mer	Annette	effrayer	ils effraient	asseyons
anniversaire	belle	balayer	ils balaient	jockey
merci	sec	déblayer	ils déblaient	Volney
concert	Joseph	métayer		Vevey
spectre	Rennes			

Prononcez chaque phrase (Pronounce each sentence):

1. Joseph m'est très cher.
2. C'est un concert.

3. Vevey est sec.
4. C'est le projet d'Annette.
5. Merci, cher Volney.
6. Ils paient cher.
7. Ils effraient Yvette.
8. Annette est très belle.
9. C'est l'anniversaire de Lisette.
10. C'est le spectre de Voltaire.

Dialogue Review

A. Class gives dialogue a final reading in unison, or in small groups.
B. Several students give Dialogue of *Première Leçon* by heart.

The neighborhood bakery.

TROISIEME LEÇON

La liste des courses de Liliane

LILIANE: J'ai beaucoup de courses à faire. Je prépare un dîner pour l'anniversaire de Victor.

MME VALLIN: Où est la liste de vos courses?

LILIANE: La voici. Je vais d'abord chez le boulanger acheter un pain et un gâteau au chocolat.

MME VALLIN: Est-ce que vous allez chez le boulanger pour cela? Mais on trouve les gâteaux au chocolat chez le pâtissier!

LILIANE: Ah oui! Les Français vont chez le pâtissier pour les gâteaux! Et puis, je vais acheter un bon morceau de lard . . . chez le boucher, naturellement.

MME VALLIN: Mais non! Chez le charcutier! Et puis?

LILIANE: Victor aime le fromage de Brie.

MME VALLIN: Bravo! Comme les Français!

LILIANE: Je vais donc chez l'épicier.

MME VALLIN: Mais on trouve le brie chez le crémier!*

LILIANE: Vraiment? Et les lentilles? Victor aime la soupe aux lentilles.

MME VALLIN: Ça, oui. On trouve les

LILLIAN: I have a lot of errands to do. I'm preparing a dinner for Victor's birthday.

MME VALLIN: Where's your shopping list?

LILLIAN: Here it is. First I'm going to the baker's to buy a loaf and a chocolate cake.

MME VALLIN: Are you going to the baker's for that? But you get chocolate cakes at the pastry shop!

LILLIAN: Of course! The French go to the pastry shop for cakes! And then, I'm going to buy a nice piece of bacon . . . at the butcher's, naturally.

MME VALLIN: Oh no! At the pork butcher's! And next?

LILLIAN: Victor likes Brie cheese.

MME VALLIN: Bravo! Like the French!

LILLIAN: So I'll be going to the grocer's.

MME VALLIN: But you get cheese at the dairy!

LILLIAN: Really? . . . And lentils? Victor likes lentil soup.

MME VALLIN: That *is* possible. You get

* Literally, "dairyman."

lentilles chez l'épicier. Je vais chez l'épicier aussi, pour le café.

LILIANE: Nous allons donc ensemble chez l'épicier!

lentils at the grocer's. I'm going to the grocer's too, for coffee.

LILLIAN: So we're going to the grocer's together!

FAUX AMIS: **course** = *errand*, not *course of study* (**cours**); **lard** = *bacon*, not *lard* (**saindoux**); **anniversaire** = *birthday*, when used with a possessive adjective. Otherwise it simply means the anniversary of any event.

About the Dialogue

French shops do not always have their exact American counterparts. A *boulanger* is essentially a bread baker; a *pâtissier* specializes in pastries. The former may sell certain simple pastries, and the latter may sell bread, but specialities such as chocolate cake, fruit tarts, and the whole repertoire of French pastries are generally available only at the *pâtissier*'s. There is, of course, nothing to prevent the same man from combining talents and having a larger shop; he will then call himself a *boulanger-pâtissier*.

In the U.S., a "butcher" stocks all cuts of meat; in France, pork products are the specialty of a *charcutier*. A *boucher* sells beef, lamb, veal, etc. Lillian, never having been in France before, makes the same mistaken assumptions in this connection as do most Americans.

Brie is a soft, rather fat cheese made from cow's milk.

Lentilles (lentils), related to green peas, are dark brown, and enjoy much greater favor among the French than among Americans, many of whom are totally unacquainted with them. It is true that the color of lentil soup—a brown often close to black—is not particularly appetizing at first glance, but the soup itself has a distinctive and excellent flavor.

Substitution Drills

Est-ce que

j'ai tellement de courses?
c'est l'anniversaire de Victor?
c'est la liste de courses?
je vais d'abord chez le boulanger?
on trouve les gâteaux au chocolat chez le boulanger?
on trouve le lard chez le boucher?
Victor aime le fromage de Brie?
Victor aime la soupe aux lentilles?

Je vais acheter

un pain
un pain chez le boulanger

un gâteau au chocolat
un gâteau chez le pâtissier
un morceau de lard
un morceau de lard chez le charcutier
un morceau de fromage
un morceau de fromage chez le crémier

Victor aime
le pain français
les gâteaux au chocolat
le lard
le fromage de Brie
la soupe aux lentilles

Mme Vallin dit (*says*) qu'on trouve
le pain chez le boulanger
les gâteaux au chocolat chez le pâtissier
le lard chez le charcutier
le fromage de Brie chez le crémier
les lentilles chez l'épicier

Response Drill

This kind of drill is another kind of "give-and-take" between the professor and the class, and can be—indeed, should be, for maximum benefit—done twice: the first time with the teacher giving the "feeder" question or remark, followed by the "reaction" of the class; the second time the process is reversed:

Est-ce que je suis vraiment jolie?
Mais oui, tu es vraiment jolie!
Est-ce que Liliane est vraiment jolie?
Mais oui, elle est vraiment jolie!
Est-ce que tu es vraiment gentille?
Mais oui, je suis vraiment gentille!
Est-ce que Victor est vraiment américain?
Mais oui, il est vraiment américan!
Est-ce que vous êtes vraiment français?
Mais oui, nous sommes vraiment français!
Est-ce que les marchands sont vraiment intéressants?
Mais oui, il sont vraiment intéressants!

Grammaire

Yes, grammar!

For some of you, grammar holds no terrors and it may even be enjoyable. For others, it is a major obstacle, or at least an annoying hurdle in learning a language. But let's face it: it is really naive to expect to learn a language competently without grammar. And by *learn*, we do not mean merely being able to rattle off handy French phrases which would enable you, on a tour of Paris, to ask your way around. Neither do we mean the ability to speak French passably well and no more, though that's undeniably a valuable skill. We mean that you can enhance your skill—speaking, reading, understanding—if you know how French is put together. Grammar is really tied in with psychology—the psychology peculiar to the people whose native language you are trying to learn. French grammar is thus, very often, a key to French psychology. This will become clearer later on.

One more thing: your knowledge of the English grammar, be it excellent or mediocre, will often help you learn French grammar. But just as often, if not more so, it will stand in your way. Be prepared for new and unfamiliar concepts of grammar and idiom. Rather than fight them, learn them!

1. *Est-ce Que?*

Victor est américain. *Victor is American.*
Est-ce que Victor est américain? *Is Victor American?*
Vous allez chez le crémier. *You're going to the dairy.*
Est-ce que vous allez chez le crémier? *Are you going to the dairy?*
On trouve les gâteaux au chocolat chez le pâtissier. *You get chocolate cakes at the pastry shop.*
Est-ce qu'on trouve les gâteaux au chocolat chez le pâtissier? *Do you get chocolate cakes at the pastry shop?*

You can turn any statement in French into the corresponding "yes-no" question simply by putting **Est-ce que** in front of it. This procedure is absolutely mistake-proof. Where **est-ce que** comes before a vowel,* use **est-ce qu'**.

About French Verbs

There are several ways of looking at French verbs and mastering them. The French themselves usually divide verbs into

---

* Or the so-called *mute h*. Strictly speaking, all French *h*'s are mute, since they are not pronounced. But a technical difference exists between the *mute h* and the so-called *aspirate h*. The first allows linking in pronunciation (**les hôtels**) and the dropping of certain vowels before it, as do *a*, *e*, *i*, *o*, *u* (**l'hôtel**). The second allows neither linking nor dropping of vowels (**le héros,** *the hero*). **Les héros** is not linked, because the *h* is treated as a consonant. There's no rule for remembering mute and aspirate *h*'s. One learns them as one meets them.

three *regular* conjunctions and
other (*irregular*) verbs.

All languages have their regular and irregular verbs. A regular verb is to a great extent predictable. Its spelling in all forms—past, present, future, and so on—has a stem, or basic form, that never changes. An irregular verb may have several changes of stem, making its spelling unpredictable from one tense to the other. For example, in English, *cook* is a regular verb:

PRESENT TENSE		PAST TENSE	
I cook	we cook	I cooked	we cooked
you cook	you cook	you cooked	you cooked
he cooks	they cook	they cooked	they cooked

A foreigner who knew only the present tense of *cook*, but not that the *-ed* shows past action, could at least recognize *cook*, and probably guess the tense from the context. Now compare the present and past tenses of *buy*:

PRESENT TENSE		PAST TENSE	
I buy	we buy	I bought	we bought
you buy	you buy	you bought	you bought
he buys	they buy	he bought	they bought

Our foreigner, knowing the present of *buy*, would not recognize its past tense; *buy* and *bought* have only one sound in common. Other English irregular verbs also have little resemblance between past and present: *am, was; do, did; teach, taught; fly, flew.* Which brings us to one of the most irregular verbs of all, both in English and French: *to be.*

2. *Etre*, To Be (Irregular Verb)

Vous **êtes** Mme Casiez? *Are you Mme Casiez?*
Je **suis** Mme Casiez. *I'm Mme Casiez.*
Les marchands des quatre saisons **sont** si intéressants! *The people who sell fruits and vegetables are so interesting!*
C'**est** si vivant! *It's so lively!*

Etre is conjugated as follows. It has the largest number of different forms among French verbs:

je suis	*I am*	[sɥi]	
tu es	*you are*	[ɛ]	2nd and 3rd persons singular SOUND exactly the same.
il est	*he is*	[ilɛ]	
elle est	*she is*	[ɛlɛ]	
nous sommes	*we are*	[sɔm]	

vous êtes	*you are*	[vuzɛt]
ils sont	*they are* (m.)	[ilsɔ̃]
elles sont	*they are* (f.)	[ɛlsɔ̃]

3. *PARLER*, TO SPEAK (REGULAR VERB, 1ST CONJUGATION)

je parl**e**	*I speak, I'm speaking*	[paRlə]
tu parl**es**	*you speak, you're speaking*	[paRlə]
il parl**e**	*he speaks, he's speaking*	[paRlə]
elle parl**e**	*she speaks, she's speaking*	[paRlə]
nous parl**ons**	*we speak, we're speaking*	[paRlɔ̃]
vous parl**ez**	*you speak, you're speaking*	[paRle]
ils parl**ent**	*they speak, they're speaking* (m.)	[paRlə]
elles parl**ent**	*they speak, they're speaking* (f.)	[paRlə]

All singular forms and 3rd persons plural SOUND the same.
1st and 2nd persons plural differ by only a single sound.

Note

a. Regular verbs of the first conjugation have an infinitive ending in **-er**.
b. Remove the **-er** to get the stem. This part never changes in a regular verb. Here, the stem is **parl-**.
c. To complete the spelling of **parler** for the present tense, add the endings **-e, -es, -e, -ons, -ez, -ent** to the stem. All the forms given above, except **parlons** and **parlez**, are pronounced alike.
d. The French present tense expresses the simple declaration of present action (*I speak*, etc.) and conveys also what we call in English the "progressive present," a present action in progress (*I'm speaking*, *you're speaking*, etc.). Your choice of these meanings depends on the situation.
e. French has two forms for *you*: **tu** and **vous. Tu** is used for family members, close friends, schoolmates, children, pets; **vous** is the all-purpose *you* for all other cases. It can be masculine, feminine, singular, plural. There is no plural familiar form of *you*; a Frenchman addressing two of his brothers at once would, for example, have to use **vous.**
f. Since a very high percentage of French verbs are of the first conjugation, regular pattern, learning **parler** automatically enables you to handle many other verbs. Here are other first conjugation verbs used so far: **acheter, aimer, habiter, préparer, trouver.**

Exercices

Répondez aux questions suivantes d'après le modèle ci-dessous:

PROFESSEUR: Vous allez acheter un pain?
ETUDIANTS: Oui, on trouve le pain chez le boulanger.

1. Vous allez acheter un gâteau au chocolat?
2. Vous allez acheter un morceau de lard?
3. Vous allez acheter un morceau de fromage?
4. Vous allez acheter les lentilles?
5. Vous allez acheter un pain?

PROFESSEUR: Qui se trouve à Paris?
ETUDIANTS: Liliane se trouve à Paris.

1. Qui a beaucoup de courses à faire?
2. Qui a un anniversaire?
3. Qui a une liste de courses?
4. Qui prépare un dîner?
5. Qui va d'abord chez le boulanger?
6. Qui aime le fromage de Brie?

Correlation Drill: 1st Conjugation

Correlation drills help you combine subject nouns and pronouns with their correct verb forms. The teacher reads out the subject; follow up by repeating it and completing the sentence according to the model:

A. *Je trouve* le fromage chez le crémier.
Vous . . .
Victor et Liliane . . .
Tu . . .
Mme Casiez . . .
Nous . . .
Victor . . .
Liliane et Mme Vallin . . .

B. *Elle ne prépare pas* le dîner.
Vous . . .
Victor et Liliane . . .
Je . . .
Victor . . .
Tu . . .
Nous . . .
Liliane et Mme Vallin . . .

Correlation Drill: Etre

A. *Je suis* à Paris.
Victor . . .

Tu . . .
Liliane . . .
M. et Mme Vallin . . .
Vous . . .
Mme Casiez et Mme Vallin . . .
Nous . . .

B. *Je ne suis pas* à Chicago.
Les frères Dujardin . . .
Tu . . .
Nous . . .
Vous . . .
Mme Coudert . . .
M. Vallin . . .
Mme Vallin et Liliane . . .

Transformation Drill

The opening sentence of such a drill is a "feeder" taken from familiar material. When the teacher reads it aloud, respond with the italicized sentence. This contains the "transformation" of the model sentence by the addition of new grammar or idiomatic material. The same "transformation" applied to the remaining sentences tests your familiarity with this new material.

Mme Vallin habite ici.
Est-ce que Mme Vallin habite ici?

Vous êtes Mme Casiez.
C'est Mme Casiez.
Je parle français.
Mme Vallin parle beaucoup de vous.
Elle est très gentille.
Les Américains aiment les grands magasins.
Ils sont si intéressants!
Vous aimez la rue Rambuteau.
Elles sont petites.

Prononciation [i]

Ecoutez bien le professeur et prononcez :

ici	Paris	David	cycle	synonyme
Liliane	vivant	Victor	crypte	Yves
chérie	si	Henri	mythe	Yvonne
joli	ordinaire	Irène	analyse	Yvette
voici	Américain	Virginie	lycée	hydrogène

oxygène	naïf	haïr	dîner	fîmes
Libye	naïve	aïe!	île	fîtes
Egypte	Jamaïque	Isaïe	gîte	belître
lyrique	Sinaï	Aïda	dîme	îlot
physique	Moïse	naïade	épître	fît

Prononcez chaque phrase:

1. Liliane est ici.
2. Henri est ordinaire.
3. Virginie est américaine.
4. Paris est vivant.
5. Voici le synonyme.
6. Virginie est naïve.

Dialogue Review

A. Class reads dialogue in unison or in groups.
B. Several students give Dialogue of *Deuxième Leçon* by heart.
C. *Dictée* based on *Première Leçon*.

A birthday dinner for Victor.

QUATRIEME LEÇON

Un très bon dîner

VICTOR: Ouf! Comme j'ai faim, chérie!

LILIANE: Le dîner est sur la table. C'est un dîner spécial, pour ton anniversaire. Bon appétit, mon cher!

VICTOR: Tiens! Tu as raison! J'ai vingt-trois ans aujourd'hui. Voyons . . . une soupe aux lentilles, un pain, un bon morceau de brie, un gâteau au chocolat—et une quiche lorraine! C'est vraiment un dîner spécial. Merci, chérie. Mais tu n'es pas fatiguée?

LILIANE: Non, je ne suis pas fatiguée. J'aime faire les courses, et j'aime faire la cuisine. Je connais enfin le quartier Rambuteau. Je vais à la boulangerie pour le pain, à la charcuterie pour le lard, à la crémerie pour le brie, à l'épicerie pour les lentilles—

VICTOR: Je ne connais pas le quartier Rambuteau, mais je connais le quartier de la Sorbonne! Je connais le Panthéon et le théâtre de l'Odéon, je déjeune au restaurant, je parle aux étudiants. Chérie, la soupe est délicieuse!

VICTOR: Boy! Am I hungry, darling!

LILLIAN: Dinner's on the table. It's a special dinner for your birthday. Enjoy your food, dear!

VICTOR: Say, you're right! I'm twenty-three today. Let's see . . . lentil soup, bread, a nice piece of Brie cheese, a chocolate cake—and quiche lorraine! That's really a special dinner. Thanks, darling! But aren't you tired?

LILLIAN: No, I'm not tired. I like doing the errands and I like cooking. I finally know the Rambuteau district! I go to the bakery for bread, to the pastry shop for cakes, to the pork butcher's for bacon, to the dairy for Brie cheese, to the grocery for lentils—

VICTOR: I don't know the Rambuteau district, but I know the Sorbonne district! I know the Panthéon and the Odéon theatre, I have lunch at a restaurant, I talk to the students. Darling, the soup's delicious!

About the Dialogue

Bon appetit literally means "Good appetite!" In English, of course we do not use this expression when someone is sitting down to a meal. The nearest we come to it is "Enjoy your food," "Dig in," or "Eat hearty."

Quiche lorraine originated in Lorraine, a province of eastern France, but it is very popular elsewhere and generally available in French restaurants in the U.S. The nearest description of this regional dish is to call it an egg-and-bacon pie with a custard filling and no top crust. Though somewhat heavier in texture than the custard pie we might choose as dessert, it is basically lightweight and very nourishing. For a young American like Victor, it would be an unusual dish and a pleasant birthday surprise, which is why Lillian was particularly interested in buying lard (*bacon*).

The *Sorbonne* is, of course, the University of Paris, founded by Robert de Sorbon (1201–74), confessor to King Louis XI, to facilitate theological studies for poor students. The name "Sorbonne" dates from about 1554, when the school became the scene of the general deliberations of the Faculty of Theology. Its present offerings, of course, are extremely wide in scope.

The *Panthéon* is a Parisian monument, constructed (1754–80) in the neo-Grecian style by the architect Soufflot. Originally intended as a church honoring St. Genevieve, patron saint of Paris, it was designated, during the French Revolution, as a burial place for illustrious Frenchmen. After a checkered career as church and temple of glory, it resumed this original function on the occasion of Victor Hugo's funeral (1885). Zola, Voltaire, and Rousseau are likewise buried there.

The *théâtre de l'Odéon*, built in 1819, is one of the two theatres of the Comédie-Française which is subsidized by the French government. Its repertoire contains many French plays.

Substitution Drills

Voici

le dîner, le pain, le lard, le gâteau, le fromage, le quartier

Et voilà

la maison, la table, la soupe, la boulangerie, la charcuterie, la course

Voici

l'épicier, l'épicerie, l'appartement, l'Américain, l'étudiant

Et voilà

les pains, les dîners, les gâteaux, les fromages, les quartiers, les pâtisseries, les charcuteries, les courses, les maisons, les soupes, les épiciers, les appartements

C'est

un dîner, un pain, un gâteau, un fromage, un quartier, un théâtre

C'est

une table, une maison, une soupe, une boulangerie, une charcuterie

Repetition Drills

This kind of drill is meant to promote flexibility in using French. The vocabulary and expressions are taken from the newest dialogue and mixed with old material as well. The teacher will pronounce each line; simply repeat it after him.

Voilà le boulanger. Liliane parle au boulanger.
Voilà le pâtissier. Liliane parle au pâtissier.
Voilà le charcutier. Liliane parle au charcutier.
Voilà le crémier. Liliane parle au crémier.
Voilà le marchand. Liliane parle au marchand.
Voilà le Panthéon. Victor va au Panthéon.
Voilà le théâtre. Victor va au théâtre.

Voilà la boulangerie. Liliane va à la boulangerie.
Voilà le pâtisserie. Mme Vallin va à la pâtisserie.
Voilà la charcuterie. Allez-vous à la charcuterie?
Voilà la crémerie. Liliane ne va pas à la crémerie.
Voilà la Sorbonne. Victor va à la Sorbonne.

Voilà l'épicier. Je ne parle pas à l'épicier.
Voilà l'étudiant. Nous ne parlons pas à l'étudiant.
Voilà l'Américain. Tu ne parles pas à l'Américain.
Voilà l'épicerie. Vous n'allez pas à l'épicerie?
Voilà l'Odéon. Je ne vais pas à l'Odéon.

Mme Vallin parle aux boulangers.
Liliane parle aux pâtissiers.
Victor parle aux étudiants.
Mme Vallin va aux boulangeries.
Liliane va aux pâtisseries.
Victor va aux charcuteries.
Mme Vallin parle aux épiciers.
Liliane parle aux Américains.
Victor parle aux marchands.

Grammaire

4. Gender and Number of Nouns

In English, the question of noun gender hardly exists. Some practical distinction is made among nouns we call *he* (man, uncle, boy, ox, rooster, ram, tomcat), those we call *she* (woman, aunt, girl, cow, hen, mare), and those we call *it* (almost all animals, all lifeless objects such as table, clock, paper, calendar, soup, television), all abstractions (kindness, surprise, noise, conversation, pity, science, conscience).

In French, no neuter gender exists. French is derived mostly from Latin, where nouns do come in three genders; but the neuter disappeared from French by the Middle Ages. French nouns are all masculine or feminine:

MASCULINE	FEMININE
charcutier, *pork butcher*	**femme**, *wife*
appartement, *apartment*	**soupe**, *soup*
travail, *work*	**charcuterie**, *pork butcher's shop*

Now there's nothing "masculine" about an apartment, or work; nor are soups and pork butcher's shops in any way "feminine." But French grammar assigns them these genders.

Most French nouns become plural by adding **-s**, which of course is the case in English. The noun **gâteau**, already introduced, is **gâteaux** in the plural. Exceptions to the general rule, such as this, will be discussed later. It should also be noted that the plural **s** is not pronounced except in ***liaison***, the linking of the last sound of one word to the first sound of the next: **bons appartements, étudiants américains**, etc. The sound of linked **s** is **z**.

5. Definite Articles

English has one all-purpose definite article: *the.* French has four.

A. **Le** means *the* before masculine nouns that begin with consonants:

le boulanger, *the baker*; **le** quartier, *the district*; **le** dîner, *the dinner*

B. **La** means *the* before feminine nouns that begin with consonants:

la rue, *the street*; **la** crémerie, *the dairy shop*; **la** femme, *the wife*

C. **L'** means *the* before any noun beginning with a vowel:

l'appartement, *the apartment*; **l'**épicerie, *the grocery*; **l'**Odéon, *the Odeon*

D. **Les** means *the* before any plural noun:

les boulangers, *the bakers* (masc.)
les rues, *the streets* (fem.)
les appartements, *the apartments* (masc., beginning with vowel)
les épiceries, *the groceries*, (fem., beginning with vowel)

6. THE INDEFINITE ARTICLE (Singular)

English *a* or *an* is expressed in French as follows:

A. **Un** means *a* or *an* before all masculine nouns:

un dîner, *a dinner*; **un** épicier, *a grocer*; **un** marchand, *a vendor*

B. **Une** means *a* or *an* before all feminine nouns:

une femme, *a wife*; **une** rue, *a street*, **une** voiture, *a car*

7. CONTRACTIONS WITH *A*

The preposition **à** (*to*, *at*, *in*), used in combination with **le, la, l', les**, has the following forms:

A. **à+le** = **au:** **au** dîner, *to the dinner*; **au** théâtre, *to the theatre*

B. **à+la** = **à la:** **à la** boulangerie, *to the bakery*; **à la** Sorbonne, *to the Sorbonne*

C. **à+l'** = **à l':** **à l'**appartement, *to the apartment*; **à l'**étudiant, *to the student*

D. **à+les** = **aux:** **aux** théâtres, *to the theatres*; **aux** boulangeries, *to the bakeries*; **aux** étudiants, *to the students*

Aux applies to plurals of *all* nouns.

8. NEGATIVE EXPRESSION: *NE . . . PAS*

Elles sont petites. *They're small.*
Elles **ne** sont **pas** petites. *They're not small.*
Je suis fatiguée. *I'm tired.*
Je **ne** suis **pas** fatiguée. *I'm not tired.*

Double negatives in English are strictly taboo, but in French, with few exceptions, *two* words are required to express negative ideas. By far the most common French negative is **ne . . . pas,** which turns affirmative sentences into negative ones. Note that **ne** stands before the verb and **pas** follows it.

Exercices

Transformation Drills

Change the definite article to the indefinite here:

Ah! c'est le crémier!
Ah! c'est un crémier!

Ah! c'est le dîner!
Ah! c'est le pain!
Ah! c'est l'Américain!
Ah! c'est l'appartement!
Ah! c'est le marchand!
Ah! c'est la rue!
Ah! c'est la femme!
Ah! c'est la soupe!
Ah! c'est la voiture!
Ah! c'est l'épicerie!

Combine **à** with the definite article and contract where necessary:

C'est le charcutier.
Mme Vallin parle au charcutier.

C'est le marchand.
C'est le crémier.
C'est le pâtissier.
C'est le boulanger.
C'est l'épicier.
C'est l'étudiant.
C'est l'Américain.

Voilà la crémerie.
Elle va à la crémerie.

Voilà la pâtisserie.
Voilà la Sorbonne.
Voilà la charcuterie.
Voilà la boulangerie.
Voilà l'Odéon.
Voilà l'appartement.
Voilà l'épicerie.

Voilà les crémeries.
Nous allons aux crémeries.

Voilà les charcuteries.
Voilà les pâtisseries.
Voilà les boucheries.
Voilà les théâtres.
Voilà les épiceries.
Voilà les restaurants.
Voilà les librairies.

Questions

Répondez négativement:

EXEMPLE: Est-ce que Liliane va au Panthéon?
Non, Liliane ne va pas au Panthéon.

1. Est-ce que Liliane va à la Sorbonne?
2. Est-ce que Liliane dîne au restaurant?
3. Est-ce que Liliane parle aux étudiants?
4. Est-ce que Victor prépare un dîner?
5. Est-ce que Victor prépare une soupe aux lentilles?
6. Est-ce que Victor connaît le quartier Rambuteau?
7. Est-ce que Victor fait la cuisine?
8. Est-ce que Victor fait les courses?

Prononciation [e]

Ecoutez bien le professeur et prononcez:

enchanté	prépare	fatigué
intéressant	épicerie	Panthéon
Américain	crémerie	Odéon
étudiant	chérie	théâtre
délicieuse	appétit	déjeune
Casiez	préparer	épicier
parlez	déjeuner	crémier
aimez	aimer	boucher
préparez	parler	pâtissier
déjeunez	Roger	boulanger
chez	Alger	charcutier

Prononcez chaque phrase:

1. Le pâtissier est enchanté.
2. Mme Casiez est enchantée.
3. Vous préparez le déjeuner.
4. Le Panthéon est intéressant.
5. Roger est boulanger.

Dialogue Review

A. Class reads Dialogue 4 in unison or in groups.
B. Several students give Dialogue 3 by heart.
C. *Dictée* based on *Deuxième Leçon.*

The Parrys meet their neighbors.

CINQUIEME LEÇON

Les voisins

LILIANE: Reprendrez-vous du café?
M. VALLIN: Non, merci.
LILIANE: Du gâteau?
M. VALLIN: Oui, s'il vous plaît. Votre gâteau est excellent, vous savez!
MME VALLIN: Charles! Ton régime!
M. VALLIN: Est-ce que je suis vraiment trop gros?
MME VALLIN: Mon cher mari, tu sais bien que tu es trop gros!
VICTOR: (Riant) C'est un gâteau vraiment délicieux! Dites donc, Janine, vous connaissez les voisins? Il y a beaucoup de gens dans l'immeuble, mais je ne sais pas leurs noms.
MME VALLIN: Je connais très bien les voisins. Il y a d'abord les frères Dujardin. Ils sont pharmaciens.

VICTOR: Où est leur pharmacie?
MME VALLIN: Elle est tout près.
M. VALLIN: Mais les prix des Dujardin sont trop élevés.
MME VALLIN: Puis, il y a Mme Coudert. Elle est infirmière.
LILIANE: Vous parlez de la petite femme rousse?
M. VALLIN: Oui. Et puis, nous connaissons M. et Mme Musy.
LILIANE: Qui est M. Musy?
M. VALLIN: C'est un libraire.

LILLIAN: You'll have more coffee?
M. VALLIN: No, thanks.
LILLIAN: Cake?
M. VALLIN: Yes, please. Your cake is great, you know!
MME VALLIN: Charles, your diet!
M. VALLIN: Am I really too fat?

MME VALLIN: My dear husband, you know very well you're too fat!
VICTOR: (Laughing) It's a really delicious cake! Tell me, Janine, do you know the neighbors? There are a lot of people in the building, but I don't know their names.
MME VALLIN: I know the neighbors quite well. First, there are the Dujardin brothers. They're pharmacists.
VICTOR: Where's their pharmacy?
MME VALLIN: It's close by.
M. VALLIN: But the Dujardins' prices are too high.
MME VALLIN: Then there's Mme Coudert. She's a nurse.
LILLIAN: Are you talking about the short redhaired woman?
M. VALLIN: Yes. And then, we know M. and Mme Musy.
LILLIAN: Who's M. Musy?
M. VALLIN: He's a bookseller.

VICTOR: Il a des romans du dix-huitième siècle?

VICTOR: Does he have eighteenth-century novels?

M. VALLIN: Je ne sais pas. Mais j'aime bien M. Musy. C'est un homme aimable et cultivé. Sa conversation est très intéressante.

M. VALLIN: I don't know. But I like M. Musy. He's a friendly and cultured man. His conversation is very interesting.

FAUX AMIS: **roman** = *novel*, not *romance* or *love affair* (**affaire d'amour**); **régime** = *diet*, not *regime*, which it could mean in the proper context (**l'ancien régime**, *the old regime*); **gros** = *fat*, in this case, not *gross*, which it could mean, as in **gros mots**, *gross or vulgar language*; **rousse** = *redhaired*, not *Russian* (**russe**). **Rousse** is related, rather, to *russet*; **libraire** = *bookseller*, **librairie** = *bookstore*, neither means *library* (**bibliothèque**).

About the Dialogue

The increasing Americanization of some aspects of French commerce does not seem to have reached pharmacies as yet. Though one can now find such items as cologne, toothpaste, and bath brushes in them, they still deal almost exclusively in medicines. Many also contain a scale for customers wishing to weigh themselves. On Sundays and holidays, when most businesses are closed, one pharmacy within a certain radius (called a *pharmacie de garde*, the "pharmacy on duty") remains open; the others within that radius are required to post a notice giving its address.

French *libraires*, especially *libraires d'occasion* (secondhand booksellers) are often well-read, cultured men, who allow customers to browse undisturbed, and enjoy discussing a wide variety of subjects. Many, not having a desired book, will indicate a shop where it may be obtained.

Substitution Drills

Liliane va acheter
- du café
- du fromage
- du lard
- du pain
- du gâteau

M. et Mme Vallin parlent
- de la quiche lorraine
- de la petite femme rousse
- de la concierge
- de la pharmacie des frères Dujardin

Mme Vallin parle
- des voisins

des frères Dujardin
des prix élevés
des boutiques de la rue Rambuteau
des libraires de la rue Rambuteau
des pharmacies de la rue Rambuteau

Victor parle
de l'appartement
de l'immeuble
de l'Odéon
de l'épicier
de l'épicerie

J'aime
votre café. Il est excellent.
votre fromage. Il est excellent.
votre pain. Il est excellent.
votre gâteau. Il est excellent.

J'aime bien
l'infirmière. Elle est jolie.
la concierge. Elle est aimable.
Mme Musy. Elle est cultivée.
Mme Vallin. Elle est gentille.

M. Vallin aime bien
M. Musy. C'est un homme cultivé.
M. Musy. C'est un homme aimable.
Mme Musy. C'est une femme cultivée.
Mme Musy. C'est une femme aimable.
Mme Coudert. C'est une femme jolie.
Mme Casiez. C'est une femme gentille.

Victor aime
l'Odéon. C'est un théâtre excellent.
le fromage. C'est un fromage délicieux.
la soupe. C'est une soupe délicieuse.
la quiche lorraine. C'est une quiche délicieuse.
le pain. C'est un pain excellent.

Response Drills

Janine, tu connais les voisins?
Mais oui, je connais les voisins!

Vous connaissez enfin le quartier Rambuteau?
    Mais oui, nous connaissons enfin le quartier Rambuteau!
Victor connaît le quartier de la Sorbonne?
    Mais oui, il connaît le quartier de la Sorbonne!
Victor et Liliane connaissent Mme Casiez?
    Mais oui, ils connaissent Mme Casiez!

J'ai beaucoup de courses à faire.
    Tu as aussi une liste de courses?
Nous avons une petite maison.
    Vous avez aussi une petite voiture?
Victor a une jolie femme.
    Il a aussi une jolie voiture?
Liliane et Janine ont un bon boulanger.
    Elles ont aussi un bon charcutier?
Liliane et Victor ont un bon appartement.
    Ils ont aussi une bonne concierge?

Tu ne sais pas le nom des boulangers?
    Non, je ne sais pas leur nom.
Tu ne sais pas le nom des concierges?
    Non, je ne sais pas leur nom.
Tu ne sais pas le nom des épiciers?
    Non, je ne sais pas leur nom.
Tu ne sais pas le nom des infirmières?
    Non, je ne sais pas leur nom.
Tu ne sais pas le nom des libraires?
    Non, je ne sais pas leur nom.

Les prix des libraires sont élevés?
    Oui, leurs prix sont trop élevés.
Les prix des épiciers sont trop élevés?
    Oui, leurs prix sont trop élevés.
Les prix des crémiers sont trop élevés?
    Oui, leurs prix sont trop élevés.
Les prix des pâtissiers sont trop élevés?
    Oui, leurs prix sont trop élevés.
Les prix des pharmaciens sont trop élevés?
    Oui, leurs prix sont trop élevés.

La librairie de M. et Mme Musy est tout près?
    Oui, leur librairie est tout près.
L'appartement de Victor et de Liliane est tout près?
    Oui, leur appartement est tout près.

Les boutiques des pâtissiers sont tout près?
    Oui, leurs boutiques sont tout près.
Les voitures des infirmières sont tout près?
    Oui, leurs voitures sont tout près.
Le restaurant des étudiants est tout près?
    Oui, leur restaurant est tout près.
Les appartements des étudiants sont tout près?
    Oui, leurs appartements sont tout près.

Grammaire

9. Contractions with *De*

The preposition **de** (*of*, *about*, *from*) used in combination with **le, la, l',** or **les** has the following forms:

A. **de + le = du**

Voilà les romans **du** dix-huitième siècle. *Here are the novels of the eighteenth century* (*eighteenth-century novels*).
Voilà les voisins **du** boucher. *Here are the neighbors of the butcher* (*the butcher's neighbors*).
Les prix **du** charcutier sont élevés. *The prices of the pork butcher* (*the pork butcher's prices*) are high.

B. **de + la = de la**

Un morceau **de la** quiche est sur la table. *A piece of the quiche is on the table.*
Vous parlez **de la** femme rousse? *Are you talking about the redheaded woman?*
Nous parlons **de la** pharmacie? *Are we talking about the pharmacy?*

C. **de + l' = de l'**

Voilà les gens **de l'**immeuble. *Here are the people from the building.*
Elle ne parle pas **de l'**épicerie. *She's not talking about the grocery.*

D. **de + les = des**

Parlez-vous **des** frères Dujardin? *Are you talking about the Dujardin brothers?*
Les prix **des** Dujardin sont trop élevés. *The prices of the Dujardins are too high.*

Note

De contracts with **le** to form **du.**
De contracts with **les** to form **des.**
De does not contract with **la** or **l'.**

10. *Il Est, Elle Est, Ils Sont, Elles Sont*

Il est (*he is, it is*), **elle est** (*she is, it is*), and **ils sont** (*they are*) are used before adjectives:

Il est excellent. *He's very good.* or *It's very good.*
Elle est jolie. *She's pretty.* or *It's pretty.*
Ils sont délicieux. *They're delicious.*
Elles sont aimables. *They're friendly.*

Words telling *occupation, religion, nationality* and so on are treated as adjectives in such cases:

Ils sont pharmaciens. *They're pharmacists.*
Elle est infirmière. *She's a nurse.*
Il est américain. *He's American.*
Elle est catholique. *She's Catholic.*

11. *C'est* + Indefinite Article + Noun

C'est (*he is, she is, it is*) is used before nouns:

C'est une quiche délicieuse. *It's a delicious quiche.*
C'est un homme cultivé. *He's a cultured man.*
C'est une femme aimable. *She's a friendly woman.*

If there is a modifier with words denoting *occupation, religion*, etc., use **c'est.** The words are *nouns* in this case:

C'est une bonne infirmière. *She's a good nurse.*
C'est un bon Catholique. *He's a good Catholic.*
C'est un libraire cultivé. *He's a cultured bookseller.*

In point of meaning, there is no difference, of course, between **Elle est catho-ique** (*She's Catholic*) and **C'est une Catholique** (*She's a Catholic*). There is just a slight shift in emphasis.

12. *Leur, Leurs*, Their (Possessive Adjectives)

Leur is used before any singular noun:

Leur épicerie (f.), *their grocery*
Leur librairie (f.), *their bookstore*
Leur pain (m.), *their bread*

Leurs is used before any plural noun:

Leurs noms, *their names*

Leurs prix, *their prices*
Leurs immeubles, *their buildings*

13. *ALLER*, TO GO (IRREGULAR VERB)

Je **vais** d'abord chez le boulanger. *First I'm going to the baker's.*
Vous **allez** chez le boulanger? *You're going to the baker's?*
Victor **va** à la Sorbonne. *Victor goes to the Sorbonne.*
Allez-vous chez le pâtissier? *Are you going to the pastry shop?*

Aller is conjugated as follows (note the linked words):

je vais	*I go, I'm going*	[vɛ]	
tu vas	*you go, you're going*	[va]	2nd and 3rd persons singular SOUND exactly the same.
il va	*he goes, he's going*	[va]	
elle va	*she goes, she's going*	[va]	
nous allons	*we go, we're going*	[nuzalɔ̃]	
vous allez	*you go, you're going*	[vuzale]	
ils vont	*they go, they're going*	[vɔ̃]	3rd persons plural, masculine and feminine, are spelled the same and sound the same.
elles vont	*they go, they're going*	[vɔ̃]	

14. *AVOIR*, TO HAVE (IRREGULAR VERB)

J'**ai** beaucoup de courses à faire. *I have many errands to do.*
Il **a** des romans du dix-huitième siècle? *Does he have eighteenth-century novels?*
Ils **ont** une petite voiture. *They have a small car.*

Avoir is conjugated as follows (note the linked words):

j'ai	*I have*	[ʒe]	
tu as	*you have*	[a]	2nd and 3rd persons singular SOUND exactly the same.
il a	*he has*	[a]	
nous avons	*we have*	[nuzavɔ̃]	
vous avez	*you have*	[vuzave]	
ils ont	*they have*	[ilzɔ̃]	

Note

a = *has*; **à** = *to, at, in.* The presence or absence of an accent mark in the same word occasionally changes its meaning.

15. *SAVOIR* AND *CONNAÎTRE*, TO KNOW (IRREGULAR VERBS)

Votre gâteau est excellent, vous **savez.** *Your cake is great, you know.*
Vous **connaissez** les voisins? *Do you know the neighbors?*
Je ne **sais** pas leurs noms. *I don't know their names.*
Je **connais** enfin le quartier Rambuteau. *I finally know the Rambuteau district.*

Savoir and **connaître** are both irregular verbs:

je sais	*I know*	[sɛ]	All singular forms SOUND exactly the same.
tu sais	*you know*	[sɛ]	
il sait	*he knows*	[sɛ]	
nous savons	*we know*	[savɔ̃]	1st and 2nd persons plural differ by only a single sound.
vous savez	*you know*	[save]	
ils savent	*they know*	[sav]	

je connais	*I know*	[kɔnɛ]	All singular forms SOUND exactly the same.
tu connais	*you know*	[kɔnɛ]	
il connaît	*he knows*	[kɔnɛ]	
nous connaissons	*we know*	[kɔnɛsɔ̃]	1st and 2nd persons plural differ by only a single sound.
vous connaissez	*you know*	[kɔnɛse]	
ils connaissent	*they know*	[kɔnɛs]	3rd person plural adds sound of /s/ to singular forms.

Each of these verbs expresses *knowledge*, but of different sorts. **Savoir** means *to know* in the sense of being aware of a situation; also, it is used to express the knowledge of isolated pieces of information—names, addresses, dates, statistics, facts, etc. **Connaître** is used to imply familiarity with works of art, books, music, cities, any area of endeavor. It has given us the word *connoisseur*, an expert, one who *knows*. **Connaître** is used also in connection with *people* (to know or be acquainted with them).

Exercices

Remplacez l'article défini **(le, la, l')** par la forme convenable de l'article partitif:

Exemple: **le café . . . du café**

A. le morceau, le voisin, le nom, le frère, le gâteau, le prix, le roman
B. la quiche, la rue, la femme, la librairie, la Sorbonne, la crémerie
C. l'appartement, l'immeuble, l'épicier, l'épicerie, l'infirmière

Remplacez l'article défini **(les)** par **(des)**:

A. les voisins, les gens, les noms, les frères, les gâteaux, les rues
B. les appartements, le immeubles, les épiciers, les épiceries, les infirmières

Response Drill

Répondez aux questions suivantes d'après le modèle (Answer the following questions according to the model below):

Mme Casiez est infirmière?
Non, elle n'est pas infirmière, elle est concierge.

Victor est français?
Mme Vallin est américaine?
Mme Coudert est concierge?
Les frères Dujardin sont bouchers?
Mme Musy est infirmière?
Mme Vallin et Mme Casiez sont américaines?
M. Vallin aime les gâteaux au chocolat; mais est-il vraiment gros?

Voilà la voiture des infirmières, n'est-ce pas?
Oui, voilà leur voiture.

Voilà le crémier des infirmières, n'est-ce pas?
Voilà la voisine des infirmières, n'est-ce pas?
Voilà le pâtissier des infirmières, n'est-ce pas?
Voilà l'épicier des infirmières, n'est-ce pas?
Voilà les crémières des voisins, n'est-ce pas?
Voilà les voisines des infirmières, n'est-ce pas?
Voilà les pâtissiers des voisins, n'est-ce pas?
Voilà les épiciers des voisins, n'est-ce pas?

Transformation Drill

Victor n'est pas libraire; il est étudiant.
Oui, c'est un bon étudiant.

Mme Casiez n'est pas infirmière; elle est concierge.
Mme Coudert n'est pas concierge; elle est infirmière.
M. Dujardin n'est pas boucher; il est pharmacien.
M. Musy n'est pas charcutier: il est libraire.

Expansion Drill

This drill contains either a reference to a person or the mention of a complete fact and is intended to help you distinguish when to use *savoir* or *connaître*. Each is to be "expanded" into longer units as indicated by the models:

Madame Vallin. (Nous connaissons)
Nous connaissons Mme Vallin.

Elle est française. (Nous savons)
Nous savons qu'elle est française.

Elle est très gentille.
M. Vallin.
Il aime le gâteau au chocolat.
C'est un homme aimable.
M. et Mme Vallin.
Ils sont français.
Leur concierge.
Le nom de leur concierge.
C'est Mme Casiez.

Correlation Drill: Connaître and Savoir

Je connais la concierge, je sais son nom.
Vous . . .
Liliane . . .
Victor et Liliane . . .
Tu . . .
Nous . . .
Victor . . .
Liliane et Mme Vallin . . .

Correlation Drill: Avoir

J'ai une petite voiture.
Nous . . .
Tu . . .
M. et Mme Vallin . . .
Mme Coudert . . .
Vous . . .
Les frères Dujardin . . .

Questions sur le Dialogue

1. M. Vallin aime le gâteau au chocolat?
2. Est-ce que M. Vallin est vraiment gros?
3. Est-ce que le gâteau est délicieux?
4. Janine connaît les voisins?
5. Il y a beaucoup de gens dans l'immeuble?
6. Victor sait leurs noms?
7. Qui sont les frères Dujardin?

8. Où est leur pharmacie?
9. Les prix des Dujardin sont élevés?
10. Qui est Mme Coudert?
11. Mme Coudert est une grande femme?
12. Qui est M. Musy?
13. M. Vallin aime bien M. Musy?
14. M. Vallin est un homme aimable?

Prononciation [a]

Parry	plat	tache	carafe	la
Liliane	état	place	fatal	ma
Vallin	tu vas	canne	banal	sa
appartement	combat	salle	camarade	ta
quatre	éclat	nappe	cabale	vas
magasin	format	calme	charité	sera
anniversaire	chat	palme	Paris	
d'abord	estomac	halte	chapitre	
naturellement		valse	marcher	

quoi	employer	solennel
je bois	aboyer	femme
miroir	noyer	prudemment
avoir	envoyer	violemment
voiture	renvoyer	éminemment
trois	doyen	pertinemment
oiseau	moyen	ardemment
pourquoi	voyons	
voir	soyons	
	nettoyer	
	tutoyer	

Voilà la femme qui sera à toi.
La dame frappe sur la table.
Il y a une carafe à ma table.
Madame est malade et marche mal.

Dialogue Review

A. Class reads Dialogue 5 in unison or in groups.
B. Several students give Dialogue 4 by heart.
C. *Dictée* based on Dialogue 3.

Victor and Lillian become acquainted with Paris.

SIXIEME LEÇON

Liliane est enceinte

JANINE: Bonjour, Liliane! Comment vas-tu? . . . Tiens! tu vas quelque part?

LILIANE: Oui . . . Quel temps fait-il?

JANINE: Tu ne vois pas? Mais, il pleut à verse, il fait du vent, il fait froid, enfin il fait un temps affreux!

LILIANE: Oh, ça m'est égal! Pour moi, Janine, il fait du soleil, il fait chaud, il fait beau, il fait un temps splendide!

JANINE: Que veux-tu dire?

LILIANE: Je vais chez mon médecin. Oh, ma chère Janine! J'attends un enfant! Dans sept mois! Et je suis si heureuse!

JANINE: Quel bonheur! Et Victor? Est-il heureux aussi?

LILIANE: Oh, oui! Je vais écrire à mes parents.

JANINE: Victor aime les enfants?

LILIANE: Et comment! Tu es sa cousine, mais connais-tu sa famille? Un frère, trois sœurs, cinq oncles, sept tantes, huit cousins, et il veut avoir six enfants!

JANINE: Oh, là là! A-t-il du courage, ton mari! Quel âge as-tu, Liliane?

LILIANE: J'ai vingt-deux ans.

JANINE: Seulement? Tu as bien le temps d'avoir dix enfants!

JANINE: Good morning, Lillian! How are you? . . . Well! Are you going somewhere?

LILLIAN: Yes . . . How's the weather?

JANINE: Can't you see? Why, it's raining cats and dogs, it's windy, it's cold—the weather's awful!

LILLIAN: Oh, who cares! As far as I'm concerned, Janine, it's sunny, it's warm, the weather's fine—it's lovely outside!

JANINE: What do you mean?

LILLIAN: I'm going to my doctor's office. Oh, my dear Janine, I'm expecting a baby! In seven months! And I'm so happy!

JANINE: How wonderful! And Victor? Is he happy too?

LILLIAN: Oh, yes! . . . I'm going to write my parents.

JANINE: Does Victor like children?

LILLIAN: And how! You're his cousin, but do you know his family? One brother, three sisters, five uncles, seven aunts, eight cousins, and he wants to have six children!

JANINE: Whew! Is your husband ever a brave man! How old are you, Lillian?

LILLIAN: I'm twenty-two.

JANINE: That's all? You have time to have ten children!

FAUX AMIS: **médecin** = *doctor,* not *medicine.* **Médecine** = *the medical profession*; **médicament** = *medicine* in the sense of *medication*; **à verse** = part of the expression **il pleut à verse** (*it's raining hard, it's raining cats and dogs*). **Verse** is not related to the English *verse* (**vers,** *poetry*; **strophe,** *stanza*); **vent** = *wind,* not *air vent* **(soupirail).** There is, of course, a partial relationship here between these words.

About the Dialogue

Here are several common weather expressions:

Quel temps fait-il?	*How's the weather?*
Il fait beau.	*The weather's fine.*
Il fait mauvais.	*The weather's bad.*
Il fait du soleil.	*It's sunny.*
Il pleut.	*It's raining.*
Il pleut à verse.	*It's raining cats and dogs.*
Il fait un temps affreux.	*The weather's terrible.*
Il fait un temps splendide.	*The weather's lovely.*
Il neige.	*It's snowing.*

Substitution Drills

Je ne parle pas
de mon médecin. Je parle de mes médecins.
de mon voisin. Je parle de mes voisins.
de mon boucher. Je parle de mes bouchers.
de mon épicier. Je parle de mes épiciers.

Vas-tu
chez ton médecin ou chez tes médecins?
chez ton voisin ou chez tes voisins?
chez ton cousin ou chez tes cousins?
chez ton épicier ou chez tes épiciers?

Liliane aime bien
son voisin. Tous (*all*) ses voisins sont gentils.
son cousin. Tous ses cousins sont amiables.
son oncle. Tous ses oncles sont gentils.
son frère. Tous ses frères sont aimables.

Victor aime bien
son voisin. Tous ses voisins sont gentils.
son cousin. Tous ses cousins sont aimables.
son oncle. Tous ses oncles sont gentils.
son frère. Tous ses frères sont aimables.

Parlez-vous

de notre médecin? Non, je parle de nos médecins.
de notre voisin? Non, je parle de nos voisins.
de notre boucher? Non, je parle de nos bouchers.
de notre épicier? Non, je parle de nos épiciers.

Parlons-nous

de votre médecin? Ou de vos médecins?
de votre voisin? Ou de vos voisins?
de votre épicier? Ou de vos épiciers?
de votre cousin? Ou de vos cousins?

Aimez-vous

ma soupe?
mes soupes?
ma maison?
mes maisons?
ma voiture?
mes voitures?
ma cousine?
mes cousines?

Oui, j'aime

ta soupe
tes soupes
ta maison
tes maisons
ta voiture
tes voitures
ta cousine
tes cousines

Voilà Victor Parry. Connaissez-vous

sa famille? Et ses tantes aussi?
sa femme? Et ses voisines aussi?
sa cousine? Ses cousines sont jolies?
sa sœur? Ses sœurs sont aimables?

Et voilà Liliane Parry. Connaissez-vous

sa famille? Et ses tantes aussi?
sa cousine? Ses cousines sont gentilles?
sa sœur? Ses sœurs sont jolies?
sa voisine? Ses voisines sont aimables?

Voilà la rue Rambuteau, et voilà

notre crémerie

nos crémeries
notre maison
nos maisons
notre épicier
nos épiciers

Mme Parry, voilà
votre crémerie
vos crémeries
votre pâtisserie
vos pâtisseries
votre épicerie
vos épiceries

Est-ce que nous parlons

de mon appartement?	de ton appartement?	de son appartement?
de mon épicerie?	de ton épicerie?	de son épicerie?
de mon infirmière?	de ton infirmière?	de son infirmière?
de mon étudiant?	de ton étudiant?	de son étudiant?

Mon petit cousin a

(1) un an
(2) deux ans
(3) trois ans
(4) quatre ans
(5) cinq ans
(6) six ans
(7) sept ans
(8) huit ans
(9) neuf ans
(10) dix ans

Quel âge as-tu, mon ami? J'ai

(11) onze ans
(12) douze ans
(13) treize ans
(14) quatorze ans
(15) quinze ans
(16) seize ans
(17) dix-sept ans
(18) dix-huit ans
(19) dix-neuf ans
(20) vingt ans

Response Drill

Vous parlez français?
Oui, Mme Casiez. Parlez-vous anglais (*English*)?
Tu prépares un bon dîner?
Oui, Janine. Prépares-tu un bon dîner aussi?
Vous aimez les gâteaux au chocolat?
Oui, Liliane. Aimez-vous les gâteaux au chocolat aussi?
Vous avez sept tantes?
Oui; avez-vous beaucoup de tantes aussi?

Il fait du soleil à Paris?
    Oui! Fait-il du soleil à Chicago aussi?
Liliane a vingt-deux ans?
    Oui. Mais a-t-elle le temps d'avoir dix enfants?
Nous aimons les enfants, n'est-ce pas?
    Oui! Mais aimons-nous les grandes familles?
Quel temps fait-il, Janine?
    Mais il fait un temps affreux!
Vraiment? Il fait un temps affreux?
    Oui! Il pleut à verse!
Vraiment? Il pleut à verse?
    Oui! Et il fait froid!
Vraiment? Il fait froid?
    Oui! Il fait du vent!
Il fait du vent? Pour moi, il fait du soleil!
    Vraiment, Liliane?
Oh, oui! Pour moi, il fait chaud!
    Il fait chaud?
Oh, oui! Pour moi, il fait beau?
    Il fait beau? Vraiment?
Mais oui! Il fait un temps splendide!

Grammaire

16. POSSESSIVE ADJECTIVES (Adjectifs possessifs)

Je vais chez **mon** médecin. *I'm going to my doctor's office.*
Je vais écrire à **mes** parents. *I'm going to write my parents.*
Tu es **sa** cousine! *You're his cousin!*
Ton mari a du courage! *Your husband's a brave one!*
Voilà **mon** infirmière. *Here's my nurse.*

In the previous chapter, two possessive adjectives were presented: **leur, leurs.** Here, now, is the entire list of these adjectives:

MASCULINE SINGULAR	FEMININE SINGULAR	MASCULINE AND FEMININE PLURAL	
mon voisin	ma voisine	mes voisins	mes voisines
ton voisin	ta voisine	tes voisins	tes voisines
son voisin	sa voisine	ses voisins	ses voisines
notre voisin	notre voisine	nos voisins	nos voisines
votre voisin	votre voisine	vos voisins	vos voisines
leur voisin	leur voisine	leurs voisins	leurs voisines

FEMININE SINGULAR, EXCEPTIONAL CASE	
mon épicerie	mon histoire (*story*)
ton épicerie	ton histoire
son épicerie	son histoire

There is one major difference between the French and English possessive adjectives: in English, certain ones tell the sex of the owner (*his*, *her*). In French this is never so. With almost no exceptions, French possessive adjectives agree in gender and number with the noun or thing *possessed*. This means that:

a. To get the right possessive adjective for a French noun, you first find out the gender and number of the noun. Forget the sex of the owner!
b. Both **son** and **sa** can mean *his* or *her*, depending on the situation: **son voisin** = *his or her neighbor*; **sa maison** = *his or her house.*

Other points:

The plural possessive adjectives (**mes, tes, nos, vos, leurs**) serve both masculine and feminine nouns: **mes voisins, mes voisines, leurs voisins, leurs voisines,** etc.

Notre and **votre** are the same for both genders: **notre quartier, notre rue; votre quartier, votre rue.**

Finally, take a close look at the list called *Feminine Singular, Exceptional Case*: **mon épicerie, ton épicerie, mon histoire, ton histoire,** etc. You notice that certain masculine possessive adjectives are paired with feminine singular nouns starting with a vowel or mute **h**. These cases are exceptional without a doubt; in fact, they are the only adjectives in the entire French language that do not follow the rule of agreement of gender and number.

17. CARDINAL NUMBERS 1–19 (Nombres cardinaux de 1 à 19)

1	un, une	[ɛ̃, yn]	11	onze	[ɔ̃z]
2	deux	[dø]	12	douze	[duz]
3	trois	[trwa]	13	treize	[trɛz]
4	quatre	[katr]	14	quatorze	[katɔrz]
5	cinq	[sɛ̃k]	15	quinze	[kɛ̃z]
6	six	[sis]	16	seize	[sɛz]
7	sept	[set]	17	dix-sept	[disset]
8	huit	[ɥit]	18	dix-huit	[dizɥit]
9	neuf	[nœf]	19	dix-neuf	[diznœf]
10	dix	[dis]			

Note

1. In English, between twelve and twenty, we have the "teen" numbers, thirteen to nineteen. In French, *eleven* to *sixteen* (**onze** to **seize**) end in **-ze**.
2. *Seventeen, eighteen,* and *nineteen* (**dix-sept, dix-huit, dix-neuf**) are arrived at by a sort of sidewise adding process: "ten-seven," "ten-eight," "ten-nine."
3. Familiarize yourself with 1 to 19; they will be useful later since they combine with certain multiples of ten to form higher numbers.
4. Cardinal numbers are adjectives, but outside of *one* (**un, une**) there is only one form for both masculine and feminine:

un étudiant, *one student*	**deux étudiants,** *two students*
une femme, *a woman*	**deux femmes,** *two women*

18. Asking Questions with Subject Pronouns

In an earlier chapter, you saw that **est-ce que**, placed before any statement in French, turns the statement into a question:

Est-ce que Liliane aime les petites boutiques? *Does Lillian like the little shops?*
Est-ce que Victor aime les gâteaux au chocolat? *Does Victor like chocolate cakes?*

Also, a statement may become a question through rising intonation:

Vous êtes Mme Casiez? *Are you Mme Casiez?*
Vous parlez français, Madame? *Do you speak French?*

There is another way of asking questions in French, if the subject of the sentence is a pronoun: the inversion method.

Reprendrez-vous du café? *Will you have more coffee?*
Parlons-nous de la petite femme rousse? *Are we talking about the short red-haired woman?*
Ont-ils beaucoup de romans? *Have they many novels?*

Reverse the subject pronoun and verb; connect them with a hyphen, and the question is formed. Here is a complete sample of this technique:

Est-ce que je parle?	*Am I speaking?*	*Do I speak?*
Parles-tu?	*Are you speaking?*	*Do you speak?*
Parle-t-il?	*Is he speaking?*	*Does he speak?*
Parle-t-elle?	*Is she speaking?*	*Does she speak?*
Parlons-nous?	*Are we speaking?*	*Do we speak?*
Parlez-vous?	*Are you speaking?*	*Do you speak?*
Parlent-ils?	*Are they speaking?*	*Do they speak?* (m.)
Parlent-elles?	*Are they speaking?*	*Do they speak?* (f.)

The inversion method is not, as a rule, used to form questions with **je**; with this pronoun, the French resort to the **est-ce que** form. A few exceptions:

être

Suis-je?	*Am I?*	Sommes-nous?	*Are we?*
Es-tu?	*Are you?*	Etes-vous?	*Are you?*
Est-il?	*Is he?*	Sont-ils?	*Are they?* (m.)
Est-elle?	*Is she?*	Sont-elles?	*Are they?* (f.)

avoir

Ai-je?	*Do I have?*	Avons-nous?	*Do we have?*
As-tu?	*Do you have?*	Avez-vous?	*Do you have?*
A-t-il?	*Does he have?*	Ont-ils?	*Do they have?* (m.)
A-t-elle?	*Does she have?*	Ont-elles?	*Do they have?* (f.)

When the **il** or **elle** form of a verb ends in a vowel, add **-t-** between verb and subject. The **-t-** adds nothing to the meaning; it is just a sort of "pronunciation bridge" between two vowel sounds, but it is obligatory. Omitting it is a spelling error.

Exercices

Transformation Drills

Changez les noms et les adjectifs possessifs du singulier au pluriel (Change the nouns and possessive adjectives from singular to plural):

Victor aime mon gâteau.
Victor aime mes gâteaux.

Je prépare ma soupe.
Tu aimes ton cousin?
Nous allons chez ta voisine.
Ja vais écrire à mon oncle.
Ah! voilà mon infirmière!
Victor va écrire à notre cousin.
Liliane va chez votre voisin.

Changez les noms et les adjectifs possessifs du pluriel au singulier (Change the nouns and possessive adjectives from plural to singular):

Aimes-tu mes soupes?
Aimes-tu ma soupe?

Aimes-tu mes dîners?
Aimez-vous mes quiches?

Vas-tu chez tes marchands?
Je ne vais pas chez tes cousines?
Voici tes infirmières!
Et voilà mes infirmières!
Allons-nous écrire à nos cousins?
Vous allez chez vos voisines?
Je vais écrire à nos sœurs.
Victor va écrire à vos frères.

Complétez en donnant la forme convenable de l'adjectif possessif (**son, sa, ses**) (Complete the following with the correct form of the possessive adjective):

1. Est-ce que Mme Vallin est la sœur de Victor? Non, c'est —— cousine.
2. Est-ce que les frères Dujardin sont les pharmaciens de Mme Vallin?
3. Non, ils sont —— voisins, mais ils ne sont pas —— pharmaciens.
4. Est-ce que M. Vallin est le frère de Victor? Non, c'est —— voisin.
5. Est-ce que Liliane va chez son médecin aujourd'hui? Non, mais elle va chez —— marchands.

Comptez de 1 à 20.
Dites en français: 2, 4, 6, 8, 10, 12, 14, 16, 18, 20. 1, 3, 5, 7, 9, 11, 13, 15, 17, 19.

Transformation Drills

Faites une question par l'inversion du sujet et du verbe (Form a question by inverting subject and verb):

Ils sont épiciers.
Sont-ils épiciers?

Elle est tout près.
Elle est infirmière.
Il est très spirituel.
Ils sont pharmaciens.
Nous sommes à Paris.
Tu es fatiguée.
Vous êtes vraiment gros!
Je suis au restaurant.

J'ai beaucoup de courses.
Ai-je beaucoup de courses?

Ils ont beaucoup de romans.
Tu as une soupe aux lentilles.
Vous avez un gâteau au chocolat.

Elle a une petite voiture.
Nous avons beaucoup de voisins.
Elles ont un bon morceau de fromage.

Questions sur le Dialogue

1. Fait-il froid?
2. Fait-il du vent?
3. Pleut-il à verse?
4. Fait-il un temps affreux?
5. Fait-il vraiment du soleil?
6. Fait-il vraiment chaud?
7. Fait-il vraiment beau?
8. Fait-il vraiment un temps splendide?
9. Où va Liliane?
10. Victor aime les enfants?
11. Victor a quatre sœurs?
12. Il veut avoir sept enfants?
13. Liliane a vingt-cinq ans?

Prononciation [a]

pas	roi	miracle	classe
bas	endroit	macabre	tasse
gras	froid	cadavre	masse
repas	je crois	cadre	passe
hélas	croyez	fable	basse
atlas	Leroy	diable	lasser
matelas	Maurois	miracle	chasser
lilas	droit	débacle	entasser

vase	Versailles	exploration
phrase	bataille	ration
base	taille	conversation
raser	fiançailles	occupation
écraser	volaille	gradation
phase	canaille	nation
topaze	valetaille	natation
jaser	accordailles	

Je crois que Jeanne et Jacques sont las.
Le tailleur a gagné la médaille.
Geoffroy a pris trois tasses de thé.

L'âne a tâché d'écraser les vases.
Jadis on faisait de la soie dans la Chine.

Dialogue Review

A. Class reads Dialogue 6 in unison or in groups.
B. Several students give Dialogue 5 by heart.
C. *Dictée* based on Dialogue 4.

The Parrys shop for baby things.

SEPTIEME LEÇON

Des rêves

VICTOR: Chérie?	VICTOR: Dearest?
LILIANE: Tiens! Ne dors-tu pas?	LILLIAN: Goodness! Aren't you sleeping?
VICTOR: Non. Quelle heure est-il? Minuit?	VICTOR: No. What time is it? Midnight?
LILIANE: An non! Il est . . . voyons . . . deux heures vingt-cinq . . . non . . . deux heures et demie . . . Est-ce que tu ne peux pas dormir?	LILLIAN: Oh, no! It's . . . let's see . . . 2:25 . . . no . . . 2:30. Can't you sleep?
VICTOR: Impossible! Je rêve de notre enfant.	VICTOR: Impossible! I'm dreaming about our baby.
LILIANE: Tu préfères un fils, n'est-ce pas?	LILLIAN: You prefer a son, don't you?
VICTOR: Oh, ça m'est égal! Je veux un enfant sain et robuste, voilà tout . . . peut-être une fille . . . une fille blonde, mignonne, et intelligente, comme sa mère.	VICTOR: Oh, I don't care! I want a healthy, strong child, that's all . . . maybe a daughter . . . a blonde, cute, intelligent girl, like her mother.
LILIANE: Ou un fils mignon, intelligent . . . et blond, comme son père!	LILLIAN: Or a cute, intelligent son . . . blonde, like his father!
VICTOR: J'ai la solution! Nous pouvons avoir des jumeaux! Un fils et une fille!	VICTOR: I have the solution! We can have twins! A son and a daughter!
LILIANE: Oh! les hommes sont affreux! Tu ne veux pas, j'espère, avoir tes six enfants avant l'âge de trente ans? Vas-tu gagner deux cents dollars par semaine pour ta famille?	LILLIAN: Oh! Men are awful! You don't want to have your six children before you're thirty, I hope? Are you going to earn $200.00 a week for your family?
VICTOR: Je plaisante, chérie, je plaisante. Quelle heure est-il? Je peux dormir maintenant.	VICTOR: I'm joking, dearest, I'm joking. What's the time now? I can sleep now.

LILIANE: Enfin! Il est trois heures et quart . . . non . . . trois heures moins le quart. Bonne nuit!

LILLIAN: Finally! It's 3:15 . . . no . . . 2:45. Good night!

FAUX AMIS: **sain** = *healthy*, not *sane* (**sensé, équilibré**); **plaisanter** = *to joke*, not *to be pleasant* (**être agréable**).

Repetition Drill

Tu préfères un fils, n'est-ce pas?
Il est minuit, n'est-ce pas?
Les hommes sont affreux, n'est-ce pas?
Tu vas gagner deux cents dollars par semaine, n'est-ce pas?
Victor aime les enfants, n'est-ce pas?
Sa thèse est difficile, n'est-ce pas?
Il a une grande famille, n'est-ce pas?

Substitution Drills

Vas-tu gagner

Vingt dollars?
Cent vingt dollars?
Deux cents dollars?
Trois cents dollars?
Cinq cents dollars?
Sept cents dollars?
Neuf cents dollars?

Il est

minuit
minuit et quart
minuit vingt-cinq
minuit et demi
deux heures
deux heures moins le quart
trois heures et quart
trois heures moins le quart
onze heures dix
onze heures moins dix
une heure et quart
une heure
une heure vingt
midi
midi cinq
midi moins cinq

Chérie,

ne dors-tu pas?
ne peux-tu pas dormir?
ne rêves-tu pas?
ne veux-tu pas avoir un fils?
ne plaisantes-tu pas?
ne veux-tu pas avoir une fille?
n'as-tu pas la solution?

M. Vallin,

Est-ce que vous n'aimez pas le gâteau?
Est-ce que vous n'êtes pas trop gros?
Est-ce que vous ne connaissez pas M. Musy?
Est-ce que vous n'avez pas un régime?

Victor, tu ne veux pas avoir un fils

intelligent?
blond?
robuste?
mignon?

Liliane, tu ne veux pas avoir une fille

intelligente?
blonde?
robuste?
mignonne?

Repetition Drill

Tu veux dormir. Mais tu ne peux pas dormir!
Justement! Je veux dormir. Mais je ne peux pas dormir!
Nous pouvons avoir six enfants. Mais nous ne voulons pas avoir six enfants!
Vous voulez gagner cent dollars. Maïs vous ne pouvez pas gagner cent dollars!
Victor veut dormir. Mais il ne peut pas dormir!
Liliane et Janine veulent faire leurs courses. Mais elles ne peuvent pas faire leurs courses.

Grammaire

19. *N'est-ce Pas?*

Tu préfères un fils, **n'est-ce pas?** *You prefer a son, don't you?*
Il est minuit, **n'est-ce pas?** *It's midnight, isn't it?*
Les hommes sont affreux, **n'est-ce pas?** *Men are awful, aren't they?*

N'est-ce pas? is one of the most versatile, if not *the* most versatile, expression in the French language. Literally, it means, "Isn't it so?" But since it essentially asks confirmation of an idea just expressed, its translation is very flexible.

20. Negative Questions

The French form negative questions in three ways:

a. **Est-ce que**+negative statement. (in conversation)

Est-ce que vous n'aimez pas mon café? *Don't you like my coffee?*
Est-ce que tu ne peux pas dormir? *Can't you sleep?*

b. A negative statement spoken in a questioning tone of voice. (in conversation)

Tu ne veux pas avoir tes six enfants avant l'âge de trente ans?
You don't want to have your six children before you're thirty?
Vous n'aimez pas mon café? *Don't you like my coffee?*

c. The inverted pattern, preceded by **ne** and followed by **pas**. (formal or literary pattern)

N'aimez-vous pas mon café? *Don't you like my coffee?*
Ne dors-tu pas? *Aren't you sleeping?*

It should be mentioned here that the French are tending to use this pattern—the least simple of all three—less often than formerly.

Here is a sampling of a verb conjugated according to pattern (c):

aimer:

Est-ce que je n'aime pas le café?	*Don't I like coffee?*
N'aimes-tu pas le café?	*Don't you like coffee?*
N'aime-t-il pas le café?	*Doesn't he like coffee?*
N'aimons-nous pas le café?	*Don't we like coffee?*
N'aimez-vous pas le café?	*Don't you like coffee?*
N'aiment-ils pas le café?	*Don't they like coffee?*

21. Telling Time

Quelle heure est-il?	*What time is it?*
Il est une heure.	*It's one o'clock.*
Il est deux heures.	*It's two o'clock.*
Il est trois heures.	*It's three o'clock.*
Il est quatre heures.	*It's four o'clock.*
Il est cinq heures.	*It's five o'clock.*
Il est six heures.	*It's six o'clock.*
Il est sept heures.	*It's seven o'clock.*
Il est huit heures.	*It's eight o'clock.*
Il est neuf heures.	*It's nine o'clock.*
Il est dix heures.	*It's ten o'clock.*
Il est onze heures.	*It's eleven o'clock.*
Il est midi.	*It's noon.*
Il est minuit.	*It's midnight.*

Here is a sample hour given at five-minute intervals:

Il est deux heures.	*It's two o'clock.*
Il est deux heures cinq.	*It's five minutes after two.*

Il est deux heures dix.	*It's ten minutes after two.*
Il est deux heures et quart.	*It's two-fifteen.*
Il est deux heures vingt.	*It's twenty minutes after two.*
Il est deux heures vingt-cinq.	*It's twenty-five minutes after two.*
Il est deux heures et demie.	*It's two-thirty.*
Il est trois heures moins vingt-cinq.	*It's twenty-five minutes to three.*
Il est trois heures moins vingt.	*It's twenty minutes to three.*
Il est trois heures moins le quart.	*It's a quarter to three.*
Il est trois heures moins dix.	*It's ten minutes to three.*
Il est trois heures moins cinq.	*It's five minutes to three.*
Il est trois heures.	*It's three o'clock.*

With the following basic expressions, you can tell time around the clock.

et quart: *a quarter after, fifteen after*
et demie: *half past*
cinq, dix, vingt, vingt-cinq: added to the hour without a conjunction mean *five after, ten after, twenty after, twenty-five after*
moins le quart: *a quarter to*
moins cinq, moins dix, moins vingt, moins vingt-cinq: added to the hour mean *five to, ten to, twenty to, twenty-five to.* Once a Frenchman gets past the half-hour, he thinks in terms of *the next hour minus* (**moins**) a *given number of minutes*

22. CARDINAL NUMBERS 20–999 (Nombres cardinaux de 20 à 999)

20	vingt	[vɛ̃]	50	cinquante	[sɛ̃kɑ̃t]
21	vingt et un	[vɛ̃teɛ̃]	51	cinquante et un	[sɛ̃kɑ̃teɛ̃]
22	vingt-deux	[vɛ̃tdø]	52	cinquante-deux	[sɛ̃kɑ̃tdø]
23	vingt-trois	[vɛ̃ttrwa]	60	soixante	[swasɑ̃t]
24	vingt-quatre	[vɛ̃tkatr]	61	soixante et un	[swasɑ̃teɛ̃]
25	vingt-cinq	[vɛ̃tsɛ̃k]	62	soixante-deux	[swasɑ̃tdø]
26	vingt-six	[vɛ̃tsis]	70	soixante-dix	[swasɑ̃tdis]
27	vingt-sept	[vɛ̃tset]	71	soixante et onze	[swasɑ̃teɔ̃z]
28	vingt-huit	[vɛ̃tɥit]	72	soixante-douze	[swasɑ̃tduz]
29	vingt-neuf	[vɛ̃tnœf]	80	quatre-vingts	[katrɛvɛ̃]
30	trente	[trɑ̃t]	81	quatre-vingt-un	[katrəvɛ̃ɛ̃]
31	trente et un	[trɑ̃teɛ̃]	82	quatre-vingt-deux	[katrəvɛ̃dø]
32	trente-deux	[trɑ̃tdø]	90	quatre-vingt-dix	[katrəvɛ̃dis]
40	quarante	[karɑ̃t]	91	quatre-vingt-onze	[katrəvɛ̃ɔ̃z]
41	quarante et un	[karɑ̃teɛ̃]	100	cent	[sɑ̃]
42	quarante-deux	[karɑ̃tdø]	101	cent un	[sɑ̃ɛ̃]

200	deux cents	[døsã]	700	sept cents	[sɛtsã]
201	deux cent un	[døsãɛ̃]	800	huit cents	[ɥisã]
300	trois cents	[trwasã]	900	neuf cents	[nœfsã]
400	quatre cents	[katrəsã]	999	neuf cent quatre-vingt-dix-neuf	[nœfsãkatrəvɛ̃diznœf]
500	cinq cents	[sɛ̃sã]			
600	six cents	[sisã]			

Note

The multiples of 10, from 10 through 60, are designated by special terms:

10	dix	40	quarante
20	vingt	50	cinquante
30	trente	60	soixante

However, 70, 80, and 90 are merely *combinations* of these same terms:

70	soixante-dix	(60+10)
80	quatre-vingts	(4×20)
90	quatre-vingt-dix	(4×20+10)

After you count to 60, all you need to reach 99 are combinations of numerals you already know. The Gauls, ancestors of the French, thought in terms of 20's, and the conquering Romans counted by 10's. The Latin language imposed this system on the French language down to the seventeenth century: **septante** meant 70, **octante** or **huitante** meant 80, **nonante** meant 90. These words are still used in Belgium and parts of Switzerland.

21, 31, 41, 51, 61 are formed by adding **et un** to the multiple of 10: **vingt et un, trente et un, quarante et un, cinquante et un, soixante et un.**

71 = **soixante et onze.** After 71, the **et** is dropped from numbers ending in 1; 81 = **quatre-vingt-un**; 91 = **quatre-vingt-onze.**

200 = deux **cents**	300 = trois **cents**
201 = deux **cent** un	301 = trois **cent** un

The plural **cents** is used only for the multiples of 100. (400 = quatre **cents**; 500 = cinq **cents**, etc.) For 201 through 299, 301 through 399, etc., use **cent.**

23. *Vouloir* and *Pouvoir* (Irregular Verbs)

Je **veux** un enfant sain et robuste. *I want a healthy, strong child.*
Nous **pouvons** avoir des jumeaux! *We can have twins!*
Je **peux** dormir maintenant. *I can sleep now.*

Vouloir (*to want*) and **pouvoir** (*to be able*) are both irregular verbs with strong resemblances in the present tense:

Je veux	*I want*	[vø]	Je peux	*I can*	[pø]
Tu veux	*You want*	[vø]	Tu peux	*You can*	[pø]
Il veut	*He wants*	[vø]	Il peut	*He can*	[pø]
Nous voulons	*We want*	[vulɔ̃]	Nous pouvons	*We can*	[puvɔ̃]
Vous voulez	*You want*	[vule]	Vous pouvez	*You can*	[puve]
Ils veulent	*They want*	[vœl]	Ils peuvent	*They can*	[pœv]

Note

In both cases, the 1st, 2nd, and 3rd persons singular SOUND exactly the same; the 1st and 2nd persons plural differ by only one sound. In addition, the vowel pattern is similar enough so that each form rhymes to a large extent with the corresponding form of the other verb.

Je peux has an alternate form in modern French: **je puis.**

24. DESCRIPTIVE ADJECTIVES (Les adjectifs descriptifs)

You have already had some contact with the rule that French adjectives must agree in gender and number with the noun they modify: **mon voisin, mes voisins; ta maison, tes maisons**, etc. You have seen the only exception to this rule: **mon, ton, son** replaced by **ma, ta, sa** before feminine singular nouns starting with vowels or mute **h: mon épicier, ton épicier, son épicier**, etc.

Descriptive adjectives, too, follow the rule of agreement: **Un fils mignon et intelligent; une fille mignonne et intelligente.** In general, the masculine form of French adjectives are made feminine by adding **-e**. But there are many exceptions. Here are two:

un fils robuste; une fille robuste *a strong son; a strong daughter*
un fils mignon; une fille mignonne *a cute son; a cute daughter*

Such exceptions will be discussed in detail later.

English adjectives *precede* the noun they modify: *shiny* shoes, *pleasant* surprise, *good* idea. French ones normally *follow* the noun: **fille mignonne, gâteau délicieux**, but here, too, there are important exceptions: **grandes voitures, petites boutiques, bon dîner, ma femme** (and all possessive adjectives). A special unit will be devoted later to adjectives that *precede* nouns.

Exercices

A. Lisez à haute voix (Read aloud):

1. Victor a 23 ans. 2. Liliane a 20 ans. 3. Vas-tu gagner 200 dollars? 4. Mais

oui, peut-être 250 dollars. 5. Quel âge a ton père, Victor? A-t-il 60 ans? 6. Mais non, il a 52 ans. 7. Et ta mère? A-t-elle 48 ans? 8. Non, elle a 46 ans. 9. Et ta tante Charlotte? A-t-elle 40 ans? 10. Non, elle a 39 ans. 11. Il est 1.00h. 12. Il est 2.05h. 13. Il est 3.15h. 14. Il est 4.20h. 15. Il est 5.25h. 16. Il est 6.30h. 17. Il est 6.35h. 18. Il est 7.40h. 19. Il est 8.45h. 20. Il est 9.50h. 21. Il est 10.55h. 22. Il est 12.00h (*two possible answers*).

B. Lisez à haute voix:

21/31/41/51/61; 10/70/90; 11/71/91; 12/72/92; 13/73/93; 14/74/94; 15/75/95; 16/76/96; 17/77/97; 18/78/98; 19/79/99; 20/80; 21/81; 22/82; 23/83; 24/84; 25/85; 26/86; 27/87; 28/88; 29/89.

C. Take any hour of the day and work your way around the clock to the next hour, at five-minute intervals.

D. Take any hour of the day and work your way around the clock backwards to the previous hour.

EXEMPLE: **Il est trois heures; il est trois heures moins cinq,** etc.

E. Voilà des questions affirmatives. Faites-en des questions négatives en y ajoutant **ne . . . pas** (Here are some affirmative questions. Make negative questions of them by adding **ne . . . pas**):

EXEMPLE: Dors-tu, Victor? *Ne dors-tu pas, Victor?*

1. Etes-vous Mme Casiez?
2. Parlez-vous français, Madame?
3. Aimez-vous le quartier Rambuteau?
4. Préférez-vous les petites boutiques françaises?
5. Avez-vous votre liste de courses?
6. Voulez-vous acheter des gâteaux?
7. As-tu faim?
8. Es-tu fatiguée?
9. Connaissez-vous bien les voisins?
10. Parlons-nous de la petite femme rousse?

F. Changez les adjectifs du masculin au féminin (Change the adjectives from masculine to feminine):

EXEMPLE: Liliane préfère un fils blond.
Victor préfère une fille blonde.

1. M. Vallin est un homme excellent; Mme Vallin est une femme ——.
2. Le quartier Rambuteau est très intéressant; la rue Rambuteau est très ——.
3. Tu es content, Victor? Je suis —— aussi.
4. Le quartier Rambuteau est très vivant; la rue Rambuteau est très ——.
5. Liliane, il est minuit moins le quart, et je suis fatigué. N'es-tu pas —— aussi?
6. M. Musy est un libraire cultivé; sa femme est —— aussi.
7. Je vais écrire immédiatement à mes parents. Papa va être enchanté; Maman va être —— aussi.

Correlation Drills: Vouloir, Pouvoir

1. Victor ne peut pas dormir.
    Liliane . . .
    Nous . . .
    Je . . .
    Victor et Liliane . . .
    Vous . . .
    Charles . . .
    Janine et Charles . . .

2. Charles veut du gâteau.
    Victor . . .
    Vous . . .
    Victor et Charles . . .
    Nous . . .
    Liliane et Janine . . .
    Je . . .
    Tu . . .

Questions sur le Dialogue

1. Est-ce que Victor dort?
2. Est-ce qu'il peut dormir?
3. Pourquoi?
4. Est-ce que Victor préfère un fils?
5. Est-ce qu'il veut une fille rousse?
6. Est-ce qu'il veut des jumeaux?
7. Est-ce qu'il préfère deux filles?
8. Est-ce qu'il a trente ans?
9. Est-ce que Liliane veut avoir des jumeaux?
10. Victor peut dormir maintenant. Quelle heure est-il?

Prononciation [o]

Rambuteau	bravo	côté
eau	gros	pôle
veau	héros	Rhône
beau	kilo	hôte
beaucoup	maillot	diplôme
chauffeur	métro	dôme
chaud	repos	bientôt
morceau	trop	impôt
gâteau		
gauche		

Dialogue Review

A. Class reads Dialogue 7 in unison or in groups.
B. Several students give Dialogue 6 by heart.
C. *Dictée* based on Dialogue 5.

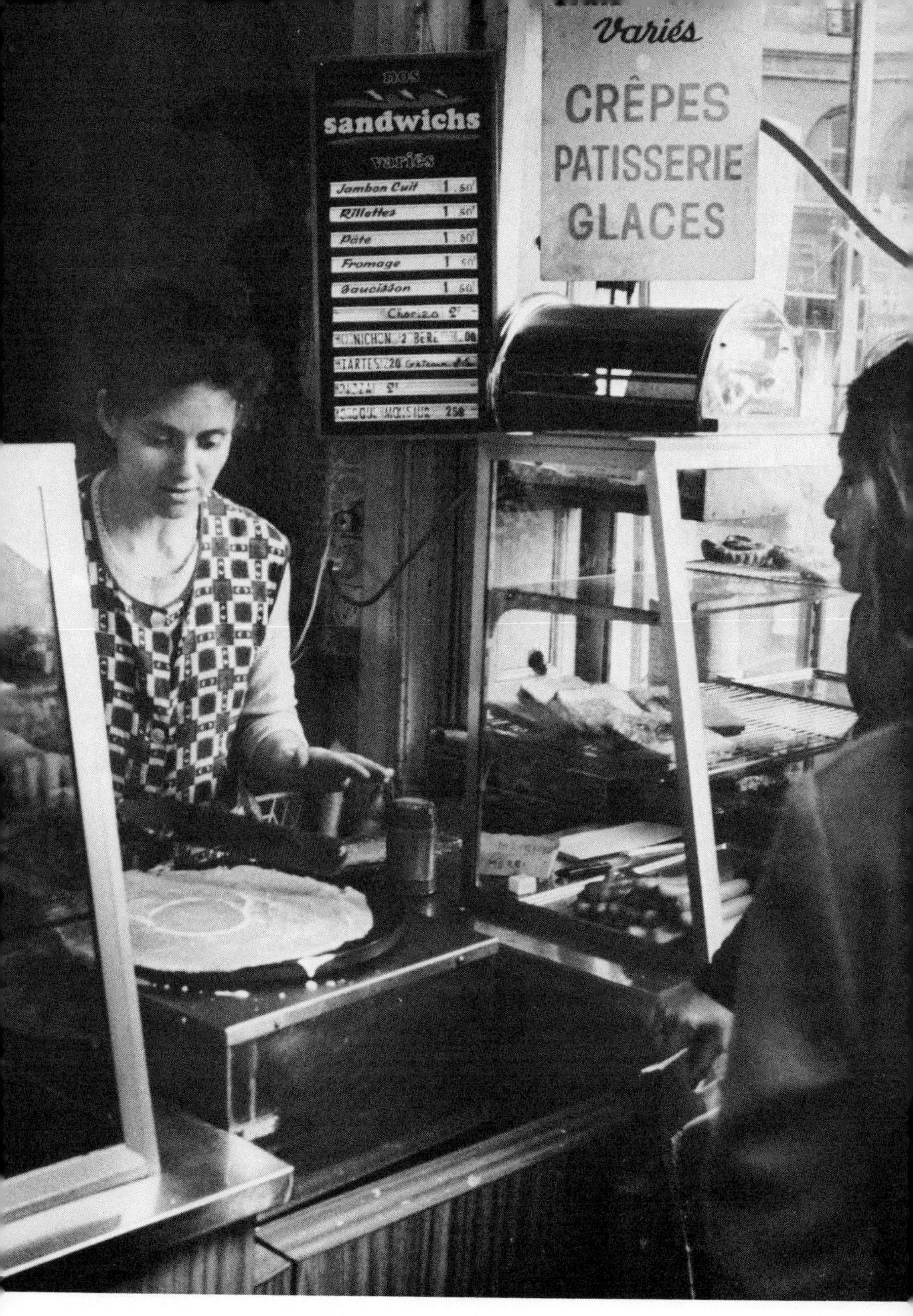

Crêpes are a popular snack.

Victor browses in a secondhand bookstore.

HUITIEME LEÇON

Les romans du dix-huitième siècle

M. MUSY: Vous aimez donc les romans français du dix-huitième siècle?
VICTOR: Je les aime beaucoup.
M. MUSY: Vraiment? Vous connaissez les romans de Voltaire, de Diderot, de Laclos?
VICTOR: Mais oui! Et je fais ma thèse de doctorat sur Marivaux.
M. MUSY: Vous la faites sur Marivaux? Tiens! Sur ses comédies?
VICTOR: Non. Je la fais sur ses romans.
M. MUSY: Vous connaissez les romans de Marivaux!
VICTOR: Certainement, je les connais!
M. MUSY: C'est étonnant! Jeune homme, il y a beaucoup d'étudiants français qui ne les connaissent pas! Et ce sont des livres si raffinés, si spirituels! Vous êtes un Américain rare.
VICTOR: Beaucoup d'étudiants américains lisent *Candide*.
M. MUSY: C'est une grande satire, un vrai chef-d'œuvre. Je déteste les écrivains romantiques . . . comme je déteste les romans des années 1940, 1950, et 1960.
VICTOR: Vous n'aimez pas les romans de Camus? *L'Etranger*, par exemple?
M. MUSY: Ce livre déprimant? Je ne

M. MUSY: So you like eighteenth-century French novels?
VICTOR: I like them very much.
M. MUSY: Really? Do you know the novels of Voltaire, Diderot, and Laclos?
VICTOR: I certainly do! And I'm doing my doctoral thesis on Marivaux.
M. MUSY: You're doing it on Marivaux! What do you know! On his comedies?
VICTOR: No. I'm doing it on his novels.
M. MUSY: You know Marivaux's novels!
VICTOR: Certainly, I know them!
M. MUSY: It's amazing! Young fellow, there are plenty of French students who don't know them! And they're such refined, witty books! You're a rare American.
VICTOR: A lot of American students read *Candide*.
M. MUSY: It's a great satire—a real masterpiece. I can't stand the Romantic writers, just as I can't stand the novels of the 40s, 50s, and 60s.
VICTOR: You don't like Camus' novels? *The Stranger*, for instance?
M. MUSY: That depressing book? I

l'aime pas. Je préfère les romans de Marivaux . . . Et vous les connaissez! Je n'en reviens pas!

VICTOR: C'est ma spécialité! *La Vie de Marianne, Pharsamon* . . . Les avez-vous ici, par hasard?

M. MUSY: Certainement, Monsieur! Les voilà. Vous ne les avez pas déjà?

VICTOR: Oh si! J'ai bien *La Vie de Marianne.* Mais on ne trouve pas *Pharsamon* dans les librairies américaines.

don't like it. I prefer Marivaux's novels. And you know them! I can't get over it!

VICTOR: It's my specialty! *The Life of Marianne, Pharsamon* . . . Do you have them here, by any chance?

M. MUSY: Certainly! Here they are. Don't you have them already?

VICTOR: Oh yes! I have *The Life of Marianne.* But you can't find *Pharsamon* in American bookstores.

FAUX AMIS: **si** = *yes* in answer to a negative question or implication. If M. Musy had asked simply, "*Vous les avez déjà?*" Victor might have replied, "*Mais oui!*" or "*Non.*" But M. Musy's negative question, or expectation, called for **si** as a contradiction: "*Mais si!*" "*Why yes, I do!*"

About the Dialogue

Voltaire (real name: François-Marie Arouet) had a long life (1694–1778) and illustrious career as writer and philosopher. In addition to his best-known works (*Zadig*, 1747; *Micromégas*, 1752; *Candide*, 1759), he was also a poet, dramatist, historian and pamphleteer. Practical-minded, hostile to any metaphysical thought, he based his natural morality on tolerance and charitable works—which did not prevent his being mocking, intolerant, and even spiteful regarding beliefs other than his own. *Candide* tells of the adventures of a young man who begins by believing a prevalent eighteenth-century notion that all is for the best in the best of all possible worlds, but discovers this is not true.

Denis Diderot (1713–84), philosopher, encyclopedist, art critic, had an insatiable curiosity for knowledge of all sorts. He was one of the most enthusiastic exponents of eighteenth-century philosophy.

Choderlos de Laclos (1741–1803), was an army officer who, with virtually no previous literary career, produced, during the leisure of his garrison life, *Les Liaisons dangereuses* (*Dangerous Love Affairs*). This epistolary novel is a penetrating and cynical study of a roué.

Pierre de Chamblain de Marivaux (1688–1763), was the author of numerous delicate, witty plays which are forerunners of the modern romantic comedy. They all show remarkable finesse in their psychological analysis and manner of expression. His novels rank almost as high as his comedies: *Pharsamon, or A Modern Don Quixote* (1737) and *La Vie de Marianne* (1731–41) are the best known. The latter tells, in the form of confessions, the life of a young orphan girl involved in various difficult situations.

Albert Camus (1913–60), Nobel Prize winner in literature, wrote essays (*Le Mythe de Sisyphe*), plays (*Caligula, Le Malentendu*) and novels (*L'Etranger, La Peste, La Chute*). The first of these is probably the best known; an existentialist novel, it illustrates the "absurdity" of the life of a young man who, through utter passivity, drifts into a murder and is condemned to death.

Substitution Drill

Il y a

beaucoup de romans dans ma librairie.
beaucoup d'étudiants américains à la Sorbonne.
beaucoup d'ouvrages spirituels ici.
une épicerie tout près.
une boucherie tout près.
un appartement par ici.
deux gâteaux au chocolat sur la table.

Y a-t-il

des romans de Marivaux dans votre librairie?
des étudiants américains qui lisent *Candide*?
des étudiants français qui lisent les romans de Marivaux?
une librairie dans la rue Rambuteau?
une infirmière ici?
un pharmacien tout près?
un fromage de Brie sur la table?

Response Drill

Victor aime les romans du dix-huitième siècle.
Ce sont des ouvrages intéressants.
M. Musy aime surtout les romans de Marivaux.
Ce sont des ouvrages raffinés et spirituels.
Victor et Liliane aiment bien M. et Mme Vallin.
Ce sont des gens très aimables.
Liliane aime bien les marchands des quatre saisons.
Ce sont des gens si intéressants.
M. Vallin aime les gâteaux au chocolat.
Ce sont des gâteaux vraiment délicieux.
Voilà M. et Mme Musy.
Ce sont des voisins gentils.
Victor aime les enfants.
Ce sont des créatures mignonnes.

Substitution Drill

Est-ce vraiment
Mme Vallin? Non, ce n'est pas elle.
un fromage de Brie? Non, c'est un Camembert.
une soupe aux lentilles? Non, c'est une soupe aux choux (*cabbage*).
un roman intéressant? Oui, c'est un roman très intéressant.
une bonne librairie? Oui, c'est une très bonne librairie.
un quartier vivant? Oui, c'est un quartier très vivant.

Response Drill

Aimez-vous les romans du dix-huitième siècle?
Oui, je les aime beaucoup.
Candide est une grande satire.
Je l'aime beaucoup.
Candide est un vrai chef-d'œuvre.
Les étudiants américains le lisent.
Connaissez-vous les romans de Marivaux?
Mais oui! Les avez-vous ici, par hasard?
Avez-vous les romans de Marivaux?
Mais oui! Vous ne les avez pas déjà?
Aimez-vous les enfants, Victor?
Certainement, je les aime!
Connaissez-vous Mme Vallin, jeune homme?
Certainement, je la connais!
Connaissez-vous M. Musy, Victor?
Certainement, je le connais!
Etudiez-vous le français, Victor?
Je l'étudie beaucoup.

Où est M. Vallin?
Le voilà dans la boulangerie.
Où est Mme Casiez?
La voilà dans la rue.
Où sont Victor et Liliane?
Les voilà dans la crémerie.
Où sont les romans de Marivaux?
Les voilà dans ma librairie.
Où est le café?
Le voilà sur la table.
Où est la rue Rambuteau?
La voilà tout près.

Connaissez-vous *Gargantua*?
Oui, *Gargantua* date de 1534.
Connaissez-vous *Le Cid*?
Oui, *Le Cid* date de 1636.
Connaissez-vous *Candide*?
Oui, *Candide* date de 1759.
Connaissez-vous *Madame Bovary*?
Oui. *Madame Bovary* date de 1857.
Connaissez-vous *L'Etranger*?
Oui, *L'Etranger* date de 1942.

Note

Gargantua is Rabelais' masterpiece, a work embodying the author's ideal of the Renaissance man, and containing modern ideas on war, education, politics; *Le Cid* is Corneille's great classic tragedy about a noble hero torn between love and honor; *Madame Bovary*, Flaubert's most famous novel, deals with a small-town doctor's wife and her personal tragedy through self-delusion.

Grammaire

25. *Il y a* (There is, There are)

This expression indicates that something exists or is located somewhere. It may be followed by singular or plural nouns.

Il y a une épicerie tout près. *There's a grocery close by.*
Il y a beaucoup de romans dans ma librairie. *There are many novels in my bookstore.*

Il y a is not a standard verb with a subject, such as **je parle, je suis**, etc., but it is a verbal expression all the same, based on **avoir** (il y **a**).

26. *Y a-t-il?* (Is There? Are There?)

This is the interrogative form of **il y a**, like a standard verb form (**aimez-vous? parlez-vous?**)

Y a-t-il des étudiants français qui lisent les romans de Marivaux? *Are there French students who read Marivaux's novels?*
Y a-t-il une infirmière ici? *Is there a nurse here?*

27. *Ce Sont*

Ce sont (*they are*) is the plural of **c'est** (*it is*):

Victor aime les romans du dix-huitième siècle. **Ce sont** des livres intéressants. *Victor likes eighteenth-century novels. They're interesting books.*

Voilà M. et Mme Musy. **Ce sont** des voisins gentils. *Here are M. and Mme Musy. They're nice neighbors.*

28. *Est-Ce?*

This is the interrogative form of **c'est** and means *is it?*

Est-ce une soupe aux lentilles? Non, c'est une soupe aux choux. *Is it lentil soup? No, it's cabbage soup.*
Est-ce Mme Vallin? Non, ce n'est pas elle. *Is is Mme Vallin? No, it isn't she.*

29. *Le, La, Les, L'* as Direct Object Pronouns

Vous aimez donc les romans du dix-huitième siècle? Je **les** aime beaucoup. *Do you like eighteenth-century novels? I like them very much.*
Les avez-vous ici? *Do you have them here?*
Ce livre déprimant? Je ne **l'**aime pas. *That depressing book? I don't like it.*

So far, you know **le, la, les, l'** only as the definite article *the*: **le boulanger, la rue, les voisins, l'infirmière.** But they are also direct object pronouns—pronouns that receive the direct action of the verb. As such, they are fairly close to their English equivalents:

We're visiting my uncle (him).	Him = direct object of *are visiting.*
John expects his sister (her).	Her = direct object of *expects.*
Furious, John punched Henry's nose (it).	It = direct object of *punched.*

Now here are the French equivalents:

le *him* or *it* (**l'** before vowel or mute **h**)
la *her* or *it* (**l'** before vowel or mute **h**)
les *them* (masculine and feminine plural)

Connaissez-vous M. Musy, Victor? Certainement, je **le** connais! (Person) *Do you know M. Musy, Victor? Certainly, I know him.*
Candide est une grande satire; les étudiants américains **le** lisent. (Thing) Candide *is a great satire; American students read it.*
Connaissez-vous Mme Vallin, jeune homme? Oui, je **la** connais! (Person) *Do you know Mme Vallin, young fellow? Yes, I know her!*
Liliane, connaissez-vous la rue Rambuteau? Oui, je **la** connais! (Thing) *Lillian, do you know rue Rambuteau? Yes, I know it!*
Aimez-vous les enfants, Victor? Certainement, je **les** aime! (Persons) *Do you like children, Victor? Certainly I like them!*

Aimez-vous les romans de Marivaux, Victor? Oui, je **les** aime! (Things)
Do you like Marivaux's novels, Victor? Yes, I like them!
Aimez-vous bien Mme Casiez? Oui, je **l'**aime bien. (Person)
Do you like Mme Casiez? Yes, I like her.
Etudiez-vous le français, Victor? Je **l'**ètudie beaucoup. (Thing)
Do you study French, Victor? I study it a good deal.

Note

Generally, as direct object pronouns, **le, la, les, l'** stand before the verb instead of after, as do *him*, *her*, *it* and *them* in English. Do not worry about confusing the articles **le, la, les, l'** (*the*) with the direct object pronouns just discussed. If these words mean *the*, they are connected with a noun:

le fromage, *the cheese* | **l'**infirmière, *the nurse*
la rue, *the street* | **les** boutiques, *the shops*

If they mean *him*, *her*, *it*, *them*, they are connected with a verb:

Je **le** lis souvent. *I read it often.*
Je **les** aime beaucoup. *I like them very much.*
Je **la** connais. *I know her.*
Je **l'**aime bien. *I like her* (or *him*).

30. *Voici*, *Voila* with Direct Object Pronouns *Le*, *La*, *Les*

Vous voulez les romans de Marivaux? **Les** voilà. *Do you want Marivaux's novels? Here they are.*
Connaissez-vous Mme Casiez? **La** voilà. *Do you know Mme Casiez? Here she is.*
Où est le boulanger? **Le** voilà. *Where's the baker? There he is.*

31. Cardinal Numbers 1,000–1,000,000,000 (Les nombres cardinaux 1.000 à 1.000.000.000)

1.000	mille	[mil]
1.100	onze cents	[ɔ̃zsã]
1.200	douze cents	[duzsã]
1.300	treize cents	[trɛzsã]
1.400	quatorze cents	[katɔrzsã]
1.500	quinze cents	[kɛ̃zsã]
1.600	seize cents	[sɛzsã]
1.700	dix-sept cents	[dissɛtsã]
	mil sept cents	[milsɛtsã]
1.800	dix-huit cents	[dizɥisã]
	mil huit cents	[milɥisã]
1.900	dix-neuf cents	[diznœsã]
	mil neuf cents	[milnœsã]
2.000	deux mille	[dømil]
2.100	deux mille cent	[dømilsã]
10.000	dix mille	[dimil]
100.000	cent mille	[sãmil]
1.000.000	million	[miljɔ̃]
1.000.000.000	milliard	[miljar]

Cardinal numbers from 1100 to 1699 are read as multiples of 100 (**cent**). Numbers from 1700 to 1999 are read either as multiples of 100 (**cent**) or 1000 (**mille**). Modern French usage seems to favor **cent** for conversation, **mille** for writing. **Mille**, by the way, has only one spelling: even when it means *thousands*, it never comes with an **s**. The spelling **mille** is used for general counting; **mil** is used in dates:

Vas-tu gagner **mille** dollars? *Are you going to earn a thousand dollars?*
Candide date de 1759 (**mil sept cent cinquante-neuf**). Candide *dates from 1759.*

In English, the year 1942, for example, can be read as:

Nineteen forty-two (most commonly)
Nineteen hundred and forty-two (less commonly)
One thousand nine hundred and forty-two (very formally)

In French, the word **cents** or **cent** is always used. For example, 1942 may be read either as dix-neuf **cent** quarante-deux or mil neuf **cent** quarante-deux, never as dix-neuf quarante-deux; 1759 may be read either as dix-sept **cent** cinquante-neuf or mil sept **cent** cinquante-neuf, never as dix-sept cinquante-neuf.

Finally, the French use of the decimal point and comma is just the reverse of the English way:

FRENCH	ENGLISH
1,000 = 1/1000	1,000 = a thousand
1.000 = a thousand	1.000 = 1/1000

Exercices

Transformation Drills

Make the changes according to the suggestions in parentheses:

Il y a une boulangerie dans la rue Rambuteau. (pâtisserie)
Oui, mais y a-t-il une pâtisserie?

Il y a une pâtisserie dans la rue Rambuteau. (charcuterie)
Il y a une charcuterie dans la rue Rambuteau. (crémerie)
Il y a une crémerie dans la rue Rambuteau. (boucherie)
Il y a une boucherie dans la rue Rambuteau. (épicerie)
Il y a une épicerie dans la rue Rambuteau. (librairie)

J'aime les romans de Marivaux. (romans spirituels)
Ce sont des romans spirituels.

J'aime les livres de Voltaire. (livres spirituels)
J'aime les comédies de Marivaux. (comédies spirituelles)
J'aime les romans de Camus. (romans intéressants)
J'aime les livres de Diderot. (livres raffinés)
J'aime les romans de Marivaux. (romans raffinés)

Response Drill

Aimez-vous les romans de Flaubert?
Oui, je les aime beaucoup

Aimez-vous les comédies de Marivaux?
Avez-vous les romans de Marivaux?
Aimez-vous *L'Etranger* de Camus?
Monsieur, avez-vous le *Candide* de Voltaire?
Aimez-vous la quiche lorraine?
Victor, aimes-tu ma soupe aux lentilles?

Donnez le pronom convenable (**le, la, les**):

1. Où est la pâtisserie? —— voilà!
2. Et où est le pâtissier? —— voilà!
3. Mais où sont les gâteaux au chocolat? —— voilà!
4. Où sont les romans de Marivaux? —— voilà!
5. Et où est son roman *Pharsamon*? —— voilà!
6. Mais où est *La Vie de Marianne*? —— voilà!
7. Où est le quartier Rambuteau? —— voilà!
8. Et où est la rue Rambuteau? —— voilà!
9. Mais où sont les marchands des quatre saisons? —— voilà!

Lisez à haute voix (Read aloud):

1066, 1195, 1272, 1337, 1431, 1534, 1636, 1759, 1859, 1942.

Questions sur le Dialogue

Répondez en employant la forme appropriée du pronom objet direct, **le, la, les, l'**:

1. Victor aime les romans français du dix-huitième siècle?
2. Est-ce qu'il connaît les romans de Voltaire?
3. Est-ce que tous (*all*) les étudiants français connaissent les romans de Marivaux?
4. Est-ce que Victor connaît les romans de Marivaux?
5. Est-ce que les étudiants américains lisent *Candide*?

6. Est-ce que M. Musy aime les écrivains romantiques?
7. Est-ce qu'il aime les romans des années 1940?
8. Est-ce qu'il aime les romans de Camus?
9. Est-ce qu'il déteste les romans de Marivaux?
10. Est-ce qu'il préfère *L'Etranger*?
11. Est-ce qu'il a *La Vie de Marianne* dans sa librairie?
12. Est-ce que les librairies américaines ont *Pharsamon*?

Prononciation [ɔ]

jolie	Laure	opium
d'abord	Maurice	album
chocolat	Fauré	décorum
fromage	Paul	rhum
comme	j'aurai	alcool
lorraine		laudanum
connais		géranium
Sorbonne		
Victor		
téléphone		
Yvonne		

Il donne quatorze pommes à notre bonne.
Cet homme adopte des dogmes orthodoxes.
En automne l'orge est colorée comme l'or.
L'album est dans notre coffre.

Dialogue Review

A. Class reads Dialogue 8 in unison or in groups.
B. Several students give Dialogue 7 by heart.
C. *Dictée* based on Dialogue 6.

Ticket agency in Paris.

Victor writes to Uncle Ambrose.

NEUVIEME LEÇON

Une lettre à l'oncle Ambroise

VICTOR: Chérie, tu attends le bébé dans six mois, n'est-ce pas? Nous sommes maintenant en novembre . . .

LILIANE: Oui. Le médecin dit que le bébé peut arriver le 15 ou le 16 mai. Que fais-tu?

VICTOR: Je fais un devoir un peu ennuyeux . . . J'écris une longue lettre à Ambroise.

LILIANE: Tu écris à ton oncle? Pourquoi lui écris-tu?

VICTOR: Je veux lui faire part de la bonne nouvelle.

LILIANE: Oh! cet homme! Il me fait rager, sais-tu?

VICTOR: Je le sais bien. Mais c'est un savant solitaire, un vieil homme. Avec cette lettre, nous faisons notre devoir—

LILIANE: Un vieil homme! Il est plutôt comme une vieille femme! Un vieux garçon qui donne à tout le monde, comme cadeau de mariage, une copie de sa thèse de doctorat! Ces détails—sur l'enfant—pourquoi te les demande-t-il? Par curiosité seulement?

VICTOR: Oui, chérie. Justement, il aime ces détails!

LILIANE: Mais mon médecin ne sait pas la date exacte de la naissance!

VICTOR: Darling, you're expecting the baby in six months, aren't you? It's November now . . .

LILLIAN: Yes. The doctor says the baby may come the 15th or 16th of May. What are you doing?

VICTOR: I'm doing a job that's a bit boring . . . I'm writing a long letter to Ambrose.

LILLIAN: You're writing to your uncle? Why are you writing him?

VICTOR: I want to pass the good news on to him.

LILLIAN: Oh! That man! He makes me furious, you know?

VICTOR: O.K., I know it. But he's a lonely scholar, an old man. With this letter, we're doing our duty—

LILLIAN: An old man! He's more like an old woman! An old bachelor who gives everyone a copy of his Ph.D. thesis as a wedding gift! These details about the baby—why is he asking you for them? Just out of curiosity?

VICTOR: Yes, dear. As it happens, he likes these details!

LILLIAN: But my doctor doesn't know the exact due date! My parents are

Mes parents me la demandent aussi; je leur réponds que c'est au mois de mai, voilà tout. Tu peux lui dire que je ne sais pas si le bébé va arriver en mai ou en juin, enfin que je ne sais pas s'il va arriver un lundi, un mardi, ou un dimanche!

VICTOR: Voyons, chérie, tu n'es pas gentille du tout! Et si Ambroise donne un beau cadeau à l'enfant?

LILIANE: Cet avare-là? Tu radotes!

asking for it too; I'm writing back that it'll be in May, that's all. You can tell him that I don't know if the baby will arrive in May or June . . . in fact, that I don't know if it'll come on a Monday, Tuesday, or Sunday!

VICTOR: Come on now, dear, you're not being at all kind! What if Ambrose gives the baby a nice gift?

LILLIAN: That miser? You're out of your mind!

Response Drills

Victor, j'écris une lettre à Pauline.
 Vraiment? Tu écris une lettre à ta cousine?
Bonjour! vous écrivez des lettres aujourd'hui?
 Oui, Janine. Nous écrivons à la famille.
Victor écrit à son oncle Ambroise.
 Liliane écrit à sa cousine Pauline.
Ils écrivent à la famille.

Que fais-tu, Victor?
 Je fais un devoir ennuyeux.
Que fait Liliane?
 Elle fait une soupe aux lentilles.
Vous faites vos courses aujourd'hui?
 Oui, Mme Casiez, nous les faisons.
Mme Parry et Mme Vallin font leurs courses?
 Oui, Madame, elles les font.
Oh! les hommes! ils me font rager!
 Mais pourquoi te font-ils rager?

Ton oncle Ambroise te demande ces détails?
 Il me les demande par curiosité.
Et la date de la naissance? Il te la demande aussi?
 Oui, il me la demande.
Est-ce que tes parents nous demandent ces détails?
 Oui, ils nous les demandent.
Est-ce qu'ils nous demandent la date de la naissance?
 Oui, ils nous la demandent.

Substitution Drill

Victor, connaissez-vous
    ce roman? ce libraire? ce voisin? ce cadeau?
    cette bibliothèque? cette comédie? ce quartier?

Victor, pourquoi
    écris-tu cette lettre?
    écris-tu cette bonne nouvelle?
    l'oncle Ambroise a-t-il cette grande curiosité?
    l'oncle Ambroise aime-t-il ces détails?
    l'oncle Ambroise est-il un vieux garçon?
    l'oncle Ambroise est-il un vieil avare?
    l'oncle Ambroise est-il comme une vieille femme?

Response Drill

Chérie, pourquoi cette question?
    Parce que tu vas écrire à cet homme-là!
Chérie, pourquoi n'es-tu pas contente?
    Parce que tu vas écrire à cet avare.
Vraiment? Ambroise te fait rager?
    Oui. Parce que tu vas écrire à cet oncle affreux.
Tu n'es pas contente?
    C'est ça. Parce que tu radotes!
Vraiment? Je radote?
    Oui. Parce qu'Ambroise ne va pas aimer l'enfant.

Substitution Drills

Jeune homme,
    j'aime beaucoup ces romans spirituels
    j'aime beaucoup ces romans raffinés
    j'aime beaucoup ces satires de Voltaire
    je déteste ces livres déprimants
    je déteste ces écrivains romantiques

M. Musy,
    je connais bien ces romans
    je connais bien ces écrivains
    je connais bien ces comédies
    je connais bien ces livres

Tu peux dire à Ambroise que j'attends le bébé
    le lundi 3 janvier

le mardi 1er février
le mercredi 16 décembre
le jeudi 11 octobre
le vendredi 18 mai
le samedi 10 juin
le dimanche 29 août

Grammaire

32. Indirect Object Pronouns (Les pronoms objet indirect)

So far you have become acquainted with two kinds of personal pronoun: subject pronouns and direct object pronouns. With the addition of the indirect object pronouns, we have the following picture:

SUBJECT	DIRECT OBJECT	INDIRECT OBJECT
je	me	me
tu	te	te
il	le	lui
elle	la	lui
nous	nous	nous
vous	vous	vous
ils	les	leur
elles	les	leur

Note these examples from the dialogue:

Tu écris à ton oncle? Pourquoi lui écris-tu? *You're writing to your uncle? Why are you writing him?*
Je leur réponds que c'est au mois de mai. *I'm writing back that it'll be in May.*

Some guides for understanding French indirect object pronouns:

a. Many French verbs are used with **à**, as part of the regular sentence pattern. Such verbs usually take indirect object pronouns.
b. If a verb is used with **à**, do not expect the **à** to be translated automatically; it may or may not have an English equivalent, and there is no way of predicting whether it will or not. For instance, **Tu écris à ton oncle?** could mean, "You're writing your uncle?" as well as "You're writing to your uncle?" **Pourquoi lui écris-tu?** could mean "Why are you writing him?" as well as "Why are you writing to him?" And the next example would be distorted if **leur** were translated as "to them": "I answer to them" means something entirely different from "I answer them." The **leur** is there simply because

répondre is used with **à** and therefore calls for an indirect object pronoun to be used.

c. English grammar is not dependable in determining direct or indirect objects in French. In the sentence "I answer them," *them* is the direct object of *answer*; in French, **Je leur réponds** uses **leur**, the indirect object pronoun.

33. Indirect and Direct Object Pronouns Placed Together

You recall these patterns from the dialogue:

Ces détails — pourquoi **te les** demande-t-il? *These details—why is he asking you for them?*
Mes parents **me la** demandent aussi. *My parents ask me for it too.*

When a French verb takes a direct and indirect object pronoun at the same time, the indirect usually stands before the direct.* Here is a sample pattern of possibilities:

L'oncle Ambroise

me le demande	me la demande	me les demande
te le demande	te la demande	te les demande
nous le demande	nous la demande	nous les demande
vous le demande	vous la demande	vous les demande

This list is meant only as a reference. Problems of word order (which word goes before which, etc.) are usually solved by speaking practice.

34. Days of the Week (Les jours de la semaine)

Tu peux lui dire que je ne sais pas si le bébé va arriver un **lundi**, un **mardi**, ou un **dimanche**! *You can tell him I don't know if the baby will come on a Monday, Tuesday, or Sunday!*

Here are the days of the week:

lundi, m.	*Monday*
mardi, m.	*Tuesday*
mercredi, m.	*Wednesday*
jeudi, m.	*Thursday*
vendredi, m.	*Friday*
samedi, m.	*Saturday*
dimanche, m.	*Sunday*

---

* Exceptions to this word order will be discussed later.

The French do not capitalize the days of the week. Also, they start their calendars with Monday instead of Sunday.

35. Descriptive Adjectives that Precede Nouns

Normally, French adjectives follow the nouns they modify, but there is a small, important group of descriptive adjectives that precede nouns. This is not an exhaustive list but covers most of the commonest ones:

MASCULINE SINGULAR	MASCULINE PLURAL	FEMININE SINGULAR	FEMININE PLURAL	SPECIAL FORM	
bon	bons	bonne	bonnes		*good*
mauvais	mauvais	mauvaise	mauvaises		*bad*
grand	grands	grande	grandes		*big*
petit	petits	petite	petites		*small*
même	mêmes	même	mêmes		*same*
autre	autres	autre	autres		*other*
jeune	jeunes	jeune	jeunes		*young*
vieux	vieux	vieille	vieilles	vieil	*old*
beau	beaux	belle	belles	bel	*handsome, beautiful*
nouveau	nouveaux	nouvelle	nouvelles	nouvel	*new*
long	longs	longue	longues		*long*
gros	gros	grosse	grosses		*fat, thick*
vrai	vrais	vraie	vraies		*true*
méchant	méchants	méchante	méchantes		*mean, wicked*

Special forms to remember:

Before masculine singular nouns starting with a vowel or mute **h**

vieux becomes **vieil: vieil oncle, vieil homme**
beau becomes **bel: bel appartement, bel homme**
nouveau becomes **nouvel: nouvel appartement, nouvel homme**

36. Demonstrative Adjectives (Les adjectifs démonstratifs)

Avec **cette** lettre, nous faisons notre devoir. *With this letter, we're doing our duty.*
Oh! **cet** homme! *Oh! that man!*
Il aime **ces** détails. *He likes these details.*

This unit tells how the French say *this*, *that*, *these*, and *those*:

ce = *this* or *that* before a masculine singular noun starting with a consonant:

ce cadeau, ce quartier, ce pharmacien: *this gift, this neighborhood, this pharmacist* or *that gift, that neighborhood, that pharmacist*

cet = *this* or *that* before a masculine singular noun starting with a vowel or mute *h*:
cet homme, cet appartement: *this man, this apartment* or *that man, that apartment*

cette = *this* or *that* before all feminine singular nouns:
cette pâtisserie, cette infirmière: *this pastry shop, this nurse* or *that pastry shop, that nurse*

ces = *these* or *those* before all nouns:
ces cadeaux: *these gifts, those gifts*
ces hommes: *these men, those men*
ces femmes: *these women, those women*

37. Months of the Year (Les mois de l'année)

Je ne sais pas si le bébé va arriver en **mai** ou en **juin.** *I don't know if the baby will come in May or June.*

Nous sommes maintenant en **novembre**. *It's November now.*

janvier, m.	*January*	juillet, m.	*July*
février, m.	*February*	août, m.	*August*
mars, m.	*March*	septembre, m.	*September*
avril, m.	*April*	octobre, m.	*October*
mai, m.	*May*	novembre, m.	*November*
juin, m.	*June*	décembre, m.	*December*

Note: The French use small letters for the names of the months.

38. Dates (Les dates)

The French usually express dates as follows:

Nous sommes **le** dimanche 1er (premier) mars 1970. *Today is Sunday, March 1, 1970.*

To express *on* regarding any date, use **le**, even if the day of the week is not mentioned:

Je ne sais pas s'il va arriver **le** 16 ou **le** 18 mai. *I don't know if he'll arrive on May 16 or 18.*

Le must be used also to show habitual action on the same day of the week:

Liliane va chez le charcutier **le** vendredi. *Lillian goes to the pork butcher's* (*on*) *Fridays.*

If the action is not habitual, just mention the day, without **le**:

Liliane va chez le charcutier **vendredi,** *Lillian's going to the pork butcher's on Friday.*

Note

The French name the day of the month, then the month itself. Also, where we could express February 17, 1971, for example, as 2/17/71, the French would write 17/2/71.

39. *Ecrire*, to Write (Irregular Verb)

J'**écris** une longue lettre à Ambroise. *I'm writing a long letter to Ambrose.*
Vous **écrivez** des lettres aujourd'hui? *Are you writing letters today?*

Ecrire is conjugated as follows:

j'écris	*I write, I'm writing*	[ekri]	All singular forms SOUND exactly the same.
tu écris	*you write, you're writing*	[ekri]	
il écrit	*he writes, he's writing*	[ekri]	
nous écrivons	*we write, we're writing*	[nuzekrivɔ̃]	
vous écrivez	*you write, you're writing*	[vuzekrive]	
ils écrivent	*they write, they're writing*	[ilzekriv]	

Note that **écrire** has two written stems: **écri-**, singular; **écriv-**, plural.

40. *Faire*, To Do, To Make (Irregular Verb)

Je **fais** ma thèse sur Marivaux. *I'm doing my thesis on Marivaux.*
Vous la **faites** sur ses comédies? *Are you doing it on his comedies?*
Liliane et Janine **font** leurs courses. *Lillian and Janine are doing their errands.*
Ton oncle me **fait** rager! *Your uncle makes me furious!*
Je veux lui **faire** part de la bonne nouvelle. *I want to pass the good news on to him.*

Faire is conjugated as follows:

je fais	*I do, I make*	[fɛ]	All singular forms SOUND exactly the same.
tu fais	*you do, you make*	[fɛ]	
il fait	*he does, he makes*	[fɛ]	
nous faisons	*we do, we make*	[fezø]	
vous faites	*you do, you make*	[fɛt]	
ils font	*they do, they make*	[fø]	

The written form of **faire** is very unpredictable in the plural: **font** is the only form without **fai-** as its stem; and **faites** is one of only three cases in the whole French language where the **vous** is not followed by a verb form ending in **-ez** (**êtes** is another).

Exercices

Response Drills

Répondez affirmativement aux questions suivantes:

Ecris-tu une lettre à ton oncle Ambroise?
Oui, je lui écris une lettre.

Ecris-tu à Paulette aussi?
Victor, écris-tu une longue lettre à ton oncle?
Ecris-tu une lettre à ta mère aussi?
Ecris-tu ces détails à tes parents?
Dis-tu à ton oncle la date de la naissance?
Me demandes-tu tous ces détails?
Tes parents nous parlent de ton oncle?
Me demandent-ils la date de la naissance?
Te demandent-ils beaucoup de détails?

Vous demandent-ils la date de la naissance?
Oui, ils nous la demandent.

Vous demandent-ils la lettre?
Vous demande-t-elle les détails?
Vous donne-t-il le livre?
Vous écrivent-elles ces détails?
Vous demande-t-elle les nouvelles?

Est-ce que je vous demande la date de la naissance?
Oui, vous me la demandez.

Est-ce que je vous demande la lettre?
Est-ce que je vous demande les détails?
Est-ce que je vous donne le livre?
Est-ce que je vous écris ces détails?
Est-ce que je vous demande les nouvelles?

Répétez le même adjectif, faites l'accord, et prononcez chaque phrase complète (Repeat the same adjective, make it agree, then pronounce the complete sentence):

1. Un jeune étudiant, une —— étudiante, ces —— étudiants, ces —— étudiantes.

2. Un vieux voisin, un —— homme, une —— voisine, ces —— voisins, ces —— voisines.
3. Un grand appartement, une —— boulangerie, ces —— quartiers, ces —— librairies.
4. L'autre jour, les —— jours, l'—— femme, les —— femmes.
5. Un beau roman, un —— homme, une —— rue, ces —— jours, ces —— rues.
6. Un nouveau livre, un —— appartement, une —— voisine, ces —— romans, ces —— rues.
7. Un long roman, une —— lettre, ces —— livres, ces —— livres.
8. Un gros homme, une —— femme, ces —— livres, ces —— femmes.

Transformation Drill

La lettre est longue
Cette lettre est longue.

Le bébé va arriver en mai.
Le médecin est très bon.
Voilà les détails.
Je lui écris la nouvelle.
Pourquoi écris-tu à l'oncle avare?
Tes parents te demandent les nouvelles?
Est-ce que la nouvelle est importante?

Donnez l'équivalent français des expressions trouvées entre parenthèses (Give the French equivalent for the expressions in parentheses):

1. (On Mondays, Tuesdays, Wednesdays, and Fridays) Liliane va chez son charcutier ——.
2. (Thursday) Liliane va chez son médecin ——.
3. (On Sundays) Victor est à la maison ——.
4. (On Thursdays) Il va à la Bibliothèque Nationale ——.
5. (Tuesday) La lettre va arriver ——.

Dites en français:

October 12, 1492; August 24, 1572; February 22, 1709; July 14, 1789; June 18, 1815; September 1, 1939; December 16, 1953; May 18, 1956; April 6, 1958; November 22, 1963; October 11, 1965; August 1, 1970.

Correlation Drills: Ecrire, Faire

A. J'écris une longue lettre.
   Vous . . .

Victor . . .
Nous . . .
Tu . . .
Mme Casiez . . .
Janine et Charles . . .
Je . . .

B. Je fais ma thèse sur Camus.
Tu . . .
Vous . . .
Il . . .
Elle . . .
Je . . .
Nous . . .
Mes oncles . . .

C. Je fais part de la nouvelle à Ambroise.
Victor . . .
Nous . . .
Tu . . .
Vous . . .
Liliane et Victor . . .
Elles . . .

Questions sur le Dialogue

1. Quand le bébé peut-il arriver?
2. Que fait Victor?
3. Fait-il un devoir intéressant?
4. Ecrit-il une lettre à ses parents?
5. Pourquoi écrit-il à son oncle?
6. Liliane aime-t-elle Ambroise?
7. Ambroise est-il un jeune homme?
8. Pourquoi Ambroise demande-t-il des détails sur l'enfant?
9. Est-ce que le médecin de Liliane sait la date exacte de la naissance?

Répondez aux questions suivantes en employant les pronoms **le, la, les, lui, leur**:

1. Quand Liliane attend-elle le bébé?
2. Victor écrit-il la lettre à Ambroise?
3. Est-ce qu'Ambroise fait rager Liliane?
4. Est-ce que Victor fait son devoir, avec cette lettre?

5. Ambroise demande-t-il ces détails?
6. Est-ce qu'il les demande à Victor?
7. Aime-t-il ces détails?
8. Le médecin sait-il la date exacte de la naissance?

Prononciation [u]

pour	grenouille	vous
jour	rouille	nous
tour	mouille	joue
amour	fouille	choux
Louvre	bouillie	goûter
ouvre	souiller	douce
trouve	ratatouille	mousse
douze	grouiller	tousse
épouse		rousse
Toulouse		gousse
rouge		pousse
bouge		boussole

Il laboure pour nous tous les jours.
Les poules courent sur la route.
Le bouc broute sous la voûte.
Voulez-vous souper sur la mousse?
La blouse de son épouse est rouge.

Dialogue Review

A. Class reads Dialogue 9 in unison or in groups.
B. Several students give Dialogue 8 by heart.
C. *Dictée* based on Dialogue 7.

Venus has an admirer.

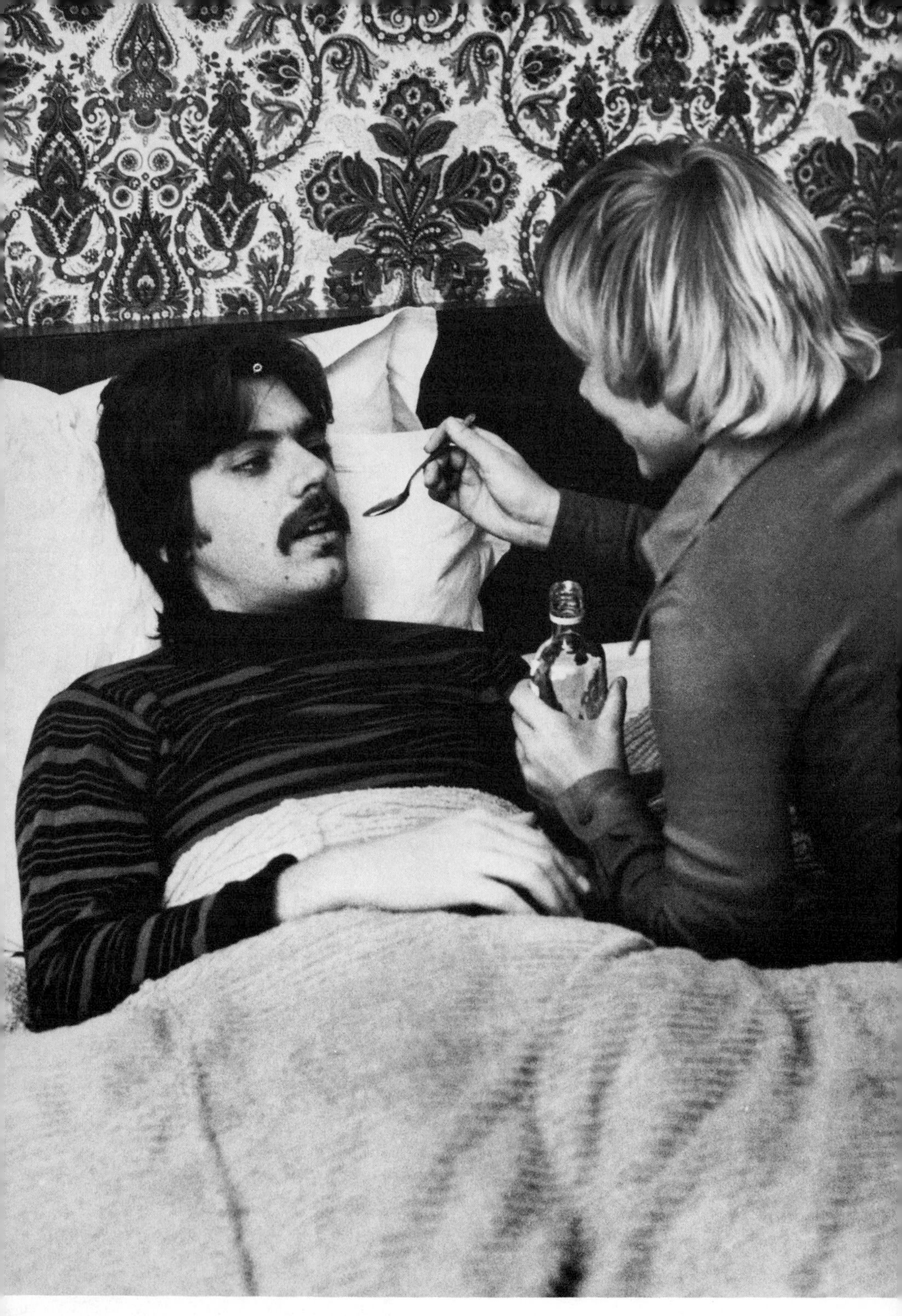

Victor gets the flu.

DIXIEME LEÇON

Victor n'est pas malade

JANINE: Tu dis que Victor est malade?	JANINE: You say Victor's sick?
LILIANE: Oui! C'est la grippe. Il tousse et il a de la fièvre.	LILLIAN: Yes! It's the flu. He's coughing and he has a fever.
JANINE: A-t-il de l'appétit?	JANINE: Has he any appetite?
LILIANE: Pas du tout! Je lui donne du jus d'orange, des toasts, une tasse de thé, de la soupe, une infusion de tilleul, un verre de vin, un œuf . . . Mais il n'a pas d'appétit.	LILLIAN: None at all! I give him orange juice, toast, a cup of tea, soup, linden tea, a glass of wine, an egg . . . But he hasn't any appetite.
JANINE: Et des médicaments? Une pilule? Un cachet?	JANINE: And medicine? A pill? A capsule?
LILIANE: Pas de médicaments! Je lui dis d'en prendre, le médecin lui dit d'en prendre, mais il n'en veut pas! Pas de pilules, pas de cachets!	LILLIAN: No medicine! I tell him to take some, the doctor tells him to take some, but he doesn't want any. No pills, no capsules!
JANINE: Prend-il de l'aspirine?	JANINE: Is he taking aspirin?
LILIANE: Ça, oui. Il en prend deux quand il a mal à la tête.	LILLIAN: Those, he'll take. He takes two when he has a headache.
JANINE: Je peux lui parler?	JANINE: May I talk to him?
LILIANE: Oui . . . voilà une tasse de thé. Veux-tu bien la lui donner?	LILLIAN: Yes . . . here's a cup of tea. Would you give it to him?
JANINE: Nous allons essayer. Viens! . . . Bonjour, Victor! Comment vas-tu?	JANINE: We'll try. Come on! . . . Hello, Victor! How are you feeling?
VICTOR: Comment je vais? Je veux beaucoup de repos, voilà tout. Et j'ai un peu soif. Qu'as-tu là? Du thé?	VICTOR: How am I feeling? I want a lot of rest, that's all. And I'm a bit thirsty. What have you got there? Tea?
JANINE: Oui, mon cher. Je puis t'en donner? . . . Du sucre? Tu en prends une cuillerée, n'est-ce pas? Voilà!	JANINE: Yes, dear. Can I give you some? . . . Sugar? You take one spoonful, don't you? There you are!
VICTOR: Merci.	VICTOR: Thanks.

LILIANE: Un croissant bien chaud?

LILLIAN: How about a good, hot croissant?

VICTOR: Non, merci. Je n'en veux pas.

VICTOR: No thanks. Don't want any.

JANINE: Avec de la confiture d'abricots?

JANINE: With apricot jam?

VICTOR: Vous êtes bien gentilles, mais je n'en prends pas.

VICTOR: You're very kind, but I'm not having any.

LILIANE: Je te dis que si!

LILLIAN: I say you are!

JANINE: Voyons, Victor. Tu n'es pas raisonnable. Nous te disons toutes deux de prendre quelque chose.

JANINE: Come on, Victor. You're not being reasonable. We're both telling you to eat something.

VICTOR: Vous me le dites toutes deux! Ouf! Les femmes sont obstinées! Surtout quand il y en a deux contre un homme malade!

VICTOR: You're both telling me! Wow! Women are stubborn! Especially when there are two of them against a sick man!

About the Dialogue

Infusion: A mixture of a substance with hot water, to extract its juice. In English it most often means the introduction of a solution into a vein.

Infusion de tilleul, linden tea, is a popular aromatic drink in France, to be had in restaurants; it is often used as a home remedy for colds and flu.

Croissants are crescent-shaped breakfast rolls made with plenty of butter. Until recent years when they became available in some supermarkets (in frozen form, requiring a few minutes in the oven), it was next to impossible for consumers to obtain them in the U.S.

La grippe (the flu): There are many middle-aged Americans who might still refer to this illness as "the grippe," but it's a dated expression, particularly since the word "virus" has come into vogue.

Response Drills

Victor, prends-tu tes médicaments?
    Non, je ne les prends pas!
Prenez-vous du vin?
    Non, nous ne prenons pas de vin.
Victor et Liliane prennent-ils de la quiche?
    Non, ils ne prennent pas de quiche.
Victor prend du thé?
    Non, il ne prend pas de thé.

Tu dis que Victor est malade?
    Oui! je dis qu'il est malade.

Nous te disons de prendre quelque chose!
    Pourquoi me dites-vous de prendre quelque chose?
Victor dit qu'il ne veut pas de croissant.
    Mais Liliane et Janine lui disent de prendre un croissant.

Substitution Drills

Victor est malade, mais je lui donne
    du gâteau, du thé, du café, du jus d'orange, du vin
Il refuse de manger. Il ne veut pas
    de gâteau, de thé, de café, de jus d'orange, de vin
Je lui donne aussi
    de la quiche, de la tarte, de la soupe, de la confiture
Mais il ne veut pas
    de quiche, de tarte, de soupe, de confiture
Je lui donne même
    un œuf, une orange, une infusion de tilleul
Mais il ne prend pas
    d'œuf, d'orange, d'infusion de tilleul
Veut-il, peut-être,
    des toasts? des médicaments? des cachets? des pilules? de l'aspirine?
Non! il ne veut même pas
    de toasts, de médicaments, de cachets, de pilules, d'aspirine
Cela m'est égal! Je vais lui donner
    un peu de café
    une tasse de thé
    une cuillerée de soupe
    un verre de vin
    une cuillerée de confiture
    un verre de jus d'orange
    beaucoup de médicaments
    beaucoup d'aspirine

Repetition Drill

Voilà une tasse de thé. Je la lui donne.
Voilà une pilule. Je la lui donne.
Voilà un œuf. Je le lui donne.
Voilà un verre de vin. Je le lui donne.
Voilà ses cachets. Je les lui donne.
Voilà ses médicaments. Je les lui donne.
Voilà ses pilules. Je les lui donne.

Response Drills

Victor est donc malade? Lui donnes-tu du thé?
    Oui, je lui en donne.
Lui donnes-tu des toasts?
    Oui, je lui en donne.
Lui donnes-tu de la soupe?
    Oui, je lui en donne.
Lui donnes-tu de l'infusion de tilleul?
    Oui, je lui en donne.
Lui donnes-tu des pilules?
    Oui, je lui en donne.
Lui donnes-tu des cachets?
    Oui, je lui en donne.

Janine, veux-tu bien donner du café à Victor?
    Mais oui! Je vais lui en donner une tasse.
Veux-tu bien lui donner de la soupe?
    Mais oui! Je vais lui en donner un peu.
Veux-tu bien lui donner de l'aspirine?
    Mais oui! Je vais lui en donner une.
Veux-tu bien lui donner des pilules?
    Mais oui! Je vais lui en donner deux.
Veux-tu bien lui donner des médicaments?
    Mais oui! Je vais lui en donner beaucoup.

Grammaire

41. The Idea of the Partitive

You've just been exposed to the partitive, one of the biggest nuisances of the French language—if you are an English speaker. *Partitive* expresses the idea of *some* or *any* in French; in other words, an unspecified part of something. It is a nuisance to English speakers because it involves the constant use of words which are absolutely required in French but do not always have English equivalents. Here is how the partitive works:

42. Partitive *Du*, *De La*, *De L'*, *Des*

You recall that these combinations of **de** (with **le, la, l', les**) may mean *of*, *about*, or *from*:

> Vous aimez vraiment les romans **du** dix-huitième siècle? *Do you really like eighteenth-century novels?* (*novels of the eighteenth century?*)
> Parlez-vous **de la** femme rousse? *Are you talking about the redheaded woman?*

But these same combinations of **de** also express the partitive idea in its affirmative form:

Je lui donne **du** vin. *I give him* (*some*) *wine.*
Veux-tu lui donner **de la** soupe? *Would you please give him* (*some*) *soup?*
Tu lui donnes **de l'**aspirine? *Are you giving him* (*some, any*) *aspirin?*
Prend-il **des** médicaments? *Is he taking* (*some, any*) *medicine?*

Note

Du, de la, de l', and **des** may be translated, but need not be. However, you cannot escape it: where *some* or *any* are optional in English, they are indispensable in French.

43. *Un, Une* as Partitive Words

Un and **une** have two meanings: *one*, and *a* or *an*. Here we are concerned not with their numerical value of *one* but with their partitive meaning:

Avez-vous **un** œuf? *Have you an egg* (*any egg at all, or have you none*)?
Victor prend **un** croissant. *Victor's eating a croissant.* (It was expected he'd refuse to have any.)

In the first case, the idea is "Have you any eggs at all?" The person asking this question is not wondering if someone has *one* egg, as against *two* or possibly more. The expected answer is either, **Oui, j'ai un œuf** or **Non, je n'ai pas d'œuf.** In the second case, it is a question of Victor wanting any croissant at all rather than the possibility of his wanting more than one.

44. *Des* = Plural of *Un, Une*

Victor, voilà **un** croissant. *Victor, here's a croissant.*
Victor, voilà **des** croissants. *Victro, here are* (*some*) *croissants.*
Le médecin lui dit de prendre **une** pilule. *The doctor tells him to take a pill.*
Le médecin lui dit de prendre **des** pilules. *The doctor tells him to take* (*some*) *pills.*

The plural of **un** and **une** is **des.**

45. Partitive + Negative = *De*

Prend-il **du** jus d'orange? *Is he taking* (*some, any*) *orange juice?*
Pas **de** jus d'orange! *No orange juice!*
Prend-il **de la** soupe? *Is he having* (*some, any*) *soup?*
Pas **de** soupe! *No soup!*

Veut-il **de l'**aspirine? *Does he want (some, any) aspirin?*
Pas **d'**aspirine! *No aspirin!*
Prend-il **des** médicaments? *Is he taking (some, any) medicine?*
Pas **de** médicaments! *No medicine!*
Une pilule? *A pill?*
Pas **de** pilule! *No pill!*

When partitives are needed in *affirmative* sentences, use the following:

du, de la, de l', un, une, des

But all this changes the moment a negative enters the picture:

du, de la, un, une, des+negative = **de**
de l'+negative = **d'**

All combinations of **de**, regardless of gender and number, become just plain **de** again (with **de l'** becoming **d'**).

46. Expressions of Quantity or Measurement: Use *De* or *D'*

Je lui donne **un peu de** soupe. *I'm giving him a little soup.*
Veux-tu bien lui donner **une tasse de** thé? *Would you please give him a cup of tea?*
Voilà **un verre de** vin. *Here's a glass of wine.*
Lui donnes-tu **beaucoup de** médicaments? *Are you giving him a lot of medicine?*

Just as with negatives, combinations of **de** (**du, de la, de l', des**) become **de** or **d'** when you use an expression of quantity or measurement. This rule has almost no exceptions. Here's a partial list of the quantity expressions used so far:

un peu de	*a little*
beaucoup de	*much, a lot of, a good deal of*
une tasse de	*a cup of*
un verre de	*a glass of*
une cuillerée de	*a spoonful of*

The same rule applies whether you're saying *a can of beans, a roomful of people, a keg of nails*. Use **de** or **d'** as long as it is a question of quantity or measurement.

47. The Partitive Pronoun *En*

Des médicaments? Le médecin lui dit d'**en** prendre. *Medicines? The doctor tells him to take some (of them).*

A-t-il de l'appétit? Non, il n'**en** a pas. *Has he any appetite? No, he hasn't (any).*
Veut-il du jus d'orange? Non, il n'**en** veut pas. *Does he want (some, any) orange juice? No, he doesn't want any (of it).*

The partitive pronoun **en** has many functions. It has no gender or number; or rather, it "stands in" for most nouns regardless of gender and number, provided they are used in a partitive sense. In the sentences just given, all of the following phrases are replaced by the single word **en**. Note that they all start with some form of **de**:

des médicaments, **de l'**appétit, **du** jus d'orange

En has various meanings, depending on where it appears: *any, any of it, any of them, some, some of it, some of them.* It usually stands before the verb:

il n'en a pas, il n'en veut pas, je n'en prends pas, etc.

48. *En*+ Expressions of Quantity or Measurement

De l'aspirine? Ça, oui. Il **en** prend **deux** quand il a mal à la tête. *Aspirin? Those, he'll take; he takes two (of them) when he has a headache.*
Du sucre? Tu **en** prends **une** cuillérée, n'est-ce pas? *Sugar? You take a spoonful (of it), don't you?*
Les femmes sont obstinées! Surtout quand il y **en** a **deux** contre un homme malade! *Women are stubborn! Especially when there are two (of them) against a sick man!*

The expressions of quantity previously listed (**un peu de, beaucoup de, une tasse de**, etc.) and any others, including cardinal numbers of course (**un, deux**, etc.) are placed in the sentence along with **en** for added information or descriptive detail. The **en** still represents the noun.

49. *Le, La, Les*+ *Lui, Leur*

Voilà une tasse de thé. Veux-tu bien **la lui** donner? *Here's a cup of tea. Would you please give it to him?*
Voilà un verre de vin. Je vais **le lui** donner. *Here's a glass of wine. I'm going to give it to him.*
Voilà ses pilules. Je vais **les lui** donner. *Here are his pills. I'll give them to him.*

You recall that when the direct object pronouns **le, la, les** are placed together with certain indirect object pronouns (**me, te, nous, vous**), the indirect ones go first (**me le, me la, me les, te le, te la, te les,** etc.). The exception to this is what you might call the rule of the two *l*'s: If the direct and indirect object pronouns both start with *l*, the direct object pronoun goes first:

le lui, le leur, la lui, la leur, les lui, les leur

50. *En* Placed Together with Indirect Object Pronouns

Voilà des toasts. Je vais **lui en** offrir. *Here's (some) toast. I'll offer him some.*
Bonjour, Victor! Voilà du thé. Je peux **t'en** donner? *Hello, Victor! Here's some tea. Can I give you any?*
Qu'as-tu là? Du thé? Veux-tu bien **m'en** donner? *What have you got there? Tea? Would you give me some of it?*

These examples are designed to show that where **en** is paired with an indirect object pronoun, it follows that pronoun—still standing just before the verb.

51. *Dire*, To Say, To Tell (Irregular Verb)

Tu **dis** que Victor est malade? *You say Victor's sick?*
Le docteur lui **dit** d'en prendre. *The doctor tells him to take some.*
Vous me le **dites** toutes deux! *You're both telling me!*

Dire is conjugated as follows:

je dis	*I say, I'm saying*	[di]	All singular forms
tu dis	*you say, you're saying*	[di]	SOUND exactly the same.
il dit	*he says, he's saying*	[di]	
nous disons	*we say, we're saying*	[dizɔ̃]	
vous dites	*you say, you're saying*	[dit]	
ils disent	*they say, they're saying*	[diz]	

Note

Etes (être), **faites** (faire) and **dites** (dire) are the three cases in French where the **vous** form is followed by a verb stem + **es** instead of a stem + **ez.**

52. *Prendre*, To Take (Irregular Verb)

Il en **prend** deux quand il a mal à la tête. *He takes two of them when he has a headache.*
Tu en **prends** une cuillerée, n'est-ce pas? *You take one spoonful, don't you?*
Prenez-vous des toasts? *Are you having (eating) some toast?*

Prendre is conjugated as follows:

je prends	*I take, I'm taking*	[prɑ̃]	All singular forms
tu prends	*you take, you're taking*	[prɑ̃]	SOUND exactly the same.
il prend	*he takes, he's taking*	[prɑ̃]	
nous prenons	*we take, we're taking*	[prənɔ̃]	1st and 2nd persons

vous prenez	*you take, you're taking*	[prəne]	plural differ by only a single sound.
ils prennent	*they take, they're taking*	[prɛn]	

This verb is one of the trickiest among the irregular ones, with its three written stems (**prend-, pren-, prenn-**).

Exercices

Response Drills

Victor, voilà les toasts.
Ouf! tu me donnes des toasts?

Voilà le vin.
Voilà tes médicaments.
Voilà la confiture.
Voilà ton thé.
Voilà le café.
Voilà ta soupe.
Voilà ton aspirine.
Voilà les cachets.
Voilà tes pilules.
Voilà le jus d'orange.
Voilà ton infusion.

Victor, je te donne du thé.
Mais je ne veux pas de thé!

Je te donne du café.
Je te donne de la soupe.
Je te donne du gâteau.
Je te donne du vin.
Je te donne de l'aspirine.
Je te donne de la confiture.
Je te donne un œuf.
Je te donne une infusion de tilleul.
Je te donne des pilules.
Je te donne des cachets.
Je te donne des médicaments.
Je te donne du jus d'orange.
Je te donne des toasts.

J'ai du thé, mon cher. Une tasse seulement!
Tu me donnes une tasse de thé?

J'ai du vin, mon cher. Un verre seulement!
J'ai de la soupe, mon cher. Un peu seulement!
J'ai du fromage, mon cher. Un peu seulement!
J'ai du jus d'orange, mon cher. Un verre seulement!
J'ai de la confiture, mon cher. Une cuillerée seulement!
J'ai de l'infusion, mon cher. Une cuillerée seulement!
J'ai du café, mon cher. Une tasse seulement!

Victor, veux-tu du vin?
Non! Je n'en veux pas!

Veux-tu du thé?
Veux-tu du café?
Veux-tu de la soupe?
Veux-tu de la quiche?
Veux-tu de l'aspirine?
Veux-tu des pilules?
Veux-tu des cachets?
Veux-tu des médicaments?

Transformation Drills

Y a-t-il un Américain dans cet appartement?
Non, il n'y a pas d'Américain dans cet appartement.

Y a-t-il un étudiant américain dans ce restaurant?
Y a-t-il des étudiants américains dans ce restaurant?
Y a-t-il un roman de Marivaux dans cette librairie?
Y a-t-il des romans de Marivaux dans cette librairie?
Y a-t-il un oncle avare dans cette famille?
Y a-t-il des oncles avares dans cette famille?
Y a-t-il une infusion de tilleul sur la table?
Y a-t-il des Américaines dans cet appartement?
Y a-t-il une étudiante française dans votre librairie?

Janine, voilà une tasse de thé pour Victor.
Je vais la lui donner.

Voilà le thé.
Voilà les toasts.
Voilà la quiche.
Voilà l'infusion de tilleul.
Voilà l'aspirine.
Voilà les croissants.

Voilà les œufs.
Voilà les pilules.
Voilà les médicaments.

Liliane, donnes-tu du café à ton mari?
Mais oui, je lui en donne!

Lui donnes-tu du thé?
Lui donnes-tu de la quiche?
Lui donnes-tu de l'aspirine?
Lui donnes-tu de la soupe?
Lui donnes-tu des médicaments?
Lui donnes-tu des cachets?

Chérie, qu'as-tu là? Me donnes-tu du vin?
Oui, je t'en donne un peu.

Me donnes-tu du jus d'orange?
Me donnes-tu de la soupe?
Me donnes-tu de la quiche?
Me donnes-tu de l'infusion?
Me donnes-tu du thé?
Me donnes-tu du café?
Me donnes-tu du pain?

Tu prends des pilules? (deux)
Oui, j'en prends deux.

Tu prends des cachets? (un)
Tu veux des croissants? (deux)
Tu as de l'aspirine? (une)
Tu as des courses? (trois)
Vous avez des enfants? (cinq)
Vous prenez des romans? (quatre)

Correlation Drills: Dire, Prendre

A. Je dis que Victor est malade.
Vous . . .
Liliane . . .
Nous . . .
Tu . . .
Mme Casiez . . .
Le médecin . . .

Charles et Janine . . .
Janine et Liliane . . .
Je . . .

B. Je ne prends pas de Brie.
Victor . . . .
Victor et Liliane . . .
Elle . . .
Vous . . .
Tu . . .
Charles et Victor . . .
Janine et Liliane
Nous . . .
Il . . .
Je . . .

Questions sur le Dialogue

1. Liliane dit-elle que Victor est malade?
2. A-t-il de l'appétit?
3. Est-ce que Liliane lui donne du jus d'orange?
4. Est-ce qu'elle lui donne de la soupe?
5. Est-ce qu'elle lui donne de l'aspirine?
6. Est-ce qu'elle lui donne des médicaments?
7. Prend-il du vin?
8. Prend-il de la soupe?
9. Prend-il de l'aspirine?
10. Prend-il des médicaments?
11. Prend-il un croissant?

Répondez aux questions suivantes en employant le pronom **en**:

1. Est-ce que Victor a de la fièvre?
2. Est-ce que Liliane lui donne du jus d'orange?
3. Est-ce que Liliane lui donne de l'infusion de tilleul?
4. Est-ce que Victor a de l'appétit?
5. Est-ce que Liliane lui donne des médicaments?
6. Est-ce que Liliane lui donne de la soupe?
7. Veut-il des cachets?
8. Veut-il des toasts?
9. Veut-il de l'infusion de tilleul?
10. Veut-il de la confiture d'abricots?

Prononciation [y]

Vésuve	chute	Russe	Crésus
refuser	culte	rude	Bacchus
déluge	nul	truffe	Vénus
azur	luxe	ruche	Marius
étuve	usurpe	suc	lotus
accuse	brume	massue	motus
refuse	urne	reçu	blocus
mur	absurde	supposer	Fréjus
murmurer	brûle	tulipe	
	dû	sculpture	
	flûte	tulle	
		tumulte	

Musette eut une culbute.
Il a vu plus d'une ruche.
Le curé aperçut la perruque de Jules.
M. Desurmont ne fume plus.
J'eus les muscles durs et tordus.

Dialogue Review

A. Class reads Dialogue 10 in unison or in groups.
B. Several students give Dialogue 9 by heart.
C. *Dictée* based on Dialogue 8.

LES ROIS MAGES ...... EN GALILÉE
SELECT
SAMARITA
SAMAR
PARKING
Samaritaine
belle jardinière
départ des mini-cars
LIAISONS
MESDAMES
CE MAGASIN EST LE VOTRE
1
MAGASIN 3

ONZIEME LEÇON

C'est la saison de Noël

VICTOR: Ah! te voilà, chérie!

LILIANE: Ouf! J'ai eu une journée fatigante! Et je n'aime pas la foule.

VICTOR: La foule? Où ça?

LILIANE: Pauvre mari distrait, as-tu donc oublié la saison? C'est aujourd'hui le 1er décembre . . . l'époque de Noël!

VICTOR: C'est vrai! Tu as fait beaucoup d'achats?

LILIANE: Bien sûr. Il y a de beaux cadeaux aux Galeries Lafayette, et surtout de très beaux vêtements pour enfants!

VICTOR: Déjà? As-tu acheté des vêtements pour le bébé? Et les prix? Sont-ils modérés?

LILIANE: Des vêtements pour le bébé? Ah non! Pas encore. Et les prix sont très élevés . . . D'ailleurs, j'ai déjà beaucoup tricoté.

VICTOR: Ah oui . . . Euh . . . une layette bleue ou rose?

LILIANE: (Amusée) Mais, ni bleue ni rose. N'as-tu pas remarqué? Des choses blanches, vertes, jaunes, rouges . . . bonnes pour un garçon ou une fille . . . Victor, Mme Casiez m'a donné une lettre de maman. La famille va nous envoyer de jolis vêtements.

VICTOR: Et ta riche cousine Paulette?

VICTOR: Ah, there you are, dear!

LILLIAN: Whew! I've had a tiring day! And I don't like crowds.

VICTOR: Crowds? Where?

LILLIAN: Poor absent-minded husband, have you forgotten the time of year? Today's December 1 . . . Christmas time!

VICTOR: That's true! Did you do a lot of shopping?

LILLIAN: I certainly did. There are lovely gifts at the Galeries Lafayette, and, especially, beautiful children's clothes!

VICTOR: Already? You bought clothes for the baby? How are the prices? Are they reasonable?

LILLIAN: Clothes for the baby? Oh no! Not yet. And the prices are very high . . . Besides, I've done a lot of knitting already.

VICTOR: Oh yes . . . uh . . . a blue layette, or a pink one?

LILLIAN: (Amused) Why, neither blue nor pink. Haven't you noticed? White things, green ones, yellow ones, red ones . . . good for a boy or a girl . . . Victor, Mme Casiez gave me a letter from Mother. The family's sending us pretty clothes.

VICTOR: And your rich cousin Paulette?

Christmas comes to Paris.

Va-t-elle en envoyer aussi? Ou des vêtements usés, hérités de ses cinq enfants?	Will she send some too? Or worn-out hand-me-downs from her five children?
LILIANE: Tiens! Je n'ai pas pensé à Paulette. Elle a toujours été très économe, n'est-ce pas?	LILLIAN: Goodness! I didn't think of Paulette. She's always been very thrifty, hasn't she?
VICTOR: Comme l'oncle Ambroise!	VICTOR: Like Uncle Ambrose!

FAUX AMIS: **usé** = *worn, worn out* (by use or friction), not *used* in the sense of **employé**.

About the Dialogue

The *Galeries Lafayette* is a very attractive—and rather expensive—department store in the center of Paris.

Response Drill

Ah! te voilà, chérie! Tu as fait beaucoup de courses?
  Oui, j'ai fait beaucoup de courses.
Tu as fait beaucoup d'achats?
  Oui, j'ai fait beaucoup d'achats.
Tu as dépensé beaucoup d'argent?
  Oui, j'ai dépensé beaucoup d'argent.
Tu as acheté des vêtements pour le bébé?
  Oui, j'ai acheté des vêtements pour le bébé.

Repetition Drills

Elle a fait beaucoup de courses.
Elle a fait beaucoup d'achats.
Elle a trouvé beaucoup de beaux cadeaux aux Galeries Lafayette.
Elle a eu une journée fatigante.
Elle a dépensé beaucoup d'argent.

Il a été très malade.
Il a eu de la fièvre.
Il a demandé du thé.
Il a voulu du repos.
Il a mangé un croissant.
Il a pris de l'aspirine.

Response Drills

Est-ce que M. Parry va bien maintenant?
  Oui, Mme Casiez.

A-t-il été très malade?
    Oui, il a été très malade.
A-t-il eu de la fièvre?
    Oui, il a eu de la fièvre.
A-t-il beaucoup toussé?
    Oui, il a beaucoup toussé.
A-t-il demandé du thé?
    Oui, il a demandé du thé.
A-t-il voulu du repos?
    Oui, il a voulu du repos.

Vous avez fait des achats pour la Noël?
    Oui, nous avons fait des achats pour la Noël.
Vous avez trouvé beaucoup de beaux cadeaux?
    Oui, nous avons trouvé beaucoup de beaux cadeaux.
Vous avez écrit à vos parents?
    Oui, nous avons écrit à nos parents.
Vous avez envoyé des cadeaux à vos familles?
    Oui, nous avons envoyé des cadeaux à nos familles.

Repetition Drills

Victor a été à la librairie de M. Musy.
Victor et M. Musy ont parlé des écrivains du dix-huitième siècle.
Ils ont dit que Voltaire est un grand écrivain.
Ils ont toujours aimé *Candide*.
Marivaux et Voltaire ont écrit beaucoup de belles choses.

Victor a eu la grippe.
Liliane et Janine ont donné du thé à Victor.
Elles lui ont donné aussi des croissants.
Elles ont acheté des médicaments pour Victor.
Elles ont fait manger Victor.
Elles ont été deux contre un seul homme malade.

Je n'aime pas les journées fatigantes.
Je n'aime pas les vieux vêtements hérités.
J'aime les beaux cadeaux.
J'aime les beaux vêtements pour enfants.
J'aime les vêtements bleus et roses.

Aimes-tu le blanc pour les enfants, Janine?
Oui, j'aime le blanc pour les enfants.
J'aime le bleu aussi.

J'aime le rose aussi.
J'aime beaucoup le jaune.
Mais j'aime peu le vert.
Et je n'aime pas le rouge.

Response Drills

Veux-tu prendre de la quiche, Victor?
    Non! je n'aime pas la quiche.
Veux-tu prendre de la soupe?
    Mais non! je n'aime pas la soupe.
Veux-tu prendre de la confiture?
    Non! non! je n'aime pas la confiture.
Veux-tu prendre de l'infusion de tilleul?
    Ah non! Je n'aime pas l'infusion de tilleul!
Veux-tu prendre de l'aspirine?
    Non! je n'aime pas l'aspirine!

VICTOR: J'ai du travail fatigant.
    LILIANE: J'ai eu une journée fatigante.

VICTOR: Marivaux est un grand écrivain.
    LILIANE: Il y a une grande pâtisserie près des Galeries Lafayette.

VICTOR: Ce n'est pas un auteur déprimant.
    LILIANE: La saison de Noël n'est pas déprimante.

VICTOR: Tu as acheté un beau chapeau (*hat*) bleu!
    LILIANE: Oui. Et une belle layette bleue aussi!

VICTOR: Un joli chapeau, vraiment!
    LILIANE: Une jolie layette, vraiment!

VICTOR: J'ai beaucoup travaillé. Je suis si fatigué!
    LILIANE: J'ai beaucoup acheté. Je suis si fatiguée!

VICTOR: Marivaux est un très bon écrivain.
    LILIANE: C'est une très bonne saison.

VICTOR: C'est un écrivain spirituel.
    LILIANE: J'ai une lettre spirituelle de Maman.

VICTOR: Mais mon travail est très long.
    LILIANE: Et la lettre est longue aussi.

VICTOR: As-tu tricoté un chapeau jaune pour le bébé?
LILIANE: Mais la layette n'est pas jaune!

VICTOR: As-tu tricoté un chapeau blanc pour le bébé?
LILIANE: Mais la layette n'est pas blanche!

Repetition Drill

La famille va nous envoyer de jolis vêtements.
Il y a de beaux cadeaux aux Galeries Lafayette.
Je connais de jeunes Américains à la Sorbonne.
Nous avons eu de mauvaises journées à Paris.
Y a-t-il d'autres gâteaux chez le pâtissier?
Liliane a acheté de bonnes lentilles chez l'épicier.
Il y a de grandes maisons dans la rue Rambuteau.
Avez-vous remarqué de vieilles voitures ici?
Non, mais j'ai remarqué de grosses voitures ici!
Y a-t-il de nouveaux voisins dans cet immeuble?

Grammaire

53. *De* Before Adjectives that Precede Nouns

Il y a **de** beaux cadeaux aux Galeries Lafayette. *There are lovely gifts at the Galeries Lafayette.*
La famille va nous envoyer **de** jolis vêtements. *The family's going to send us pretty clothes.*
Avez-vous remarqué **de** vieilles voitures ici? *Have you noticed any old cars here?*

We have seen that the partitive **des** becomes **de** after expression of quantity or measurement, and also in negative sentences. The same is generally true when the adjective precedes a plural noun.*

54. Passé Composé

This is the everyday, informal man-in-the-street past tense that Frenchmen use to tell about past happenings. *Passé composé* means "compound past." It is a "compound" made up of two parts, the past participle and the auxiliary (helping) verb. Here is a list of most of the verbs used so far, and their past participles:

---

* The case is less clear-cut when the adjective preceding the noun is singular; sometimes the **de** is used in these instances also, but more often the contracted form, such as in **j'ai du bon vin.**

VERB	PAST PARTICIPLE	VERB	PAST PARTICIPLE
acheter	acheté	attendre	attendu
aimer	aimé	connaître	connu
arriver	arrivé	pouvoir	pu
dater	daté	savoir	su
déjeuner	déjeuné	vouloir	voulu
demander	demandé	dormir	dormi
dépenser	dépensé	prendre	pris
détester	détesté	dire	dit
donner	donné	écrire	écrit
gagner	gagné	aller	allé
parler	parlé	être	été
penser	pensé	faire	fait
plaisanter	plaisanté	avoir	eu
préférer	préféré		
préparer	préparé		
rêver	rêvé		

The great majority of French verbs have infinitives ending in **-er.** The past participle of these verbs is obtained by removing the **-er** from the infinitive and substituting **é.**

The helping verb in the *passé composé* is the present tense of **avoir.** Here are examples of a few verbs in this tense:

parler	PAST PARTICIPLE: **parlé**
j'ai parlé	*I spoke, I have spoken*
tu as parlé	*you spoke, you have spoken*
il a parlé	*he spoke, he has spoken*
elle a parlé	*she spoke, she has spoken*
nous avons parlé	*we spoke, we have spoken*
vous avez parlé	*you spoke, you have spoken*
ils ont parlé	*they spoke, they have spoken*
elles ont parlé	*they spoke, they have spoken*

être	PAST PARTICIPLE: **été**
j'ai été	*I was, I have been*
tu as été	*you were, you have been*
il a été	*he was, he has been*
elle a été	*she was, she has been*
nous avons été	*we were, we have been*
vous avez été	*you were, you have been*

ils ont été	*they were, they have been*
elles ont été	*they were, they have been*

prendre	PAST PARTICIPLE: **pris**
j'ai pris	*I took, I have taken*
tu as pris	*you took, you have taken*
il a pris	*he took, he has taken*
elle a pris	*she took, she has taken*
nous avons pris	*we took, we have taken*
vous avez pris	*you took, you have taken*
ils ont pris	*they took, they have taken*
elles ont pris	*they took, they have taken*

The *passé composé* has two or three possible English meanings and it usually answers the question, "What happened next?"

Here is a sample of this tense, expressed in the negative:

je n'ai pas parlé	*I haven't spoken, I didn't speak*
tu n'as pas parlé	*you haven't spoken, you didn't speak*
il n'a pas parlé	*he hasn't spoken, he didn't speak*
elle n'a pas parlé	*she hasn't spoken, she didn't speak*
nous n'avons pas parlé	*we haven't spoken, we didn't speak*
vous n'avez pas parlé	*you haven't spoken, you didn't speak*
ils n'ont pas parlé	*they haven't spoken, they didn't speak*
elles n'ont pas parlé	*they haven't spoken, they didn't speak*

This is the *passé composé* in questions:

Est-ce que j'ai parlé?	*Have I spoken? Did I speak?*
As-tu parlé?	*Have you spoken? Did you speak?*
A-t-il parlé?	*Has he spoken? Did he speak?*
A-t-elle parlé?	*Has she spoken? Did she speak?*
Avons-nous parlé?	*Have we spoken? Did we speak?*
Avez-vous parlé?	*Have you spoken? Did you speak?*
Ont-ils parlé?	*Have they spoken? Did they speak?*
Ont-elles parlé?	*Have they spoken? Did they speak?*

Except for the **je**, just invert the subject pronoun and the helping verb to form questions in the *passé composé*.

55. *Le*, *La*, *L'*, *Les* Used in a General Sense

Vous aimez vraiment **les** romans du dix-huitième siècle? *Do you really enjoy eighteenth-century novels?* (In general)

Aimes-tu **le** jaune? *Do you like yellow?* (In general)
Je déteste **la** soupe! *I can't stand soup!* (In general)
Victor préfère **l'**infusion de tilleul. *Victor prefers linden tea.* (In general)

The French use **le, la, l'**, and **les** in many cases where we do not, especially when they wish to express a personal like or dislike of things or people in general; the verbs are usually **aimer, détester, préférer**, etc.

Notes

a. The **le, la, l', les** are used but not translated.
b. There is a tendency to confuse these words with the partitive, especially in negative sentences. Contrast the following:

Je prends **de la** soupe. *I'm having (some) soup.* (Partitive-affirmative)
Je ne prends pas **de** soupe. *I'm not having (any) soup.* (Partitive-negative)
J'aime **la** soupe. *I like soup.* (In general)
Je n'aime pas **la** soupe. *I don't like soup.* (In general)

56. Feminine Forms of Adjectives

Here is how you get the feminine form of most French adjectives:

MASCULINE SINGULAR	MASCULINE PLURAL	FEMININE SINGULAR	FEMININE PLURAL
fatigant	fatigants	fatigante	fatigantes
américain	américains	américaine	américaines
grand	grands	grande	grandes
petit	petits	petite	petites
déprimant	déprimants	déprimante	déprimantes
modéré	modérés	modérée	modérées
élevé	elévés	élevée	élevées
hérité	hérités	héritée	héritées
raffiné	raffinés	raffinée	raffinées
fatigué	fatigués	fatiguée	fatiguées
rose	roses	rose	roses
jaune	jaunes	jaune	jaunes
rouge	rouges	rouge	rouges
riche	riches	riche	riches
économe	économes	économe	économes
bleu	bleus	bleue	bleues
vrai	vrais	vraie	vraies
joli	jolis	jolie	jolies

français	français	française	françaises
mauvais	mauvais	mauvaise	mauvaises
affreux	affreux	affreuse	affreuses
bon	bons	bonne	bonnes
spirituel	spirituels	spirituelle	spirituelles
long	longs	longue	longues
blanc	blancs	blanche	blanches

Briefly, here are the rules:

a. In most cases, to get the feminine form of an adjective, add **-e** to those ending in a consonant, **é** (accented **e**), and vowels other than **e**.
b. If the adjective already ends in an unaccented **e** (example: **rouge**), add nothing. Such adjectives are spelled the same whether masculine or feminine.
c. Many adjectives whose masculine form ends in **-eux** become **-euse** in the feminine form.
d. Some adjectives get their feminine form by doubling the final consonant, then adding **e**: **bon, bonne; spirituel, spirituelle.**
e. Some adjectives like **long, longue; blanc, blanche** have exceptional forms in the feminine and simply have to be learned as they come along. They are unpredictable, and no rule can be set for them.

Exercices

Transformation Drills

Mettez les verbes au *passé composé*:

Liliane trouve de beaux cadeaux aux Galeries Lafayette.
Liliane a trouvé de beaux cadeaux aux Galeries Lafayette.

Victor trouve de beaux romans à la librairie.
Liliane et Mme Vallin tricotent de belles choses.
Je pense à ma cousine Paulette.
Tu achètes des vêtements pour le bébé?
Nouse dépensons beaucoup d'argent.
Vous aimez ces auteurs?

Mes courses ne sont pas nombreuses.
Mes courses n'ont pas été nombreuses.

Je ne suis pas malade!
Nous ne sommes pas riches.
Tu es fatiguée, Liliane?

Victor et Liliane ne sont pas à Rome.
Vous n'êtes pas à la Sorbonne aujourd'hui?

J'ai beaucoup de courses à faire.
J'ai eu beaucoup de courses à faire.

Victor a beaucoup de travail.
Nous avons une grande famille à Paris.
Tu as une journée fatigante.
Vous avez des vêtements pour enfants?
M. et Mme Musy ont une bonne librairie.
J'ai une lettre de Maman.

Victor connaît M. Musy.
Victor a connu M. Musy.

Nous connaissons Mme Coudert.
Mais je ne veux pas prendre ce croissant!
Victor peut dormir à minuit.
Mme Casiez prend du gâteau.
Tu dis que Victor est malade?
J'écris cette lettre à Ambroise.
Vous faites votre thèse sur Marivaux?
Connais-tu M. Dujardin?
Tu veux prendre du vin?
Prenez-vous du fromage?
Nous pouvons acheter de la charcuterie.
Liliane écrit à sa famille.
Nouse faisons beaucoup d'achats.
Elles font leurs courses.

Répétez les phrases suivantes, en substituant les mots indiqués (Repeat the following sentences and substitute the listed words in turn):

EXEMPLE: le café. *Voulez-vous du café?*
Aimez-vous le café?

le pain; le jus d'orange; la viande; la soupe; l'infusion; le vin; les œufs.

Même exercice:

EXEMPLE: le café. *Je ne veux pas de café.*
Je n'aime pas le café.

le pain; le jus d'orange; la viande; la soupe; l'infusion; le vin; les œufs.

Répétez le méme adjectif, en faisant l'accord (Repeat the same adjective, making it agree with the noun):

Un travail fatigant, une journée ——.
Un roman déprimant, une saison ——.
Un beau roman, une —— journée.
Un joli chapeau, une —— jeune fille.
Un auteur raffiné, une femme ——.
Un homme spirituel, une femme ——.
Un long travail, une —— lettre.
Un chapeau jaune, une layette ——.
Un livre rose, une layette ——.
Un pain blanc, une maison ——.

Transformation Drill

Prends-tu ces bons croissants?
Prends-tu de bons croissants?

As-tu acheté ces jolis vêtements?
J'ai tricoté ces petits chapeaux.
Victor regarde ces grosses maisons vertes.
Paulette va envoyer ces autres cadeaux.
Connaissez-vous ces longues rues à Chicago?
Voulez-vous ces bonnes lentilles?
Avons-nous ces grands fromages?
Je connais ces gros hommes!
Il a mangé ces beaux gâteaux!

Correlation Drill

Add each italicized word, in turn, to the model sentence, making the necessary changes:

Victor connaît *des* étudiants à la Sorbonne.

(*beau*, *mauvais*, *grand*, *bon*, *autre*, *jeune*, *nouveau*, *méchant*, *gros*)

Questions sur le Dialogue

1. Est-ce que Liliane a eu une journée fatigante?
2. Aime-t-elle la foule?
3. Est-ce que Victor a oublié la saison?
4. Est-il distrait?

5. Quelle est la date?
6. Est-ce que Liliane a fait beaucoup d'achats?
7. Y a-t-il de beaux cadeaux aux Galeries Lafayette?
8. Y a-t-il de beaux vêtements aux Galeries Lafayette?
9. Est-ce que Liliane a acheté des vêtements pour le bébé?
10. Les prix sont-ils modérés?
11. Est-ce que Liliane a tricoté des vêtements pour le bébé?
12. A-t-elle tricoté une layette rose?
13. Est-ce que Mme Casiez a donné une lettre à Liliane?
14. La cousine Paulette est-elle pauvre?
15. A-t-elle quatre enfants?
16. Est-ce qu'elle est économe?
17. Liliane a-t-elle pensé à sa cousine?

Prononciation [ø]

jeu	pneu	fileuse	Eulalie
bleu	pneumonie	tricoteuse	Eugène
monsieur	œufs	chartreuse	Eugénie
nœud	bœufs	chanteuse	Euclide
vieux	neutre	gazeuse	Euphrate
Dieu	feutre	berceuse	Euterpe
lieutenant	pleutre	moqueuse	Euphémie
feu	meute	Meuse	
creux	émeuté		

Adieu! Dieu le veut, Eulalie!
Les yeux d'Eugène sont plus bleus que ceux du lieutenant.
Il veut deux œufs pour Euphémie.
Ceux qui s'ameutent sont des pleutres.
La chanteuse va jeûner jeudi.

Dialogue Review

A. Class reads Dialogue 11 in unison or in groups.
B. Several students give Dialogue 10 by heart.
C. *Dictée* based on Dialogue 9.

Closing time in Paris.

In the men's department.

■ DOUZIEME LEÇON

Les étalages pour hommes

VICTOR: Quelle foule! On ne peut pas circuler!

LILIANE: Comment donc, quelle impatience! Les étalages ne t'intéressent pas?

VICTOR: Oh, si! . . . Quels étalages?

LILIANE: Mais, les étalages de vêtements pour hommes!

VICTOR: Voyons. Oh! mais . . . quelles belles cravates! Et ces chaussettes ne sont-elles pas épatantes? Mais quel argent on peut dépenser . . . Voilà les eaux de toilette pour hommes. Tiens! "Zizanie". Aux Etats-Unis on dit que c'est d'un chic fou. (A une vendeuse) L'eau-de-toilette "Zizanie" coûte-t-elle cher, mademoiselle?

LA VENDEUSE: Mais ça dépend, monsieur. Oh, bonjour, madame . . . Mais je connais madame, n'est-ce pas? Madame n'a-t-elle pas déjà acheté un flacon de "Zizanie"?

LILIANE: Oh! Mademoiselle, vous avez gâché ma petite surprise!

LA VENDEUSE: Je regrette, madame . . . J'ai été si pressée!

VICTOR: Mais quel merveilleux cadeau, chérie! Voyons donc, mademoiselle. Les parfums pour dames se trouvent-ils ici?

VICTOR: Such a crowd! You can't get around!

LILLIAN: Really now, such impatience! Don't the counters interest you?

VICTOR: Oh, yes! . . . Which counters?

LILLIAN: Why, the counters of men's clothing!

VICTOR: Let's have a look. Oh boy! What beautiful ties! And aren't those socks terrific? But you can spend an awful lot of money . . . Here are the men's colognes. Hm! "Zizanie". In the U.S. they say it's really the "in" thing to get. (To a saleslady) Is "Zizanie" cologne expensive?

SALESWOMAN: Well, that depends. Oh, good morning, Madam. Don't I know you? Didn't you already buy a bottle of "Zizanie"?

LILLIAN: Oh! You've spoiled my little surprise!

SALESWOMAN: I'm sorry, Madam . . . I've been so rushed!

VICTOR: Why, what a wonderful gift, darling! Let's see now, miss, Are the women's perfumes here?

LA VENDEUSE: Mais bien sûr, monsieur. Nous avons du Chanel, du Guerlain, du Dior—

SALESWOMAN: Why of course, sir. We have Chanel, Guerlain, Dior—

VICTOR: C'est ça—du Dior!

VICTOR: That's it—Dior!

LA VENDEUSE: Monsieur aime-t-il Diorissimo? Il est idéal pour les blondes.

SALESWOMAN: Do you like Diorissimo? It's just the thing for blondes.

VICTOR: J'en prends un flacon pour ma femme.

VICTOR: I'll take a bottle of it for my wife.

LILIANE: Du parfum Dior! Oh! Victor!

LILLIAN: Dior perfume! Oh, Victor!

LA VENDEUSE: Comme monsieur est généreux!

SALESWOMAN: How generous of you!

LILIANE: Et même trop généreux! Et quel diplomate!

LILLIAN: Too generous, really! And quite a diplomat!

FAUX AMIS: **circuler** = *to move around freely, to get around,* in this case. **pressée** = *hurried, pressed for time.* It has nothing to do with "pressing" or "ironing" (**repassage**, m.).

About the Dialogue

The names of *Chanel* and *Dior* are more familiar to Americans than that of *Guerlain*, which enjoys excellent status in the same domain.

Etalage is derived from *étaler*, "to display." It therefore means, literally, "a display or exhibit." Here it refers to merchandise displayed on counters.

Response Drills

Les étalages sont-ils beaux?
Oui, ils sont beaux.
Ces cravates sont-elles jolies?
Oui, elles sont jolies.
Cette eau-de-toilette coûte-t-elle cher?
Oui, elle coûte cher.
Les prix sont-ils élevés?
Oui, ils sont élevés.
La famille va-t-elle envoyer de jolis vêtements?
Oui, elle va envoyer de jolis vêtements.
Et ta riche cousine Paulette va-t-elle envoyer des vêtements usés?
Oui, elle va envoyer des vêtements usés.

Tes courses ont-elles été nombreuses?
Oui, elles ont été nombreuses.

Ta journée a-t-elle été fatigante?
    Oui, elle a été fatigante.
La foule a-t-elle été grande?
    Oui, elle a été grande.
La vendeuse a-t-elle gâché ta petite surprise?
    Oui, elle a gâché ma petite surprise!
Victor a-t-il acheté du parfum Dior?
    Oui, il a acheté du parfum Dior.
Ton mari a-t-il dépensé beaucoup d'argent?
    Oui, il a dépensé beaucoup d'argent.
Les Parry ont-ils acheté des cadeaux de Noël?
    Oui, ils ont acheté des cadeaux de Noël.

Jeune homme, ces romans ne sont-ils pas raffinés?
    Si, M. Musy, ils sont raffinés.
Ces romans ne sont-ils pas spirituels?
    Si, M. Musy, ils sont spirituels.
Candide n'est-il pas un vrai chef-d'œuvre?
    Si, il est un chef-d'œuvre.
Les librairies américaines n'ont-elles pas ces romans?
    Si, ils ont ces romans.
Les étudiantes américaines n'aiment-elles pas *Manon Lescaut*?
    Si, elles aiment *Manon Lescaut*.

Nos courses ne sont-elles pas nombreuses?
    Si, elles sont nombreuses.
Les cravates ne sont-elles pas jolies?
    Si, elles sont jolies.
Ces étalages ne sont-ils pas beaux?
    Si, ils sont beaux.
Cette eau-de-toilette ne coûte-t-elle pas cher?
    Si, elle coûte cher.
Les prix ne sont-ils pas élevés?
    Si, ils sont élevés.

Tes courses n'ont-elles pas été nombreuses?
    Si, elles ont été nombreuses.
Ta journée n'a-t-elle pas été fatigante?
    Si, elle a été fatigante.
La foule n'a-t-elle pas été grande?
    Si, elle a été grande.
La vendeuse n'a-t-elle pas gâché ta petite surprise?
    Si, elle a gâché ma petite surprise.

Victor n'a-t-il pas acheté du parfum Dior?
    Si, il a acheté du parfum Dior.
Ton mari n'a-t-il pas dépensé beaucoup d'argent?
    Si, il a dépensé beaucoup d'argent.
Les Parry n'ont-ils pas acheté des cadeaux de Noël?
    Si, ils ont acheté des cadeaux de Noël.

Repetition Drill

Quel fromage délicieux!
Quel bons toasts!
Quel café délicieux!
Quel bon vin!
Quels œufs délicieux!
Quels bons croissants!
Quelle bonne infusion!
Quelle soupe délicieuse!
Quelles bonnes confitures!
Quelles tartes délicieuses!

Response Drill

LILIANE: Ouf! quelle foule! Je n'aime pas la foule!
    VICTOR: Une foule? Quelle foule?
LILIANE: As-tu oublié la saison?
    VICTOR: La saison? Quelle saison?
LILIANE: Quels beaux vêtements pour enfants!
    VICTOR: Des vêtements? Quels vêtements?
LILIANE: Quel bel étalage!
    VICTOR: Un étalage? Quel étalage?
LILIANE: Les cravates sont très belles.
    VICTOR: Des cravates? Quelles cravates?
LILIANE: Mme Casiez m'a donné une lettre.
    VICTOR: Une lettre? Quelle lettre?
LILIANE: Je n'ai pas acheté de vêtements pour le bébé.
    VICTOR: Un bébé? Quel bébé?

Repetition Drill

En cette saison, on a des courses nombreuses.
En cette saison, on fait beaucoup d'achats.
En cette saison, on achète beaucoup de cadeaux.

En cette saison, on a des journées fatigantes.
En cette saison, on a de la difficulté à circuler.
En cette saison, on dépense beaucoup d'argent.
En cette saison, on achète des cadeaux de Noël.
En cette saison, on remarque les beaux étalages.

Grammaire

57. Questions with Noun Subjects

La "Zizanie" **coûte-t-elle** cher? *Is "Zizanie" expensive?*
Les parfums pour dames **se trouvent-ils** ici? *Are the women's perfumes here?*
Monsieur **aime-t-il** Diorissimo? *Do you like Diorissimo?*

So far, we have seen the following question patterns:

a. The statement voiced as a question:

Vous aimez vraiment les romans du dix-huitième siècle? *Do you really like eighteenth-century novels?*

b. The **Est-ce que** method:

Est-ce que je suis vraiment si gros? *Am I really so fat?*

c. The inverted pattern:

A-t-il de l'appétit? *Does he have any appetite?*

The one thing these patterns have in common is a subject *pronoun*: **vous, je, il.** This inverted (verb-subject) pattern is generally possible *only* with a subject pronoun. When you have a subject *noun*, the pattern changes:

Les parfums pour dames se trouvent-ils ici?
Monsieur aime-t-il Diorissimo?

Note that you do not invert the noun subject and verb to make your question. Instead, you

a. Take the original statement, let us say:

Les parfums pour dames se trouvent ici.

b. Find the subject and determine its gender and number. Here, it is **parfums,** masculine plural.

c. Put the subject pronoun that stands for the noun (here, it is **ils**, representing **parfums**) right after the verb:

Les parfums pour dames se trouvent-**ils** ici?

And you have the right inversion pattern for questions with subject nouns . . . *if* the verb is a one-word verb like the present tense. For the *passé composé,* where there's a helping verb and past participle, the subject pronoun goes after the helping verb. Original question:

Madame n'a pas déjà acheté un flacon de "Zizanie"?
Noun subject: **Madame**, feminine singular.
Pronoun representing **Madame: elle.**
Question pattern: **Madame n'a-t-elle pas déjà acheté un flacon de "Zizanie"?**

58. *Quel*

Quel argent on peut dépenser! *You can spend an awful lot of money!*
Quels bons croissants! *Such good croissants!*
Quelle foule! *What a crowd!* or **Quelle** foule? *Which crowd?*
Quelles belles cravates! *Such beautiful ties!*
Quel diplomate! *Quite a diplomat!*

The adjective **quel** has four forms:

MASCULINE SINGULAR	MASCULINE PLURAL	FEMININE SINGULAR	FEMININE PLURAL
quel	**quels**	**quelle**	**quelles**

In statements or questions, it means *what* or *which*; in exclamations, *what, such, quite a . . .*

Note

a. Don't confuse **quel** with the English pronoun *what*, as in *What's that?* or *What are you saying?* **Quel** is an adjective needing something to modify, and not a pronoun.
b. **Quel** is sometimes separated from the noun it modifies, as in **Quelle est la date?** Normally, adjectives stand right next to the nouns they modify, but **quelle**, here is separated from **date** by a couple of words.

59. The Pronoun *On*

On ne peut pas circuler! *You can't get around!*
Quel argent **on** peut dépenser! *You can spend an awful lot of money!*

To the list of subject pronouns **(je, tu, il**, *etc.*) we will now add **on**, which may mean, according to context, *one, they, we, you, people, a person.* For example, the first sentence given above could mean:

One can't get around!
We can't get around!
People can't get around!
They can't get around!
A person can't get around!

On refers, not to a specific person or persons, but to unspecified persons. It is equivalent to the subject pronouns in sentences such as "*They* tell me you're getting married"; "*People* don't like that"; "*We* speak French here"; "*A person* can't tell the difference". In these cases, *they*, *people*, *we*, *a person* don't refer to person *A* or *B*; they refer to people in general.

Note also that **on** is a 3rd person singular noun, though it may refer to many people.

60. Negative Questions with Noun Subjects

If a sentence has a noun subject, a negative question is formed by adding **ne . . . pas** in the right places to the affirmation question patterns:

PATTERN 1: Statement uttered as a question

Les étalages **ne** t'intéressent **pas**? *Don't the counters interest you?*

PATTERN 2: Est-ce que . . .

Est-ce qu'on **ne** peut **pas** circuler? *Can't you get around?*

PATTERN 3: Inversion-type question (affirmative form)

"Zizanie" coûte-t-elle cher? *Is "Zizanie" expensive?*

Inversion-type question (negative form):

"Zizanie" **ne** coûte-t-elle **pas** cher? *Isn't "Zizanie" expensive?*

In the inversion-type questions with subject *nouns*, the **ne** goes before the inversion, the **pas** after it (present tense); in the *passé composé*, the **pas** comes between the helping verb and the past participle:

Madame **n**'a-t-elle **pas** déjà acheté un flacon de "Zizanie"?

Exercices

Transformation Drills

Candide est une grande satire.
Candide est-il une grande satire?

Les étudiants américains lisent *Manon Lescaut*.
Liliane attend le bébé le 15 mai.
L'oncle Ambroise est un pauvre savant solitaire.

Victor et Mme Dujardin sont voisins.
Mme Vallin est la cousine de Victor.
Liliane et Mme Vallin tricotent beaucoup.
Mme Vallin et Mme Casiez parlent de Victor et de Liliane.
Nos courses sont encore nombreuses.
Les étalages t'intéressent?
Ces chaussettes sont jolies.
Cette eau-de-toilette coûte cher.
Les parfums pour dames se trouvent ici.
Monsieur en prend un flacon.
Monsieur est généreux.

Candide est une grande satire.
Candide n'est-il pas une grande satire?

(Using this example, follow through with the sentences in the previous drill.)

Victor a-t-il la grippe?
Victor a-t-il eu la grippe?

Victor a dit qu'il est très fatigué.
Liliane a donné du vin à Victor.
Le médecin a voulu donner des pilules à Victor.
Liliane et Mme Vallin ont donné un croissant à Victor.
Victor et M. Musy ont parlé des romans du dix-huitième siècle.
Victor et M. Vallin ont mangé du gâteau.
Madame a déjà acheté un flacon.

Victor a eu la grippe.
Victor n'a-t-il pas eu la grippe?

(Using this example, follow through with the sentences in the previous drill.)

Response Drills

Victor, veux-tu prendre ce bon café?
Quel bon café!

Veux-tu prendre ce bon jus d'orange?
Veux-tu prendre ces bons œufs?
Veux-tu prendre cette bonne quiche?
Veux-tu prendre cette bonne infusion?
Veux-tu prendre ces bonnes quiches?
Veux-tu acheter cette belle cravate?
Veux-tu acheter ce beau flacon?

Peut-on circuler?
Bien sûr, on peut circuler.

Remarque-t-on une foule dans la rue?
A-t-on beaucoup de courses?
Fait-on beaucoup d'achats?
A-t-on des journées fatigantes?
Oublie-t-on le travail?
Achète-t-on beaucoup de cadeaux?
Dépense-t-on beaucoup d'argent?
Ecrit-on des lettres à sa famille?
Prend-on de la bûche de Noël?
Est-on très pressé à cette saison?
Veut-on regarder les étalages?
Connaît-on *Candide*?
Va-t-on aux Galeries Lafayette?

Questions sur le Dialogue

1. Est-ce que Victor et Liliane peuvent circuler dans la foule?
2. Est-ce que les étalages intéressent Victor?
3. Quelles étalages intéressent Victor?
4. Quels vêtements l'intéressent?
5. Quelle eau-de-toilette l'intéresse?
6. Quelle eau-de-toilette est d'un chic fou?
7. Comment sait-on que Victor est économe? (*use* parce que)
8. La vendeuse connaît-elle Liliane?
9. Liliane a-t-elle déjà acheté un flacon de "Zizanie"?
10. La vendeuse a gâché quelque chose. Quelle est cette chose?
11. Quel parfum est idéal pour les blondes?
12. Quel parfum Victor prend-il?

Prononciation [œ]

veulent	hauteur	orgueilleux	pleurer
neuve	veuille	cueillir	peuple
preuve	feuille	cueille	meurt
d'ailleurs	fauteuil	recueil	meurtrier
fleur	seuil	cercueil	demeure
couleur	écureuil	accueil	heureuse
entrepreneur	orgueil	accueillir	Europe
grandeur			leurrer

chœur	œil
cœur	œillet
sœur	œillère
œuvre	œillade
œuf	
écœuré	
mœurs	

Leurs cœurs sont pleins d'une jeune ardeur.
Cette veuve est en deuil.
Leur sœur demeure heureuse.
Leur tailleur a choisi cette couleur.
Va cueillir ailleurs des œillets.

Dialogue Review

A. Class reads Dialogue 12 in unison or in groups.
B. Several students give Dialogue 11 by heart.
C. *Dictée* based on Dialogue 10.

A display of posters.

À CÉDER
FONDS DE COMMERCE
Comprenant : Café Bar _ Restaurant 2 salles
Hôtel 9 chambres confort
CONDITIONS INTÉRESSANTES
Renseignements 265_64-11 _ 22-72
RESTAURANT
AU 1ER ETAGE
PHILIPS
LOGOS
CINEMA
A partir du 13 Octobre
Un petit garçon appelé
CHARLIE BROWN
de Charles SCHULZ
APPRENEZ L'AMERICAIN
NE SE DEVALUE PAS!
21e SALON DU CHAMPIGNON
JARDIN DES PLANTES
COURS DU SOIR
CONVERSATION
PETIT ODEON 18H30
NE M'ATTENDEZ PAS CE SOIR..
COMEDIE-FRANÇAISE
Becket
L'HONNEUR DE DIEU
INSCRIPTIONS
GILLES et BLAISE
GILLES et BLAISE

Lillian has tea with the concierge.

TREIZIEME LEÇON

Les gâteaux de Noël

LILIANE: Entrez, entrez, Mme Casiez! Asseyez-vous, s'il vous plaît. Prenons ensemble une tasse de thé.

MME CASIEZ: Merci, madame. Je veux bien. Mais je n'ai qu'un petit moment. Vous n'avez que M. votre mari, et regardez! Vous êtes si occupée! Mais je suis plus occupée que vous. Une concierge est la personne la plus pressée de l'immeuble. Il n'y a que les hommes qui se trouvent libres!

LILIANE: Mais mon mari est aussi occupé que d'habitude! Prenez donc du gâteau, madame. A Noël, ces gâteaux sont traditionnels pour les Américains.

MME CASIEZ: Merci bien. Comme la bûche de Noël pour les Français! Tiens! c'est un peu comme nos cakes! Mail il y a tellement de fruits glacés et de noix . . .

LILIANE: En anglais on l'appelle un "gâteau aux fruits".

MME CASIEZ: Oh, que c'est bon! Vous êtes la meilleure cuisinière de l'immeuble! Et voilà le meilleur gâteau du monde!

LILIANE: (Amusée) Vraiment? Meilleur que la bûche de Noël?

MME CASIEZ: L'un est aussi nourrissant que l'autre.

LILLIAN: Come in, come in, Mme Casiez! Do sit down. Let's have a cup of tea together.

MME CASIEZ: Thank you. I'd like to. But I only have a minute. You have only your husband, and just look! You're so busy! But I'm busier than you. A concierge is the most hurried person in the building. It's only the men who are free!

LILLIAN: But my husband is as busy as usual! Do have some cake. At Christmas, these cakes are traditional for Americans.

MME CASIEZ: Thanks very much. Like "bûche de Noël" for the French! Hm! It's a little like one of our raisin cakes. But there are so many glazed fruits and walnuts . . .

LILLIAN: In English you call it a fruit cake.

MME CASIEZ: Oh, it is good! You're the best cook in the building! And this is the best cake in the world!

LILLIAN: (Amused) Really? Better than a "bûche de Noël?"

MME CASIEZ: One is as rich as the other.

LILIANE: Mais ne dites pas ça! La bûche de Noël est le gâteau le plus nourrissant! Avec tout ce chocolat et cette crème de beurre! Ah! entre, chéri. Laisse ton travail et prends du thé et du gâteau.

LILLIAN: Now don't say that! A "bûche de Noël" is the richest cake! With all that chocolate and butter cream! Oh, come in, dear. Put your work away and have some tea and cake.

VICTOR: Je veux bien! Je suis en vacances, après tout.

VICTOR: Fine with me! I'm on vacation, after all.

MME CASIEZ: (Riant) N'ai-je pas dit que les hommes sont plus libres que les femmes?

MME CASIEZ: (Laughing) Didn't I say men are freer than women?

About the Dialogue

Bûche de Noël literally means "Christmas log." It is a rich—extremely rich—French Christmas cake full of chocolate and butter cream, frosted to resemble a log. *Cake*, as Mme Casiez's remark indicates, bears some resemblance to fruit cake in that it is made with raisins. But it is not made with brown sugar and is far from being as liberally stuffed with fruit as our fruit cake.

Repetition Drills

Entrez, entrez, Mme Casiez!
Laissez votre travail!
Asseyez-vous, s'il vous plaît.
Prenez du thé.
Mangez un peu de gâteau.
Parlez de votre travail.
Plaisantez un peu.
Regardez, je tricote pour le bébé.

Entre, chéri, entre.
Laisse ton travail!
Assieds-toi.
Prends du thé.
Mange un peu de gâteau.
Parle de ton travail.
Plaisante un peu.
Regarde, je tricote pour le bébé.

Entrons ici, Mme Casiez.
Laissons notre travail.
Asseyons-nous.

Prenons du thé.
Parlons de notre travail.
Plaisantons un peu.
Comparons ces deux gâteaux.
Regardons! je tricote pour le bébé.

Response Drills

Mais prenez quelque chose, Mme Casiez!
    Ah non! je n'ai pas de temps!
Oh, si! prenez donc du gâteau!
    Ne me donnez pas de gâteau!
Mais, si! entrez donc!
    Ne me demandez pas ça!
Mais si, laissez ce travail!
    Ne me donnez pas de thé maintenant!
Mais si, je vous en donne!

Mais prends quelque chose, Victor!
    Ah non! je n'ai pas d'appétit!
Voilà tes médicaments!
    Ne me donne pas de médicaments!
Mais pourquoi ne manges-tu pas cet œuf?
    Ne me demande pas pourquoi je ne veux pas le manger!
Mais prends cette tasse de thé!
    Ne me fais pas prendre de thé!
Tu n'es pas raisonnable! Prends quelque chose!
    Ne me parle pas maintenant!

Vous êtes pressée, Mme Casiez?
    Oh, oui, toujours! Je n'ai qu'un petit moment.
Vous n'êtes pas un peu libre à cette saison?
    Il n'y a que les hommes qui se trouvent libres à cette saison!
Voyons! Prenez une tasse de thé.
    Je ne prends qu'une tasse de thé!
Prenez aussi du "gâteau aux fruits".
    Je ne prends qu'un peu de gâteau.
Avez-vous fait vos courses?
    J'ai très peu de temps pour mes courses.
Les concierges gagnent peu d'argent, n'est-ce pas?
    C'est vrai. Je gagne très peu d'argent.

Prévost est un très bon écrivain!
    Jeune homme, Marivaux est un meilleur écrivain que Prévost!

Marivaux est un meilleur écrivain que Prévost? Peut-être!
    Et Voltaire est le meilleur écrivain du monde.
A cette saison, ma femme est très occupée.
    Mais Victor, Mme Casiez est plus occupée que Liliane!
Mme Casiez est plus occupée que Liliane? Peut-être!
    Elle est la personne la plus occupée de tout l'immeuble!
Le "gâteau aux fruits" est-il nourrissant?
    Mais oui! Il est plus nourrissant que la bûche de Noël!
Il est plus nourrissant que la bûche de Noël? Peut-être!
    Il est le gâteau le plus nourrissant de tous les gâteaux.
Oui, je suis une bonne cuisinière.
    Mais vous êtes une meilleure cuisinière que Mme Casiez!
Je suis une meilleure cuisinière que Mme Casiez? Peut-être!
    Vous êtes la meilleure cuisinière de l'immeuble!
Oui, Mme Casiez, Mme Parry est une bonne cuisinière.
    C'est vrai. Je ne suis pas aussi bonne cuisinière qu'elle.
Vous êtes donc moins bonne cuisinière qu'elle?
    Oui. Je suis moins bonne cuisinière qu'elle.

Grammaire

61. IMPERATIVES (L'impératif)

Entrez, entrez, Mme Casiez! *Come in, come in, Mme Casiez!*
Prenons ensemble une tasse de thé. *Let's have a cup of tea together.*
Entre, chéri, **entre**! *Come in, dear, come in!*

Somewhere around sixth grade, we learn that the subject of a sentence with an imperative (a command or request) is *you* (understood but not expressed): *Come in, Sit down, Go*, etc. The same is true of French imperatives, but that is not the whole picture. English has one imperative; French has three.

1. **Entrez, entrez, Mme Casiez.**

Here, the "understood" subject is **vous.** Notice that **entrez** is spelled as if it were standing with **vous**: **vous entrez** (*you're coming in*), which is a statement. Remove the **vous,** and you get the imperative.

2. **Entre, chéri, entre.**

The "understood" subject is **tu**; Lillian is talking to her husband. Since French has two ways—familiar and formal—of saying *you*, it has also two imperatives based on these forms. Here, **entre** is not spelled as if it were standing with **tu** (tu entre**s**). More about this in a moment.

3. **Prenons ensemble une tasse de thé.**

The "understood" subject is **nous**. This form does not come under the heading of imperatives in English, but it does in French. Notice that **prenons** is spelled as if it were standing with **nous (nous prenons)**. Since it means "Let's have" or "Let's take", you might call it a group suggestion.
To summarize:

Vous entrez	*You're coming in*	(Statement)
Entrez	*Come in*	(Imperative)
Tu entres	*You're coming in* (familiar form)	(Statement)
Entre	*Come in* (familiar form)	(Imperative)
Nous prenons du thé	*We're having tea*	(Statement)
Prenons du thé	*Let's have tea*	(Imperative)

Where the ending for the present tense is **-es** (as in entr**es**), the **s** is dropped from the **tu** imperative (**entre**). Otherwise, the imperative **tu** form and the present tense form are the same (**tu prends, prends**).*

62. *Ne . . . Que*

Je **n**'ai **qu**'un petit moment. *I have just a minute.*
Il **n**'y a **que** les hommes que se trouvent libres. *Only the men are free.*

Ne . . . que has a deceptive appearance. It resembles **ne . . . pas** and generally appears in sentences in the same word order as **ne . . . pas.** However, it is not really a negative; it means *only* or *just*.

63. Comparison of Adjectives (Comparaison des adjectifs)

Je suis **plus** occupée **que** vous. *I'm busier than you.*
L'un est **aussi** nourrissant **que** l'autre. *One is as rich as the other.*
Je suis **moins** bonne cuisinière **que** vous. *I'm not as good a cook as you.*
C'est le **meilleur** gâteau du monde! *It's the best cake in the world!*

English has a certain advantage over French in comparing most shorter adjectives.† We usually add *-er* or *-est* to them to get the comparative and superlative forms: big, bigger, biggest; wealthy, wealthier, wealthiest, etc. In French, three words are used for comparisons:

---

* Only four French verbs (**être, avoir, vouloir, savoir**) have special stems for the imperatives. These will come up later.

† That is, those of one or two syllables, generally. When it comes to adjectives of three or more syllables, we usually use *more* and *the most*: delightful, more delightful, the most delightful; ridiculous, more ridiculous, the most ridiculous.

plus	*more* or *-er*
plus pressé	more hurried
plus occupé	busier
aussi	*as* or *just as*
aussi occupé	as busy, just as busy
moins	*less* or *not as*
moins pressé	less hurried, not as hurried

Pas aussi is used also, and it means the same as **moins**: **Pas aussi pressé, pas aussi bonne**, etc.

The only adjectives with special comparative forms are **bon** and **mauvais**:

bon, *good*	meilleur, *better*	le meilleur, *the best*
mauvais, *bad*	pire, *worse**	le pire, *the worst*

Meilleur que la bûche de Noël? *Better than "bûche de Noël"?*
Vous êtes **la meilleure** cuisinière de l'immeuble! *You're the best cook in the building!*

Since most French adjectives go after the noun, the usual superlative pattern looks like this:

La bûche de Noël est le gâteau le plus nourrissant de tous.

Where the adjective goes before the noun, this is the pattern:

J'ai la plus grande famille.
C'est le meilleur gâteau du monde.

A final point: Where we say "The best cake *in* the world" or "You're the best cook *in* the building," the French say **du monde, de l'immeuble,** not **dans le monde** and **dans l'immeuble.**

Exercices

Transformation Drills

Entrez ici.
Entrons ici.

Regardez ce gâteau.
Prenez du thé.
Comparez ces gâteaux.
Remarquez cet étalage.

---

* **Pire** is not commonly used; **plus mauvais** is preferred.

Achetez ces vêtements.
Tricotez ces chapeaux.
Envoyez cette lettre.

Entrez ici.
Entre ici.

Regardez ce gâteau.
Comparez ces gâteaux.
Remarquez cet étalage.
Achetez ces vêtements.
Tricotez ces chapeaux.
Pensez à Paulette.
Prenez de l'aspirine.
Faites la thèse!
Ecrivez à votre cousine!

Entrons ici.
N'entrons pas ici.

Dites ça!
Comparons ces gâteaux.
Achetons ces vêtements.
Tricotez ces chapeaux.
Pense à Paulette!
Prenons ce flacon.
Fais ça!
Ecris à Ambroise!

J'ai un petit moment.
Je n'ai qu'un petit moment.

Vous avez votre mari.
Il y a les hommes qui se trouvent libres.
C'est du gâteau aux fruits.
Je prends une tasse de thé.
C'est le 1er décembre.
Paulette donne des vêtements hérités de ses cinq enfants.
L'oncle Ambroise va donner un petit cadeau.
Prenez ce croissant.
J'aime les romans de Voltaire.
Victor achète le flacon de Diorissimo.
Il a mangé un œuf.

Il est aimable.
Il est plus aimable que vous.

Il est intéressant.
Il est petit.
Il est grand.
Il est gros.
Il est malade.
Il est bon.
Il est charmant.
Il est mignon.

Liliane est fatiguée.
Elle est moins fatiguée que Victor.

Elle est occupée.
Elle est pressée.
Elle est malade.
Elle est heureuse.
Elle est amusée.
Elle est économe.
Elle est charmante.

M. Vallin est bon.
Il est aussi bon que sa femme.

Il est gros.
Il est gentil.
Il est occupé.
Il est pressé.
Il est malade.
Il est spirituel.
Il est intelligent.
Il est raffiné.

Mme Casiez est une personne occupée.
C'est la personne la plus occupée de l'immeuble.

Victor est un étudiant occupé.
Mme Vallin est une femme gentille.
M. Musy est un homme spirituel.
Liliane est une femme heureuse.
Mme Coudert est une voisine intelligente.
Les frères Dujardin sont des voisins riches.

Liliane est bonne cuisinière.
C'est la meilleure cuisinière de l'immeuble.

Liliane est une belle femme.

Victor est un bel homme.
M. Vallin est un gros homme.
Mme Vallin est une bonne femme.
Mme Coudert est une petite femme.
Mme Casiez est une grosse femme.

Questions sur le Dialogue

1. Qui entre chez Liliane?
2. Qui prend une tasse de thé?
3. Mme Casiez a-t-elle beaucoup de temps?
4. Combien de temps a-t-elle?
5. Qui n'a que son mari?
6. Qui est la personne la plus occupée de l'immeuble?
7. Qui se trouve libre?
8. Victor est-il aussi occupé que d'habitude?
9. Quel gâteau est traditionnel pour les Américains, à Noël?
10. Quel gâteau est traditionnel pour les Français, à Noël?
11. Mme Casiez aime-t-elle le "gâteau aux fruits"?
12. Pourquoi le "gateau aux fruits" ets-il nourrissant?
13. La bûche de Noël est nourrissante aussi. Pourquoi?
14. Qui prend du thé avec Liliane et Mme Casiez?
15. Victor n'est pas aussi occupé que d'habitude. Pourquoi?

Prononciation [ə]

ce	ne	ressembler	faisons	rebelle	querelle
de	que	ressource	faisant	dessous	portefeuille
je	se	ressac	faisable	retenir	venim
le	te	ressaisir	faisais	première	secret
me		resserer	faisait	melon	
			faisaient	petit	

Je ne me querelle pas avec M. Migneret.
Faisons ce que le petit me demande.
Ce premier melon de la saison ne me tente pas.
Je retiens le portefeuille de M. Leduc.
Le petit M. Legrais ne faisait que le premier pas pour resserrer le lien.

Dialogue Review

A. Class reads Dialogue 13 in unison or in groups.
B. Several students give Dialogue 12 by heart.
C. *Dictée* based on Dialogue 11.

QUATORZIEME LEÇON

Au ballet

LILIANE: J'attends depuis des années l'occasion de voir *Coppélia* à l'Opéra de Paris.

JANINE: Et vous y voilà enfin!

VICTOR: C'est la première fois que nous en entendons toute la musique . . . ou plutôt, la deuxième fois. Ah! ce concert symphonique à Chicago, la semaine de nos fiançailles!

LILIANE: Mais nous y avons entendu la scène de ballet de *Lakmé*!

VICTOR: Vraiment? Mon Dieu, je perds la mémoire depuis quelque temps!

JANINE: On confond souvent les ballets de Delibes. Il y a *Coppélia*, *Sylvia*, *Naïla* . . .

VICTOR: Comme tu as applaudi l'orchestre ce soir-là, chérie!

LILIANE: J'adore cette musique, même si c'est la centième fois que je l'entends . . . Pourquoi donc bâilles-tu depuis une heure?

VICTOR: J'ai sommeil! Ces spectacles finissent si tard!

LILIANE: N'aimes-tu pas la musique et les ballerines?

VICTOR: Oh, si! La première ballerine a la taille et les jambes si gracieuses, le visage et les bras si expressifs, les yeux si bleus, le teint si blanc—

LILLIAN: I've been waiting for years for the chance to see *Coppélia* at the Paris Opéra.

JANINE: And you finally made it!

VICTOR: It's the first time we're hearing all the music of it . . . or rather, the second time. Ah! that symphony concert in Chicago, the week we were engaged!

LILLIAN: But we heard the ballet scene from *Lakmé*!

VICTOR: Really? Good grief, I've been losing my memory for some time now!

JANINE: People often get Delibes' ballets all mixed up. There's *Coppélia*, *Sylvia*, *Naïla* . . .

VICTOR: You certainly clapped for the orchestra that evening, darling!

LILLIAN: I'm crazy about that music even if it's the hundredth time I hear it . . . Now why have you been yawning for an hour?

VICTOR: I'm sleepy! These shows finish so late!

LILLIAN: Don't you like the music and the ballerinas?

VICTOR: Oh, yes! The leading ballerina's waist and legs are so graceful, her eyes are so blue, her complexion's so white—

Intermission at the opera.

JANINE: (Riant) Mais ce n'est que du maquillage, ça!
VICTOR: C'est vrai!
LILIANE: As-tu des bonbons, Victor?
VICTOR: Regarde dans ton sac. J'y en a mis quelques-uns.

JANINE: (Laughing) But that's only makeup!
VICTOR: That's true!
LILLIAN: Have you any candy, Victor?
VICTOR: Look in your purse. I put some in there.

FAUX AMIS: **spectacle** = *a show*, not *eyeglasses* (**lunettes**, f.); **taille** = *waist*, not *tail* (**queue**, f.).

About the Dialogue

Coppélia, *Sylvia*, and *Naïla* are ballets composed by Léo Delibes (1836–91). Of the three, only *Coppélia* is still performed with any frequency, but orchestral programs often feature selections from the other two. The opera *Lakmé* concerns the daughter of a Hindu priest who poisons herself for love of an unfaithful British military officer. It has a good deal of colorful, melodic music and generally serves as a showpiece for coloratura sopranos.

Repetition Drills

Applaudis-tu la musique ou les ballerines?
Mais, j'applaudis les deux!
Tu applaudis vraiment les deux, Victor?
Janine applaudit cette musique aussi.
Nous applaudissons la musique de *Coppélia*.
Vous applaudissez les ballerines?
Nos voisins applaudissent beaucoup.

Comme tu as applaudi l'orchestre, ce soir-là!
Oui! J'ai applaudi parce que j'adore cette musique.
Tu as applaudi aussi, n'est-ce pas?
Tout le monde a beaucoup applaudi.
Nous avons applaudi cette scène de ballet.
Vous avez applaudi les belles ballerines?
Oui, Janine, et nos voisins ont applaudi ces ballerines.

Cher Victor, ne bâille pas!
Applaudis donc un peu!
Victor, Janine, ne bâillez pas!
Applaudissez un peu!
Allons, Victor, ne bâillons pas!
Applaudissons un peu!

Allons, Victor, j'entends déjà l'orchestre.
Tu entends l'orchestre, Janine?
Mais tout le monde l'entend maintenant!
Nous entendons *Coppélia* ce soir.
Vous entendez déjà la musique?
Oui! Tous nos voisins entendent déjà la musique.

Mais tu as confondu deux ballets différents!
J'ai vraiment confondu deux ballets?
Oui, tu as confondu *Coppélia* et *Lakmé.*
Mais on a souvent confondu les ballets de Delibes.
Nous avons souvent confondu ses ballets.
Vous avez confondu les ballets de Delibes?
Beaucoup de gens ont confondu ses ballets.

Nous avons entendu *Coppélia* le premier soir de nos fiançailles.
Ce soir, nous entendons *Coppélia* pour la première fois.
Mais je veux l'entendre une deuxième fois.
Pourquoi pas? Une troisième fois, une dixième fois, si tu veux.
On peut applaudir cette musique la quinzième fois qu'on l'entend.
Pourquoi pas la centième fois?

Response Drills

Chérie, veux-tu aller voir *Coppélia* à l'Opéra?
    Oh, oui! Quand y allons-nous? Ce soir?
Oui. Janine va au ballet avec nous.
    Ah! Elle y va avec nous? Et Charles?
Non. Il reste à la maison.
    Vraiment? Il y reste?
J'ai voulu voir *Coppélia* à l'Opéra.
    Et vous y voilà enfin!
Y a-t-il des bonbons dans mon sac?
    Oui, j'y en ai mis quelques-uns.
Le fromage est-il sur la table?
    Oui, je l'y ai mis.
Votre famille est-elle à Chicago?
    Oui, elle y est.

Est-ce que cette ballerine est belle?
    Oui! elle a la taille gracieuse.
Et ses jambes?
    Elle a les jambes gracieuses aussi.
Et ses pieds?
    Elle a les pieds petits et gracieux.

Et son visage?
  Elle a le visage expressif.
Et ses bras?
  Elle a les bras expressifs aussi.
Et ses yeux?
  Elle a les yeux bleus.
Et son teint?
  Elle a le teint blanc.
Et sa tête?
  Elle a la tête petite.
Et ses cheveux?
  Elle a les cheveux blonds.

Vous avez déjà vu ce ballet?
  Non. Nous attendons depuis des années l'occasion de le voir.
Aimez-vous cette musique?
  Bien sûr! J'adore cette musique depuis longtemps.
Et les ballerines?
  J'applaudis les ballerines depuis le début du spectacle.
Et Victor?
  Victor? Il applaudit les ballerines aussi! Depuis le début!
C'est vrai, Victor?
  Mais oui! Je trouve ce ballet beau depuis nos fiançailles.
Mais tu bâilles! Pourquoi?
  Je bâille depuis une heure parce que j'ai sommeil!

Grammaire

64. 2ND CONJUGATION VERBS (Les verbes de la deuxième conjugaison)

Applaudis-tu la musique ou les ballerines? *Are you applauding the music or the ballerinas?*
Ces spectacles **finissent** si tard! *These shows end so late!*

You recall the first conjugation:

PRESENT

je parl**e**	nous parl**ons**
tu parl**es**	vous parl**ez**
il parl**e**	ils parl**ent**

PASSE COMPOSE

j'ai parl**é**	nous avons parl**é**
tu as parl**é**	vous avez parl**é**
il a parl**é**	ils ont parl**é**

Now comes the second conjugation—another regular verb pattern:

finir, *to finish* STEM: **fin-** PAST PARTICIPLE: **fini**

PRESENT

je fin**is**	nous finiss**ons**
tu fin**is**	vous finiss**ez**
il fin**it**	ils finiss**ent**

Note the following about the 2nd conjugation:

a. The infinitive ends in **-ir**.
b. Remove the **-ir** to get the stem.
c. Add **-i** to the stem to get the past participle.
d. In the present tense, add **-is, -is, -it** to the stem in the singular and **-issons, -issez, -issent** to the stem in the plural.
e. For the *passé composé*, the past participle is simply added to the present tense of **avoir**, the helping verb.

65. 3RD CONJUGATION VERBS (Les verbes de la troisième conjugaison)

Nous **attendons** depuis des années l'occasion de voir *Coppélia*. *We've been waiting for years to see* Coppélia.
Mais nous y **avons entendu** la scène de ballet de *Lakmé*! *But we heard the ballet scene from* Lakmé *there!*
Je **perds** la mémoire. *I'm losing my memory.*

Here is the third (and last) of the regular French verb conjugations:

attendre, *to wait (for)* STEM: **attend-** PAST PARTICIPLE: **attendu**

PRESENT

j'attend**s**	nous attend**ons**
tu attend**s**	vous attend**ez**
il attend	ils attend**ent**

Note the following about the 3rd conjugation:

a. The infinitive ends in **-re**.
b. Remove the **-re** to get the stem.
c. In the present tense, add **-s, -s** to the stem (first and second person singular).
d. Add nothing to the stem for the third person singular.
e. Add **-ons, -ez, -ent** to the stem for the plural.
f. For the passé composé, the past participle is added to the present tense of **avoir**, the helping verb.

Here are the third conjugation verbs used so far: **attendre**, *to wait* (*for*); **entendre**, *to hear*; **perdre**, *to lose*; **confondre**, *to confuse*.

66. Ordinal Numbers (Les nombres ordinaux)

CARDINAL NUMBERS	ORDINAL NUMBERS
Un, une, *one*	premier, première, *first*
deux, *two*	deuxième, *second*
	second, seconde, *second*
trois, *three*	troisième, *third*
quatre, *four*	quatrième, *fourth*
cinq, *five*	cinquième, *fifth*
six, *six*	sixième, *sixth*
sept, *seven*	septième, *seventh*
huit, *eight*	huitième, *eighth*
neuf, *nine*	neuvième, *ninth*
dix, *ten*	dixième, *tenth*
onze, *eleven*	onzième, *eleventh*
douze, *twelve*	douzième, *twelfth*
treize, *thirteen*	treizième, *thirteenth*
quatorze, *fourteen*	quartorzième, *fourteenth*
quinze, *fifteen*	quinzième, *fifteenth*
seize, *sixteen*	seizième, *sixteenth*
dix-sept, *seventeen*	dix-septième, *seventeenth*
dix-huit, *eighteen*	dix-huitième, *eighteenth*
dix-neuf, *nineteen*	dix-neuvième, *nineteenth*
vingt, *twenty*	vingtième, *twentieth*
vingt et un, *twenty-one*	vingt et unième, *twenty-first*
vingt deux, *twenty-two*	vingt-deuxième, *twenty-second*
trente, *thirty*	trentième, *thirtieth*
quarante, *forty*	quarantième, *fortieth*
cinquante, *fifty*	cinquantième, *fiftieth*
soixante, *sixty*	soixantième, *sixtieth*
soixante-dix, *seventy*	soixante-dixième, *seventieth*
soixante et onze, *seventy-one*	soixante et onzième, *seventy-first*
quatre-vingts, *eighty*	quatre-vingtième, *eightieth*
quatre-vingt-un, *eighty-one*	quatre-vingt-unième, *eighty-first*
quatre-vingt-dix,*ninety*	quatre-vingt-dixième, *ninetieth*
cent, *one hundred*	centième, *hundredth*
mille, *one thousand*	millième, *thousandth*

If you know your cardinal numbers, the ordinals come easily. With the following exceptions, just add **-ième** to the cardinal to get the ordinal:

a. *First* = **premier**, m.; **première**, f.
b. *Second* = either **deuxième** or **second** (m.), **seconde** (f.). **Deuxième** is used more frequently.
c. Outside of **premier** and **second**, which add an **-e** in the feminine form, all French cardinal numbers are invariable.
d. If the cardinal ends in **-e**, remove the **e** before **-ième**: quatre, **quatrième**; onze, **onzième**; trente, **trentième**, etc.
e. Add **-u** to *cinq* to get **cinquième**.
f. *Neuf* becomes **neuvième**.
g. Outside of the word *first* (**premier**, **première**), the cardinals like *twenty-one*, *thirty-one*, etc., become ordinals by adding **-ième** to **un**, in the usual way.

67. *Y* USED AS AN ADVERB

Nous attendons l'occasion de voir *Coppélia* **à l'Opéra de Paris.** Et vous **y** voilà enfin!
We've been waiting for the chance to see Coppélia *at the Paris Opera. And here you are, finally!*
As-tu des bonbons, Victor? Regarde **dans ton sac**; j'**y** en ai mis quelques-uns.
Have you any candy, Victor? Look in your bag; I put some in there.

The word **y** often replaces phrases starting with prepositions that show *place* or *location*, *destination*, etc.

Nous sommes **à l'Opéra de Paris.**	Nous **y** sommes.
Ils sont **dans ton sac.**	Ils **y** sont.
Ils sont **sur la table.**	Ils **y** sont.
Nous sommes **en France.**	Nous **y** sommes.
J'ai mis quelques bonbons **dans ton sac.**	J'**y** ai mis quelques bonbons.

Y normally stands before the verb and after the direct object pronoun. In the *passé composé*, it goes before the helping verb.

68. PARTS OF THE BODY

Elle **a la taille** et **les jambes** si gracieuses! *Her waist and legs are so graceful!*
Elle **a le teint** si blanc! *Her complexion is so white!*

The French often indicate parts of the body—arms, legs, waist—by **le, la, les, l'**, instead of by a possessive adjective (**mon, ton**, etc.), rather as if those parts were disembodied or did not really belong to their owner:

Elle a le teint si blanc.

However, the subject of the sentence unmistakably indicates the owner.

69. *Depuis*+the Present Tense

Je **perds** la mémoire **depuis** quelque temps! *I've been losing my memory for some time (and I'm still losing it)!*
Pourquoi **bâilles-tu depuis** une heure? *Why have you been yawning for an hour? (and you're still yawning!)*

Depuis ordinarily means *since*; but when used with the present tense, it conveys an action which began in the past and is still going on at present. In other words, it tells that someone has been doing something and is still doing it.

Exercices

Transformation Drills

Ces spectacles finissent si tard!
Ces spectacles ont fini si tard!

Vous finissez votre thèse, jeune homme?
Je ne finis pas ma thèse, M. Musy. Pas encore!
On ne finit pas les thèses en six mois!
Tu finis cette lettre, Victor?
Nous finissons la liste de courses.
Les ballets finissent à 11:00.

As-tu applaudi l'orchestre?
N'as-tu pas applaudi l'orchestre?

Liliane a-t-elle applaudi cette musique?
Avez-vous fini votre thèse?
Chérie, as-tu fini cette lettre?
Victor et Liliane ont-ils applaudi les ballerines?
Chérie, avons-nous fini nos courses?

Chain Drill

Complétez les phrases suivantes en ajoutant la forme convenable du verbe:

Quel travail! Mais enfin je finis la thèse!
Quel travail! Mais enfin Victor . . .

Quel travail! Mais enfin on . . .
Quel travail! Mais enfin ces étudiants . . .
Quel travail! Mais enfin tu . . .
Quel travail! Mais enfin vous . . .
Quel travail! Mais enfin nous . . .
Quel travail! Mais enfin elle . . .

J'aime beaucoup ce ballet, j'attends l'occasion de le voir.
Tu aimes beaucoup ce ballet, tu . . .
Liliane aime beaucoup ce ballet, elle . . .
Nous aimons beaucoup ce ballet, nous . . .
Vous aimez beaucoup ce ballet, vous . . .
Victor et Liliane aiment beaucoup ce ballet, ils . . .

Donnez les nombres ordinaux (Give the ordinal numbers):

a. 1 à 20
b. 21 à 29
c. 30, 31
d. 40, 41
e. 50, 51
f. 60, 61
g. 69, 70, 71, 72
h. 79, 80, 81, 82
i. 89 à 100

Transformation Drills

Victor confond les ballets de Delibes.
Victor a-t-il confondu les ballets de Delibes?

Beaucoup de gens confondent les ballets de Delibes.
Je confonds *Coppélia* et *Lakmé.*
Confonds-tu *Coppélia* et *Sylvia?*
Nous confondons *Sylvia* et *Lakmé.*
Mme Vallin confond *Coppélia* et *Naïla.*
Vous confondez *Naïla* et *Sylvia?*
Tu confonds *Naïla* et *Lakmé.*

Je vais à l'Opéra ce soir.
J'y vais ce soir.

Tu as entendu cette musique à Chicago?
Les bonbons sont dans ton sac.
Victor et Liliane sont en France.
La soupe aux lentilles est sur la table.
Victor a été à la Sorbonne aujourd'hui.
Liliane et Mme Vallin ont trouvé de beaux vêtements aux Galeries Lafayette.
Victor parle avec M. Musy dans la librairie.
Liliane a acheté ces gâteaux.
On achète les lentilles à l'épicerie.

Dites en Français

1. He has long legs.
2. She has graceful arms.
3. Victor has blue eyes.
4. Lillian has a white complexion.
5. You have a small waist.
6. They have expressive eyes.
7. He has a large head.
8. We have blue eyes.
9. M. Vallin has long arms.

Response Drill

Répondez aux questions suivantes, selon le modèle ci-dessous (Answer the following questions according to the model below):

> Depuis quand Victor et Liliane sont-ils à Paris? (depuis septembre)
> *Ils sont sont à Paris depuis septembre.*

Depuis quand M. Musy est-il libraire? (depuis vingt ans)
Depuis quand Victor a-t-il la grippe? (depuis deux jours)
Depuis quand Liliane et Mme Vallin tricotent-elles pour le bébé? (depuis trois mois)
Depuis quand Victor est-il le mari de Liliane? (depuis deux ans)
Depuis quand Victor travaille-t-il à sa thèse? (depuis un an)
Depuis quand Mme Casiez est-elle la concierge de cet immeuble (depuis 1950)
Depuis quand Victor aime-t-il les romans de Marivaux (depuis cinq ans)
Depuis quand l'oncle Ambroise est-il avare? (depuis toujours)
Depuis quand Mme Coudert est-elle infirmière? (depuis des années)

Questions sur le Dialogue

1. Où se trouvent Victor et Liliane?
2. Depuis quand attendent-ils l'occasion de voir *Coppélia*?
3. Est-ce que c'est la deuxième fois que Victor entend toute la musique de *Coppélia*?
4. Quelle musique a-t-il entendu à Chicago?
5. Depuis quand Victor perd-il la mémoire?
6. Qui a applaudi l'orchestre à Chicago?
7. Qui adore cette musique?
8. Pourquoi Victor bâille-t-il?
9. Est-ce qu'il applaudit la musique?
10. Applaudit-il les ballerines?

11. La première ballerine est-elle jolie?
12. A-t-elle le teint noir?
13. A-t-elle les jambes grosses?
14. A-t-elle les yeux bleus?
15. Y a-t-il des bonbons dans le sac de Liliane?

Prononciation [w]

oui	oiseau	royal	coin
jouer	oie	cotoyer	recoin
gouache	foi	fossoyeur	soin
douane	foie		besoin
couac	roi	moelle	pointu
ouate	soi	moellon	groin
ouïr	soie	poêle	foin
ouïe	toile	sandwich	moins
fouine	choix	weekend	loin
réjouir	foyer		lointain

Nous voyons le douanier dans son coin.
Jouez dans le foin avec la fouine!
J'ai besoin de sandwichs pour le weekend.
Réjouis-toi; le roi a foi en moi.
Nous côtoyons le fossoyeur près du moellon.

Dialogue Review

A. Class reads Dialogue 14 in unison or in groups.
B. Several students give Dialogue 13 by heart.
C. *Dictée* based on Dialogue 12.

Victor enjoys the view from the Eiffel Tower.

QUINZIEME LEÇON

Une visite à la Tour Eiffel

JANINE: Ah, vous voilà enfin! Quand êtes-vous sortis?

VICTOR: A midi. Nous venons de rentrer.

JANINE: Dites-moi, voulez-vous dîner avec nous ce soir? Je suis descendue vous inviter.

VICTOR: Tu nous invites à dîner? A la bonne heure! Nous venons de visiter la Tour Eiffel, et Liliane est très fatiguèe. Regarde-la!

LILIANE: Victor! Tu me fais rougir! Je ne suis pas si fatiguée! Mais j'ai soif. Victor, apporte-moi un peu de café glacé . . . Ou plutôt, de l'eau minérale. Donne-m'en, veux-tu?

VICTOR: Mais parle-lui, Janine! Nous sommes montés au sommet de la Tour.

JANINE: Vous y êtes vraiment montés? Par l'escalier? Liliane aussi?

LILIANE: (Riant) Mais je n'y suis pas montée par l'escalier! Quand nous sommes arrivés à la Tour, je suis entrée dans l'ascenseur. C'est Victor qui est monté à pied!

VICTOR: Mais laisse-moi finir mon histoire! Nous sommes allés d'abord aux Galeries Lafayette. Liliane m'a emmené y faire des achats. C'est trop pour elle.

JANINE: Ah, here you are, finally! When did you go out?

VICTOR: At noon. We've just come back.

JANINE: Tell me, would you like to have dinner with us this evening? I came down to invite you.

VICTOR: You're inviting us to dinner? Great! We just visited the Eiffel Tower, and Lillian is all tired out. Look at her!

LILLIAN: Victor! You're making me blush! I'm not so tired! But I'm thirsty . . . Victor, bring me a little iced coffee, . . . Or rather, some mineral water. Give me some, would you?

VICTOR: Talk to her, Janine! We went up to the top of the Tower.

JANINE: You really went up there? By the stairway? Lillian too?

LILLIAN: (Laughing) But I didn't go up there by the stairway! When we arrived at the Tower, I went into the elevator. It's Victor who climbed up on foot!

VICTOR: Let me finish my story! We went first to the Galeries Lafayette. Lillian took me shopping there. It's too much for her.

JANINE: Je crois bien! Chérie, ne me refuse pas. Il y a une bouillabaisse délicieuse qui vous attend!

JANINE: I should say so! My dear, don't refuse me. There's a delicious bouillabaisse waiting for you!

LILIANE: De la bouillabaisse! Je n'en ai jamais mangé. Comme tu nous gâtes, chère Janine!

LILLIAN: Bouillabaisse! I've never eaten any. You really do spoil us, dear Janine!

JANINE: Mais ça me fait plaisir.

JANINE: But I love doing it.

LILIANE: Bien! J'accepte avec plaisir!

LILLIAN: Fine! I accept with pleasure!

About the Dialogue

The Eiffel Tower, erected in Paris in 1889, is 300 meters high, and is used for transmission of television programs. It was built by an engineer, Gustave Eiffel (1832–1923), whose name, incidentally, should be pronounced "Ef-fell'" instead of "Eye'-fle".

Bouillabaisse is a highly seasoned dish, a speciality of the Marseille region, prepared with several kinds of shellfish and saltwater fish. It is a sort of chowder or soup intended as an appetizer, but a hearty portion can suffice as a one-dish meal.

Repetition Drills

Tu as donc visité la Tour Eiffel, Victor?
Oui, je suis sorti à midi.
Je suis descendu dans la rue.
Je suis entré dans le métro (*subway*).
Je suis arrivé à la Tour Eiffel.
Je suis monté au sommet à pied.
Je suis allé faire des achats avec Liliane.
Je suis rentré à midi.

Tu as visité la Tour Eiffel, Liliane?
Oui, je suis sortie de la maison à midi.
Avec Victor, je suis descendue dans la rue.
Avec Victor, je suis entrée dans le métro.
Avec Victor, je suis arrivée à la Tour Eiffel.
Je suis montée au sommet dans l'ascenseur.
Je suis allée faire des achats avec Victor.
Avec Victor, je suis rentrée à midi.

Aujourd'hui, Victor a visité la Tour Eiffel.
Il est sorti de la maison à midi.
Il est descendu dans la rue.

Il est entré dans le métro.
Il est arrivé à la Tour Eiffel.
Il est monté au sommet à pied.
Il est allé faire des achats avec Liliane.
Il est rentré à midi.

Aujourd'hui, Liliane a visité la Tour Eiffel.
Elle est sortie de la maison à midi.
Elle est descendue dans la rue.
Elle est entrée dans le métro.
Elle est montée au sommet dans l'ascenseur.
Elle est allée faire des achats avec Victor.
Elle est rentrée à midi.

Vous avez donc visité la Tour Eiffel?
Oui, nous sommes sortis de la maison à midi.
Nous sommes descendus dans la rue.
Nous sommes entrés dans le métro.
Nous sommes arrivés à la Tour Eiffel.
Nous sommes montés au sommet de la Tour.
Nous sommes allés faire des achats aux Galeries Lafayette.
Nous sommes rentrés à midi.

Liliane et Victor ont visité la Tour Eiffel.
Ils sont sortis de la maison à midi.
Ils sont descendus dans la rue.
Ils sont entrés dans le métro.
Ils sont montés au sommet de la Tour.
Ils sont allés faire des achats aux Galeries Lafayette.
Ils sont rentrés à midi.

Ah! voilà Janine et Liliane! Vous avez fait des courses?
Oui. Nous sommes allés faire des achats pour la Noël.
Nous sommes sorties à dix heures.
Nous sommes descendues dans la rue.
Nous sommes entrées dans la métro.
Nous sommes arrivées aux Galeries Lafayette.
Nous sommes allées déjeuner.
Nous sommes rentrées.

Liliane et Mme Vallin sont allées faire des achats pour Noël.
Elles sont allées aux Galeries Lafayette.
Elles sont sorties à dix heures.
Elles sont descendues dans la rue.

Elles sont entrées dans le métro.
Elles sont arrivées aux Galeries Lafayette.
Elles sont allées déjeuner.
Elles sont rentrées.

Bonjour, M. Musy! Je vous attends depuis une heure.
Ah! Bonjour, jeune homme!
Etes-vous venu chercher les romans de Marivaux?
Quand êtes-vous arrivé?
Quand êtes-vous entré dans ma librairie?
Etes-vous allé visiter la Tour Eiffel?
Y êtes-vous monté à pied?
Etes-vous rentré fatigué?

Nous avons visité la Tour Eiffel.
Ah! vous êtes sortis à midi?
Vous êtes descendus dans le métro?
Vous êtes arrivés à la Tour Eiffel?
Vous êtes montés au sommet de la Tour?
Vous êtes allés faire des achats aux Galeries Lafayette?
Vous êtes rentrés à midi?

Ah! vous voilà, Mme Vallin! Et vous aussi, Mme Parry!
Etes-vous allées faire des achats?
Etes-vous sorties à dix heures?
Etes-vous descendues dans la rue?
Etes-vous entrées dans le métro?
Etes-vous arrivées aux Galeries Lafayette?
Etes-vous montées regarder les vêtements pour enfants?
Etes-vous allées déjeuner?

Bonjour, Mme Casiez! Vous avez fait des achats pour Noël?
Etes-vous sortie à deux heures?
Etes-vous descendue dans la rue?
Etes-vous entrée dans le métro?
Etes-vous allée aux Galeries Lafayette?
Etes-vous rentrée à cinq heures?

Response Drill

Tu viens de rentrer, chérie?
    Oui. Je viens de faire mes courses.
Janine vient de rentrer?
    Oui. Nous venons de rentrer toutes deux. Et Charles aussi.

Ah! vous venez de rentrer avec Janine et Charles?
    Oui. Janine et Charles viennent de rentrer aussi.
Victor, je t'invite à dîner.
    Tu m'invites à dîner? A la bonne heure!
Liliane, je t'y invite aussi, bien entendu!
    Janine, tu me gâtes!
Ça me fait plaisir. Tu es si fatiguée!
    Janine, tu me fais rougir!
Chérie, ne m'as-tu pas emmené faire des achats?
    Oui, c'est vrai. Je t'ai emmené faire des achats!

Janine, tu nous invites à dîner?
    Oui, je vous invite à dîner.
Tu nous gâtes.
    Oui. Je vous gâte. Ça me fait plaisir!
Tu es descendue nous appeler?
    Oui, je suis descendue vous appeler.
Une bonne bouillabaisse nous attend, dis-tu?
    Oui, une très bonne bouillabaisse vous attend.
Tu viens nous emmener maintenant?
    Oui, je viens vous emmener maintenant.

Repetition Drill

Liliane est fatiguée. Regarde-la!
Victor, voilà un œuf. Mange-le!
Et voilà deux croissants. Prends-les!
Laisse-moi finir mon histoire.
Dites-moi, voulez-vous dîner avec nous?
Victor, apporte-moi de l'eau minérale.
Mais parle-lui, Eva!
Tes parents demandent une lettre. Ecris-leur!
Voilà M. et Mme Musy. Parlons-leur!

Grammaire

70. *Être* used as a Helping Verb

Je **suis descendue** vous inviter. *I came down to invite you.*
Quand **êtes**-vous **sortis**? *When did you go out?*
C'est Victor qui **est monté** à pied. *It's Victor who climbed up on foot.*

Until now, in using the *passé composé*, the only helping verb you have worked with is

avoir: J'ai parlé, tu as parlé, etc. Several features of this conjugation system make it easy to remember:

a. It uses **avoir** (to have), just as English does: I *have* spoken, you *have* spoken, etc.
b. The past participle does not change its spelling.*

This chapter presents a limited but very important group of verbs that use not **avoir**, but **être**, as the helping verb:

aller	*to go*	allé	retourner	*to go back,*	retourné
venir	*to come*	venu		*to return*	
arriver	*to arrive*	arrivé	tomber	*to fall*	tombé
partir	*to leave*	parti	monter	*to go up,*	monté
entrer	*to come in*	entré		*to come up*	
sortir	*to go out*	sorti	descendre	*to come down,*	descendu
rentrer	*to go back in,*	rentré		*to go down*	
	to go home		naître	*to be born*	né
rester	*to stay*	resté	mourir	*to die*	mort

There are also these related verbs:

revenir	*to come back*	revenu
devenir	*to become*	devenu
repartir	*to leave again*	reparti
ressortir	*to go out again*	ressorti
remonter	*to go up again*	remonté
redescendre	*to go down again*	redescendu
renaître	*to be reborn*	rené

Here is a sample conjugation of such a verb, in all its forms:

je suis allé	*I have gone, I went*	(masc. sing.)
je suis allée	*I have gone, I went*	(fem. sing.)
tu es allé	*you have gone, you went*	(masc. sing.)
tu es allée	*you have gone, you went*	(fem. sing.)
il est allé	*he has gone, he went*	(masc. sing.)
elle est allée	*she has gone, she went*	(fem. sing.)
nous sommes allés	*we have gone, we went*	(masc. pl.)
nous sommes allées	*we have gone, we went*	(fem. pl.)
vous êtes allé	*you have gone, you went*	(masc. sing.)
vous êtes allés	*you have gone, you went*	(masc. pl.)

---

* There is one instance in French where the spelling of the past participle does change, but this will be discussed in a later chapter.

vous êtes allée	*you have gone, you went*	(fem. sing.)
vous êtes allées	*you have gone, you went*	(fem. pl.)
ils sont allés	*they have gone, they went*	(masc. pl.)
elles sont allées	*they have gone, they went*	(fem. pl.)

Note

a. If **être** is the helping verb, past participles are treated as adjectives: they agree in gender and number with the subject. This is not the case with **avoir** verbs.
b. Since **être** stands in for **avoir** with these special verbs, its usual meaning in these cases is not *to be* but *to have.*

It may take a while to adjust to thinking of **être** as meaning *to have,* but repeated contact with these "**être** verbs" (a handy way of referring to them) will eventually make it seem natural.

Two more important points:

a. The list of **être** verbs has been arranged, as far as possible, in pairs having opposite meanings: **aller**, *to go*; **venir**, *to come*, etc. This is about the only "memory help" possible with these verbs. The rest have nothing in common to help you remember their meaning.
b. These verbs, to put it quite bluntly, cause a high casualty rate in exams because of the agreement of the past participle with the subject. When dealing with them, you must shift mental gears, so to speak, and remember the spelling changes. This is all the more important—and tricky—because most of the past participles of **être** verbs end in a vowel (**arrivé, parti, descendu**, etc.) so the extra **-e** or **-s** added for agreement causes no change in pronunciation except in linking. The spelling changes have to be pictured, since you do not hear them.* A good practice is to write out a few of these verbs in full, with all spelling changes included for different genders and numbers.

71. *Me*, *Vous*, *Nous* Used as Direct Object Pronouns

Je suis venue **vous** inviter. *I came to invite you.*
Tu **nous** invites à dîner? *You're inviting us to dinner?*
Liliane **m**'a emmené faire des achats. *Lillian took me shopping.*

In a previous chapter, you studied the direct object pronouns **le, la, les:**

---

* Exception: **mort**, past participle of **mourir**, *to die.* The feminine form, **morte**, has a pronounced final consonant.

Je **le** connais. *I know him.*
Tu **la** prends? *Are you taking it?*
Il **les** aime beaucoup. *He likes them very much.*

Me, vous, and **nous** are part of this same group of pronouns and abide by the same rules: they generally go before the verb, and correspond to the English *me, you, us.*

72. *Venir De* Used with Infinitives

Je **viens de faire** mes courses. *I've just done my errands.*
Nous **venons de rentrer.** *We've just come home.*

The verb **venir**, used alone, means *to come*, as previously indicated:

Je **suis venu** vous inviter. *I came to invite you.*

In the present tense, it looks like this:

je viens	[vjɛ̃]	All singular forms SOUND exactly the same.
tu viens	[vjɛ̃]	
il vient	[vjɛ̃]	
nous venons	[vənɔ̃]	1st and 2nd persons plural differ by only a single sound.
vous venez	[vəne]	
ils viennent	[vjɛn]	

When used with **de** and an infinitive, **venir** conveys the idea that someone has just done something; literally, that person "is coming from doing something."

73. Imperatives with Object Pronouns

Dites-moi, voulez-vous dîner avec nous ce soir? *Tell me, would you like to have dinner with us this evening?*
Liliane est bien fatiguée. **Regarde-la!** *Lillian's tired out. Look at her!*
Nous avons de l'eau minérale. **Donne-m**'en, veux-tu? *We have mineral water. Give me some, will you?*

It has been pointed out that both direct and indirect object pronouns usually go before the verb. The one exception to this rule comes in the affirmative requests or commands (affirmative imperative) where they go after the verb.
Here is a sample affirmative imperative with direct object pronouns:

Regarde-moi	*Look at me*	Regarde-nous	*Look at us*
Regarde-le	*Look at him*	Regarde-les	*Look at them*
Regarde-la	*Look at her*		

Here is an affirmative imperative with indirect object pronouns:

Dites-moi	*Tell me*	Dites-nous	*Tell us*
Dites-lui	*Tell him*	Dites-leur	*Tell them*
	Tell her		

Note

When **me** follows the verb, it becomes **moi.** But:

Donne **m'**en, veux-tu?

Moi becomes **m'** before a vowel, as if it were **me.**

Exercices

Correlation Drills

Employez la forme correcte du verbe en substituant chacun des sujets suivants au sujet en italiques (Use the correct form of the verb while substituting each of the following subjects for the one in italics):

1. *Je* suis descendu vous inviter (Mme Vallin, Victor, Victor et Liliane, tu, nous, vous, Liliane et Mme Vallin, je).
2. *Voltaire* est mort au dix-huitième siècle (Marivaux, il, Marivaux et Voltaire, ils, cette femme, elle, ces femmes, elles).

Response Drill

Je suis sorti à onze heures. Et toi, chérie?
Moi aussi, je *suis sortie* à onze heures.

Victor, tu es rentré à quatre heures et demie?
Oui. Et toi, Liliane? Tu —— à quatre heures et demie?
Je suis monté à pied au sommet de la Tour.
Et Liliane? Elle y —— à pied aussi?
Après, je suis allé faire des achats aux Galeries Lafayette.
Et Liliane? Elle —— faire des achats aussi?

Ah, bonjour! Vous venez de dîner à la Tour Eiffel?
Oui, Mme Casiez. Mais d'abord nous sommes allés regarder les étalages des Galeries Lafayette.

Vraiment? Mme Vallin et Mme Parry sont allées regarder les mêmes étalages que M. Vallin et M. Parry?

Mais non! Nos femmes —— regarder les vêtements pour enfants. Et vos maris, mesdames (*ladies*)?

Ils —— regarder les vêtements pour hommes.

Et puis, à la Tour Eiffel, je suis monté au sommet à pied.

Vous y —— à pied!

J'y suis monté avec M. Parry.

Vraiment, M. Vallin? Vous y —— ensemble? Et Mme Parry?

J'y suis montée par l'ascenseur.

Ah! Vous y —— par l'ascenseur? A la bonne heure! Et Mme Vallin?

Et j'y suis montée avec elle, dans l'ascenseur.

Vous y —— ensemble par l'ascenseur? Très bien!

Response Drill

Répondez affirmativement aux questions:

Te regarde-t-il?
Oui, il me regarde.

Te fait-il rougir?
T'invite-t-elle à dîner?
T'emmène-t-elle faire des achats?
Te laisse-t-elle finir ton histoire?
Te gâte-t-elle?

Nous invite-t-elle à dîner?
Oui, elle nous invite à dîner.

Nous gâte-t-elle?
Nous laisse-t-elle finir notre histoire?
Nous fait-elle manger?
Nous aime-t-elle bien?
Nous emmène-t-elle faire des achats?

Tu nous invites à dîner? A la bonne heure!
Oui, je vous invite à dîner.

Tu nous gâtes?
Tu nous taquines?
Tu nous aimes bien?
Tu nous emmènes faire des achats?
Tu nous laisses finir l'histoire?
Tu nous fais manger?

M'invitez-vous à prendre du thé?
Oui, Mme Casiez, je vous invite à prendre du thé.

Me laissez-vous entrer?
Me donnez-vous du thé?
M'invitez-vous à dîner?
M'aimez-vous bien?

Transformation Drills

Je suis descendue dans la rue.
Je viens de descendre dans la rue.

Victor est sorti.
Nous avons pris le métro.
Liliane est allée aux Galeries Lafayette.
Liliane et Victor ont dîné avec M. et Mme Vallin.
Liliane a fait des achats.
Vous êtes rentrés de la Tour Eiffel?
Tu es monté à pied?
J'ai préparé une bouillabaisse délicieuse.

Regarde Liliane!
Regarde-la! Ou plutôt, ne la regarde pas!

Liliane, regarde Eva!
Regarde cette bouillabaisse!
Janine, prends ce thé.
Mme Casiez, prenez ce gâteau, s'il vous plaît.
M. Parry, prenez ces romans, s'il vous plaît.
Victor, mange ces croissants!
Chérie, accepte ce cadeau!

Janine, parle à Liliane!
Janine, parle-lui! Ou plutôt, ne lui parle pas!

Janine, parle à Victor!
Victor, parle à Janine!
Victor, parle à M. Musy!
Chérie, parle à Mme Casiez!
Victor, écris à tes parents!
Chérie, parle aux marchands!

Response Drills

Voilà du café.
Prends-en!

Voilà du thé!
Voilà du jus d'orange!

Voilà de la quiche!
Voilà des œufs!
Voilà de la soupe!
Voilà du vin!
Voilà des pilules!

Du café?
Ne m'en donne pas!

Du thé?
Du jus d'orange?
De la quiche?
De la soupe?
De l'aspirine?
Des pilules?
Des œufs?

Questions sur le Dialogue

1. Quand Victor et Liliane sont-ils sortis?
2. Qui est venu inviter Victor et Liliane à dîner?
3. Qui vient de visiter la Tour Eiffel?
4. Est-ce que Liliane est fatiguée?
5. Qui a soif?
6. Où Victor et Liliane sont-ils montés?
7. Liliane est montée au sommet de la Tour Eiffel par l'escalier?
8. Qui est monté à pied?
9. Qui est montée dans l'ascenseur?
10. Où Victor et Liliane sont-ils allés après le déjeuner?
11. Pourquoi?
12. Liliane a déjà mangé de la bouillabaisse?
13. Est-ce qu'elle accepte l'invitation d'Eva?

Prononciation [j]

ionique	soulier	mouiller	payer	travail
yeux	encrier	réveiller	essayer	pareil
yacht	piano	cuillerée	ayez	deuil
hyacinthe	champion	veuillez	ayons	Creil
hyène	moitié	billet	voyons	Monteil
	combien	vriller	essayons	vieil
	fierté	bouillabaisse		mail
				rail
				gouvernail

Assieds-toi dans le yacht.
Ce vieil homme de Creil est en deuil.
Combien d'hyacinthes voyez-vous sur le piano?
Veuillez réveiller le champion.
Veuillez prendre une cuillerée de la bouillabaisse!

Dialogue Review

A. Class reads Dialogue 15 in unison or in groups.
B. Several students give Dialogue 14 by heart.
C. *Dictée* based on Dialogue 13.

Children playing on the beach at St-Malo.

SEIZIEME LEÇON

Victor a toujours aimé Liliane

JANINE: Liliane, connaissais-tu Victor dans ton enfance?

LILIANE: Moi? Oui. Quand nous étions petits—alors que nous avions moins de huit ans—j'allais souvent jouer avec lui. A la plage, en été, nous bâtissions ensemble des châteaux de sable. A l'école, il m'attendait à la sortie. Il avait pas mal d'amis. Et à cet âge-là . . . mon Dieu! Comme ils le taquinaient! Mais Victor ne faisait pas attention à eux.

JANINE: Faisait-il attention à toi?

LILIANE: Lui, il me grondait, il me chassait! Mais il m'aimait bien.

JANINE: Et plus tard?

LILIANE: Au collège, nous étions toujours ensemble. Nous étudiions le français, tous les deux. Et c'était déjà décidé que nous allions un jour nous marier, lui et moi.

JANINE: Décidé? Par qui?

LILIANE: Oh, par lui-même d'abord. C'est lui qui l'a voulu, quand nous avions dix-neuf ans! Mais nous ne voulions pas prendre une telle décision sans nos parents. Nous avions trop de respect pour eux! Ils aimaient bien Victor, et l'ont encouragé eux-mêmes. Moi, je voulais bien!

JANINE: Lillian, did you know Victor in your childhood?

LILLIAN: Yes. When we were small—when we were less than eight years old—I often used to go and play with him. At the beach, in summertime, we'd build sand castles together. At school, he waited for me to come out. He had quite a few friends. And at that age . . . goodness! They certainly teased him enough! But Victor paid no attention to them.

JANINE: Did he pay attention to you?

LILLIAN: He bawled me out, he chased me around! But he liked me.

JANINE: And later?

LILLIAN: In college, we were always together. We were studying French, the two of us. And it was already decided that we'd get married some day, he and I.

JANINE: Decided? Who did?

LILLIAN: Oh, by him, first of all. He's the one who wanted to, when we were nineteen! But we didn't want to make such a decision without our parents. We had too much respect for them! They liked Victor, and they themselves encouraged him. It was fine with *me*!

JANINE: Mais vous n'étiez que des enfants, lui et toi! Mon mari et moi, nous avions déjà vingt-sept ans à l'époque de notre mariage! Tu disais?

LILIANE: Je disais que nous étions bien jeunes, mais nous sommes heureux.

JANINE: Why, you were mere children, the two of you! My husband and I were already twenty-seven at the time of our wedding! You were saying?

LILLIAN: I was saying that we were pretty young, but we're happy.

FAUX AMIS: **sable** = *sand*, not *sable* (**zibeline**, f.).

Response Drills

Complétez les phrases en donnant la forme correcte du verbe:

Liliane, connaissais-tu Victor dans ton enfance?
Oui, je le connaissais.

Connaissait-il ta mère?
Oui, il la ——.
Ta mère connaissait-elle Victor?
Oui, elle le ——.
Connaissiez-vous les ballets de Delibes, Victor et toi?
Oui, nous les ——.
Tes parents connaissaient-ils les parents de Victor?
Oui, ils les —— .

Victor te taquinait-il?
Non, il ne me taquinait pas.

Faisait-il attention à ses amis?
Non, il ne ——.
Grondais-tu Victor?
Non, je ne ——.
Ses amis t'aimaient-ils bien?
Non, ils ne ——.
Aviez-vous vingt-sept ans à l'époque de votre mariage?
Non, nous ——.
Etiez-vous trop jeunes pour le mariage?
Non, nous ——.

Response Drills

Liliane, connaissais-tu Victor dans ton enfance?
Moi? Oui.

Victor t'aimait-il?
    Lui? Oui.
Ses amis le taquinaient-ils?
    Eux? Oui.
Tes amies te taquinaient-elles?
    Elles? Oui.
Vous avez décidé que vous alliez être mariés?
    Nous? Oui.
Je suis une femme bien curieuse (*curious*), n'est-ce pas?
    Toi? Oui!

Je connaissais Victor dans mon enfance.
    Moi, je ne le connaissais pas dans mon enfance.
Il m'aimait un peu aussi.
    Il ne m'aimait pas, lui!
Ma mère le connaissait aussi.
    Liliane le connaissait aussi, elle.
Nous jouions ensemble.
    Nous, nous jouions ensemble.
Les amis de Victor le taquinaient.
    Eux, ils le taquinaient.
Mes amies me taquinaient aussi.
    Elles me taquinaient aussi, elles.

C'est Victor que tu aimais, n'est-ce pas?
    Oui, c'est lui.
C'est toi qu'il chassait, n'est-ce pas?
    Oui, c'est moi.
C'est ta mère qui le connaissait, n'est-ce pas?
    Oui, c'est elle.
C'est vous deux qui jouiez ensemble, n'est-ce pas?
    Oui, c'est nous.
Ce sont les amis de Victor qui te taquinaient, n'est-ce pas?
    Oui, ce sont eux.
Ce sont les amis de Victor qui te chassaient, n'est-ce pas?
    Oui, ce sont eux.
Ce sont tes amies qui te taquinaient, n'est-ce pas?
    Oui, ce sont elles.
Ce sont tes amies qui te grondaient, n'est-ce pas?
    Oui, ce sont elles.

Vous êtes contents, Victor et toi?
    Victor et moi, nous sommes contents.

Vous connaissiez Victor, tes parents et toi?
    Mes parents et moi, nous connaissions Victor.
Nous sommes cousins, Mme Vallin et moi.
    C'est vrai! Vous et Mme Vallin, vous êtes cousins?
Nous sortons maintenant, Liliane et moi.
    Ah! Toi et elle, vous sortez maintenant?
Tes amis et toi chassiez Liliane, n'est-ce pas?
    Oui! nous chassions Liliane, mes amis et moi!
Nous la chassions, eux et moi!
    Tiens! Eux et toi, vous la chassiez?
Mes amies et moi taquinions Victor.
    Vraiment? Vous taquiniez Victor, tes amies et toi?

Liliane connaît Victor depuis beaucoup d'années?
    Oui. Et Victor avait beaucoup d'amis qui la taquinaient!
La cousine Paulette a pas mal d'argent?
    Oui, mais elle a aussi pas mal de vêtements usés!
Paulette a peut-être trop d'argent.
    Oui, et elle a trop de vêtements usés!
Liliane jouait avec Victor quand elle avait moins de huit ans?
    Oui. Et elle avait moins de vingt ans à l'époque de son mariage.

Victor et Liliane sont heureux?
    Oui. Ils sont heureux, lui et elle.
Liliane et ses parents aimaient Victor?
    Mais oui! Ils aimaient Victor, eux et elle.
Victor et ses amis grondaient Liliane?
    Oh oui! Ils grondaient Liliane, eux et lui.
Victor et les deux femmes prennent du gâteau?
    Bien sûr! Ils prennent du gâteau, lui et elles.
Mes amis et tes amies te taquinaient, chérie?
    Oui! Ils me taquinaient, eux et elles.

Transformation Drill

Complétez les phrases en donnant le pronom tonique convenable (Complete the following sentences with the correct stressed pronoun):

Quand Liliane était petite, elle jouait avec Victor.
Quand Liliane était petite, elle jouait avec lui.

Il jouait parfois avec Liliane.
    Il jouait parfois avec ———.

Il ne faisait pas attention à ses amis.
    Il ne faisait pas attention à ———.
Liliane ne faisait pas attention à ses amies.
    Liliane ne faisait pas attention à ———.
Tes amis ne font pas attention à mes amies et à moi!
    Tes amis ne font pas attention à ———.
Je sais bien qu'ils ne font pas attention à toi et à tes amies!
    Je sais bien qu'ils ne font pas attention à ———.

Grammaire

74. THE IMPERFECT TENSE (L'imparfait)

Connaissais-tu Victor dans ton enfance? *Did you know Victor in your childhood?*
J'**allais** souvent jouer avec lui. *I often used to go and play with him.*
Je **disais** que nous étions bien jeunes. *I was saying that we were pretty young.*

The *passé composé* introduced you to one type of French past tense, the everyday storytelling tense: **j'ai parlé**, *I spoke, I've spoken*; **j'ai été**, *I was, I've been*, etc. The imperfect is also a past tense expressing a certain kind of past action which is related to *another* past action.

parler

je parl**ais**	*I spoke, I was speaking, I used to speak*
tu parl**ais**	*you spoke, you were speaking, you used to speak*
il parl**ait**	*he spoke, he was speaking, he used to speak*
nous parl**ions**	*we spoke, we were speaking, we used to speak*
vous parl**iez**	*you spoke, you were speaking, you used to speak*
ils parl**aient**	*they spoke, they were speaking, they used to speak*

choisir

je chois**issais**	*I chose, I was choosing, I used to choose*
tu chois**issais**	*you chose, you were choosing, you used to choose*
il chois**issait**	*he chose, he was choosing, he used to choose*
nous chois**issions**	*we chose, we were choosing, we used to choose*
vous chois**issiez**	*you chose, you were choosing, you used to choose*
ils chois**issaient**	*they chose, they were choosing, they used to choose*

attendre

j'attend**ais**	*I waited, I was waiting, I used to wait*
tu attend**ais**	*you waited, you were waiting, you used to wait*
il attend**ait**	*he waited, he was waiting, he used to wait*

nous attend**ions**	*we waited, we were waiting, we used to wait*
vous attend**iez**	*you waited, you were waiting, you used to wait*
ils attend**aient**	*they waited, they were waiting, they used to wait*

Here are several irregular verbs in the imperfect tense:

être

j'ét**ais**	*I was, I used to be*
tu ét**ais**	*you were, you used to be*
il ét**ait**	*he was, he used to be*
nous ét**ions**	*we were, we used to be*
vous ét**iez**	*you were, you used to be*
ils ét**aient**	*they were, they used to be*

avoir

j'av**ais**	*I had, I used to have*
tu av**ais**	*you had, you used to have*
il av**ait**	*he had, he used to have*
nous av**ions**	*we had, we used to have*
vous av**iez**	*you had, you used to have*
ils av**aient**	*they had, they used to have*

Here is a sampling of verb stems for the imperfect tense, which you can find by removing the **-ons** from the present tense, 1st person plural (the form of the verb that goes with **nous**):

INFINITIVE	STEM FOR IMPERFECT TENSE	INFINITIVE	STEM FOR IMPERFECT TENSE
accepter	accept-	faire	fais-
aller	all-	mettre	mett-
applaudir	applaudiss-	perdre	perd-
attendre	attend-	pouvoir	pouv-
avoir	av-	prendre	pren-
connaître	connaiss-	savoir	sav-
dire	dis-	servir	serv-
écrire	écriv-	venir	ven-
être*	ét-		

Here is what the imperfect tense expresses:

a. "Was . . . *ing*" (an as yet incomplete action)

---

* **Etre** is the only exception to the general rule. Its stem for the imperfect tense is **ét-** (not based on **sommes**).

Je disais que nous étions bien jeunes. *I was saying that we were pretty young.*

b. "Used to" (implied but not necessarily expressed)

Il me grondait. *He scolded (used to scold) me.*
Comme ils le taquinaient! *They certainly teased (used to tease) him enough!*
Mais il ne faisait pas attention à eux. *But he didn't pay (used not to pay) attention to them.*

c. "Used to" (expressed)

J'allais souvent jouer avec lui (dans mon enfance). *I often used to go and play with him (in my childhood).* Contrast this with:
J'ai souvent joué avec lui (cette année). *I've often played with him (this year).*
Nous bâtissions ensemble des châteaux de sable (dans mon enfance). *We used to build sand castles together (in my childhood).* Contrast with:
Nous avons bâti des châteaux de sable (ce matin). *We built sand castles together (this morning).*

d. A state of affairs or condition.

J'avais moins de huit ans. *I was less than eight years old.*
Nous étions bien jeunes. *We were pretty young.*
Nous ne voulions pas prendre une telle décision nous-mêmes. *We didn't want to make such a decision ourselves.*

In other words, the imperfect can:

a. Express a past action in the midst of being done: **Je disais**, *I was saying*; **il parlait**, *he was speaking*, etc. If such actions are in the midst of being done, they are *imperfectly completed*; this is how the tense gets it name.
b. Express a past action that was *repeated* or *habitual*: **Ils le taquinaient**, *they used to* (habitually or repeatedly) *tease him*, or, *They teased him* (habitually or repeatedly); **J'allais souvent jouer avec lui**, *I used to go* (habitually or repeatedly) *and play with him*, or, *I went* (habitually or repeatedly) *and played with him.*

A useful hint, now, for avoiding confusion between the imperfect and *passé composé*:

"They teased him" is in the simple past tense in English; it does not have the *used to* or the *-ing* form (*was teasing*) which assures you that the imperfect is called for. Should you, then, use **Ils le taquinaient** or **Ils l'ont taquiné**?

Answer: Apply the *used to* test. If it is clear from the context that the teasing was a *habitual* thing—that is, if "They used to tease him" fits the situation as well as "They teased him"—then use the imperfect: let us say, **Ils le taquinaient souvent**, which would mean "They teased him (used to tease him) often." But if "They teased him" was clearly an isolated incident happening at a given time (**Ils l'ont taquiné ce matin**), the *passé composé* is called for. It would be obviously ridiculous to say here, "They used to tease him this morning"!

c. The imperfect can express a nonactive state of affairs that *describes* a condition or situation: **J'avais moins de huit ans**, *I was less than eight years old* (situation telling Lillian's age); **Nous ne voulions pas prendre une telle décision nous-mêmes**, *We didn't want to make such a decision ourselves* (Victor's and Lillian's *attitude* about getting married young).

75. Adverbs of Quantity

Je le connais depuis **beaucoup** d'années. *I've known him for many years.*
Il avait **pas mal d'**amis. *He had quite a few friends.*
Nous avions **trop de** respect pour eux. *We had too much respect for them.*

Adverbs that show quantity are followed by **de** or **d'**, regardless of the gender and number of the noun that follows; **années** is feminine plural, **amis** is masculine plural, **respect** is masculine singular. Some commonly used adverbs of this sort are **autant de**, *as much* or *as many*; **beaucoup de**, *much*, *many*; **combien de**, *how much*, *how many*; **pas mal de,** *quite a few*; **peu de**, *few* (with plural nouns); *little* (with singular nouns as in **peu d'argent**, *little money*); **plus de**, *more*; **trop de**, *too much*, *too many*.

76. Stressed Pronouns (Les pronoms toniques)

SUBJECT PRONOUNS	DIRECT OBJECT PRONOUNS	INDIRECT OBJECT PRONOUNS	STRESSED PRONOUNS
je	me	me	moi
tu	te	te	toi
il	le	lui	lui
elle	la	lui	elle
nous	nous	nous	nous
vous	vous	vous	vous
ils	les	leur	eux
elles	les	leur	elles

Thus far, all types of pronouns presented (subject, direct object, indirect object) are used *only* in connection with verbs. This new group, the stressed pronouns, has several functions in the French language, some connected with verbs, some not:

a. Liliane, connaissais-tu Victor dans ton enfance?—**Moi?** Oui. *Lillian, did you know Victor in your childhood?—Yes.*
Faisait-il attention à toi?—**Lui?** Il m'aimait bien. *Did he pay attention to you?—He liked me.*

You notice that the **moi** and **lui** are used, but not translated; in French, these pronouns just call attention to, or put stress on, a certain person or thing. In informal English, **Moi? Oui**, could mean, "Who, me? Yes." **Lui? Il m'aimait bien** could mean "Who, him? He liked me." But the point is that such translations—besides being ungrammatical!—aren't necessary. The **moi** and **toi** are there in French but just simply need not be translated.

b. **Moi**, je voulais bien! *It was fine with me!*
Mon mari et moi, nous avions déjà vingt-sept à l'époque de notre mariage! *My husband and I were already twenty-seven at the time of our wedding!*

Here again, stressed pronouns are used but not translated. The **moi** in the first example is used because Lillian is implying, "For *my* part" or "As far as *I* was concerned, it was fine with *me*." The stress would show in her *voice*. In the second example, Janine is conveying the difference in age of the two couples at the time of their respective marriages: "*You* were 19; *we* were 27!" The one thing *not* to do here, of course, is to try translating word for word. You would come up with something like "Me, I wanted to!" in the first case, and "My husband and me, we were already twenty-seven," etc.

c. Mais il ne faisait pas attention à **eux.** *But he didn't pay attention to them.*
Décidé? Par qui? Par **lui** d'abord. *Decided? By whom? By him, first of all.*

Stressed pronouns are used as objects of prepositions (**à, par, pour, avec**). This is one of their major functions.

d. C'est **lui** qui l'a voulu. *He's the one who wanted it.* (*It's he who wanted it*).

Stressed pronouns are used after **c'est** and **ce sont.*** The example here may be contrasted with **Il l'a voulu** (*He wanted it*) which is a mere statement that Victor wanted the early marriage, but does not emphasize the fact that it was he who wanted it. The stressed form provides the emphasis.

e. C'était déjà décidé que **lui et moi**, nous allions nous marier. *It was already decided that he and I would get married.*

---

* **Ce sont** is used only with **eux** and **elles**.

Mais vous n'étiez que des enfants, **lui et toi**! *But you were mere children, the two of you!*

Stressed pronouns are used where the sentence has *more than one subject.* There are many possible combinations, but basically:

1. **Nous** could include **moi+toi, moi+lui, moi+eux**—any combination of stressed pronouns adding up to *we.*
2. **Vous** could mean **toi+toi, toi+lui, toi+elle, vous+toi, vous+lui, vous+elle**—any combination adding up to plural *you.*
3. **Ils** could mean **lui+lui, lui+elle, lui+eux, lui+elles**—any combination of stressed pronouns adding up to *they*, except of course **elle+elle**, which makes **elles.**

Where the stressed pronouns add up to **nous** or **vous**, the French will say them either at the very beginning or the very end of the sentence; if the stressed pronouns add up to **ils** or **elles**, they generally come at the end of the sentence.

One caution: It has been pointed out that the stressed pronoun group is used where the sentence has more than one subject. In other words, the group **je, tu, il, nous, vous**, and **ils** always stand *alone* as subject pronouns. Combinations like **il et je** for *he and I*, **Victor et tu** for *Victor and you* are incorrect: the correct way would be **lui et moi** and **Victor et toi.**

f. Nous ne voulions pas prendre **nous-mêmes** une telle décision. *We didn't want to make such a decision ourselves.*
Ils l'ont encouragé **eux-mêmes.** *They encouraged him themselves.*

When you combine stressed pronouns with **meme**, you get the following:

moi-même, *myself*	nous-mêmes, *ourselves*
toi-même, *yourself*	vous-mêmes, *yourselves*
lui-même, *himself*	eux-mêmes, *themselves*
elle-même, *herself*	elles-mêmes, *themselves*

These pronouns put special stress or emphasis on a noun or a pronoun already given (*I myself*, *you yourself*, etc.).

Exercices

Chain Drills

J'aime bien Victor, mais je le connaissais mieux au collège.
Elle aime bien Victor mais elle le . . .
Mon père aime bien Victor, mais il le . . .
Nous aimons bien Victor, mais nous le . . .

Mes cousines aiment bien Victor, mais elles le . . .
Tu aimes bien Victor, mais tu le . . .
Vous aimez bien Victor, mais vous . . .

Victor et moi, nous bâtissions des châteaux de sable.
Lui, il . . .
Moi, je . . .
Eux, ils . . .
Liliane, elle . . .
Toi, tu . . .
Vous, vous . . .

Transformation Drills

Mais je n'ai que dix-huit ans!
Mais je n'avais que dix-huit ans!

Mais tu n'as que trente ans!
Mais vous n'avez que quarante-deux ans!
Mais Liliane n'a que vingt-deux ans!
Mais nous n'avons que seize ans!
Mais ils n'ont que cinquante-huit ans!

Mais pourquoi le grondes-tu?
Mais pourquoi le grondais-tu?

Mais pourquoi le taquine-t-il?
Mais pourquoi le chasse-t-elle?
Mais pourquoi le regardez-vous?
Mais pourquoi le grondent-ils?
Mais pourquoi l'acceptons-nous?

Victor l'attend toujours à la sortie.
Victor l'attendait toujours à la sortie.

Nous l'attendons à la sortie.
Tu l'entends?
Victor et Liliane l'attendent à la sortie.
Je l'entends dans la rue.
Vous l'attendez à la sortie.
Ils l'entend à l'Opéra.

Employez *beaucoup*, *moins*, *pas mal*, *trop* avec chacun des mots suivants (Use *beaucoup*, *moins*, *pas mal*, *trop* with the following words):

EXEMPLE: *L'année.*
Beaucoup d'années, moins d'années, pas mal d'années, trop d'années.

l'ami, le mariage, l'enfant, le temps, le respect, la cousine, la librairie, l'attention, la femme

Response Drills

Janine, connaissais-tu Victor dans ton enfance?
Moi? Non.

Charles te connaissait-il dans ton enfance?
La mère de Victor te connaissait-elle dans ton enfance?
Connaissais-tu Charles dans ton enfance?
M. et Mme Musy te connaissaient-ils en 1940?
Mme Coudert et Mme Casiez te connaissaient-elles en 1940?
Vous aviez vingt et un ans, vous deux, à l'époque de votre mariage?
Etions-nous trop jeunes à l'époque de notre mariage?

C'est Victor qui te taquinait?
Non, ce n'est pas lui.

C'est toi qui le chassais?
C'est ton père qui le connaissait?
C'est ta mère qui le grondait?
C'est moi qui te grondais, Victor?
C'est nous que tu cherches, Eva?
C'est vous qui me cherchez?

Ce sont tes parents qui ont encouragé Victor?
Oui, ce sont eux.

Ce sont M. et Mme Musy qui sont libraires?
Ce sont Liliane et Mme Vallin qui tricotent pour le bébé?
Ce sont Victor et Liliane qui rentrent de la Tour Eiffel?
Ce sont Liliane et Mme Casiez qui mangent du gâteau?

Transformation Drills

Ton oncle Ambroise est très avare!
Lui, il est très avare?

Ta cousine Paulette est avare aussi!
Ils sont avares tous deux!
Je n'aime pas la foule.

Tu es montée au sommet de la Tour Eiffel?
M. Musy n'aime pas les romans de Camus.
Vous aimez les romans de Marivaux?
Nous adorons le ballet.
Ils le taquinaient.
Elles me grondaient.

Nous adorons le ballet, Victor et moi.
Victor et moi, nous adorons le ballet.

Nous venons de rentrer, lui et moi.
Nous avons fait nos achats, Liliane et moi.
Nous allons aux Galeries Lafayette, toi et moi.
Nous sommes très occupés, vous et moi, n'est-ce pas?
Nous le connaissions dans notre enfance, eux et moi.
Nous étions bonnes amies, elles et moi.
Vous venez de dîner, lui et toi?
Vous aimez le ballet, elle et toi, n'est-ce pas?
Vous sortiez ensemble, elle et vous.
Vous taquiniez Victor, tes amies et toi!
Vous étiez amis, eux et toi?
Vous jouiez ensemble souvent, elles et vous.
Vous chassiez Liliane, eux et vous?

Victor et Liliane sont déjà sortis?
Ils sont déjà sortis, lui et elle?

Mes amis et ses amies la taquinaient.
Les Parry et Mme Vallin vont au ballet.
Victor et ses amis chassaient Liliane.
Victor et les deux femmes sont au ballet.
M. et Mme Musy sont libraires?

Nous ne voulions pas prendre une telle décision.
Nous ne voulions pas prendre une telle décision nous-mêmes.

Tes parents m'ont encouragé.
Nous vous avons consulté.
Mais ta cousine Paulette l'a dit!
Victor m'aimait bien.
J'adore le ballet.
Victor et Liliane ont acheté cela.
Liliane a tricoté cela.
Liliane et Mme Vallin ont tricoté tout cela.

Transformation Drill

Victor est sorti avec Liliane.
Victor est sorti avec elle.

Liliane est sortie avec *Victor.*
Victor fait des achats pour *Liliane.*
Victor aime le fromage de Brie, comme *les Français.*
Il aime le gâteau aux fruits, comme *Liliane et Mme Casiez.*
Voulez-vous dîner avec *Charles et moi?*
Charles aime la tarte aux abricots, comme *Victor et toi.*

Response Drill

Chérie, veux-tu sortir avec moi?
Bien sûr, je veux sortir avec toi!

Victor, veux-tu faire des achats avec moi?
Victor, Liliane aime-t-elle la France comme toi?
Mon Dieu, chérie! Ce grand dîner est-il pour moi!
Victor jouait-il souvent avec toi?
Voulez-vous bien dîner avec nous?
Bonjour, Madame! Bonjour, Monsieur! Mme Vallin va-t-elle au ballet avec vous?

Questions sur le Dialogue

1. Liliane connaissait-elle Victor dans son enfance?
2. Allait-elle souvent jouer avec lui?
3. Que faisaient-ils à la plage?
4. Où Victor attendait-il Liliane?
5. Avait-il des amis?
6. Est-ce que les amis de Victor le taquinaient?
7. Victor faisait-il attention à eux?
8. Faisait-il attention à Liliane?
9. La grondait-il?
10. La chassait-il?
11. L'aimait-il bien?
12. Par qui était-il décidé que Victor et Liliane allaient se marier un jour?
13. Voulaient-ils prendre une telle décision sans leurs parents?
14. Les parents de Liliane aimaient-ils Victor?
15. L'ont-ils encouragé eux-mêmes?
16. Liliane et Victor avaient-ils vingt-sept ans à l'époque de leur mariage?
17. Janine et Charles avaient-ils dix-neuf ans à l'époque de leur mariage?

Prononciation [ɥ]

lui	huit	ruisseau	nuée	appuyer
puis	huître	truie	nuage	ennuyer
suivre	huile	truite	situation	essuyer
tuile	huis	bruit	Suède	Gruyère
nuit	huissier	fruit	duègne	écuyer
nuisible			persuader	
aujourd'hui			suave	
fuir				
conduire				

Sur la table, il y a du fruit, huit huîtres, et de la Gruyère.
Lui? C'est l'huissier ennuyeux qu'il faut suivre!
Nous sommes persuadés qu'on nous conduit en Suède.
Voilà huit truites dans le ruisseau!
Je puis fuir cette duègne nuisible.

Dialogue Review

A. Class reads Dialogue 16 in unison or in groups.
B. Several students give Dialogue 15 by heart.
C. *Dictée* based on Dialogue 14.

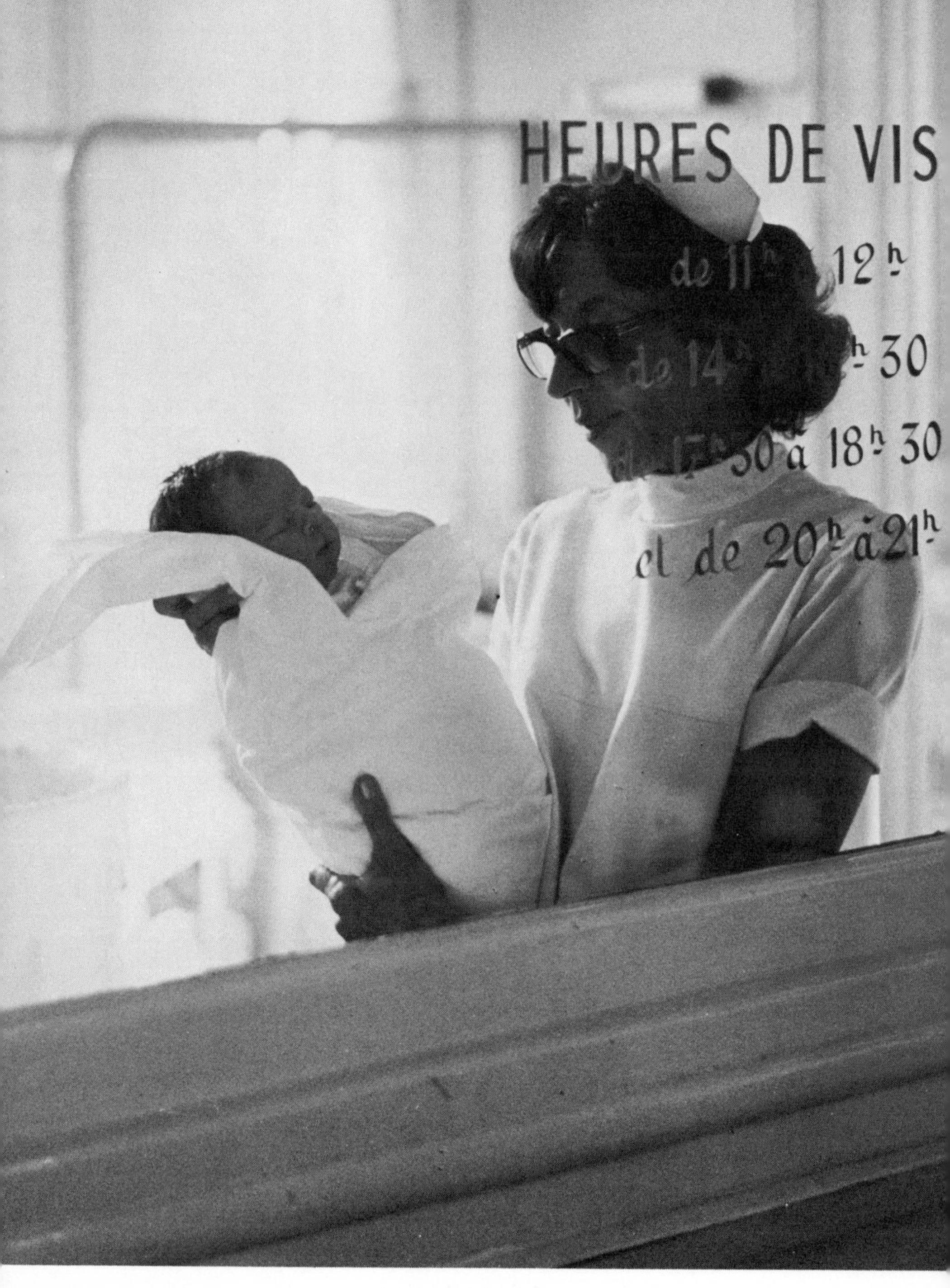

A baby girl for the Parrys.

DIX-SEPTIEME LEÇON

C'est une fille!

CHARLES: Mais ne t'inquiète pas, Victor! Assieds-toi—calme-toi! Le médecin dit que tout va bien!

VICTOR: Merci. Je me calme un peu enfin. Mais je suis épuisé . . . C'est gentil de votre part de vous déranger tant pour moi.

JANINE: Tu te blâmes de nous déranger? Mais quand on est parents, on s'entr'aide!

VICTOR: Ouf! Quelle nuit! Liliane se réveille à minuit vingt et me dit: "Levons-nous! Le bébé va arriver!" Moi je me lève donc; j'ai à peine le temps de m'habiller, de me brosser un peu les cheveux . . . ou même de me laver la figure! Je n'ose même pas me regarder dans une glace! (Bâillant) Mon Dieu, mes yeux se ferment presque!

LE MEDECIN: (Entrant) Félicitations, M. Parry! Votre bébé est né! Vous avez une fille! Madame et l'enfant vont bien.

VICTOR: Oh, quel bonheur! Merci, merci mille fois, cher docteur! Je peux les voir?

LE MEDECIN: Tout à l'heure. (Il sort).

JANINE: Embrasse-moi, mon cher! Te voilà papa! Va voir ta femme et ton enfant, et puis rentre vite te coucher.

CHARLES: Don't worry, Victor! Sit down, calm down! The doctor told you everything's all right!

VICTOR: Thanks. I'm feeling a bit calmer, finally. But I'm exhausted. It's good of you to go to so much trouble for me.

JANINE: You're blaming yourself for bothering us? But when you're part of the family, you help one another!

VICTOR: Whew! Some night! Lillian wakes up at 12:20 and tells me, "Let's get up! The baby's coming!" So I get up; I hardly have time to dress, brush my hair a bit . . . or even to wash my face! I don't even dare look at myself in a mirror! (Yawning) Gosh, I can't keep my eyes open!

DOCTOR: (Entering) Congratulations, Mr. Parry! Your baby's born! You have a daughter! Mother and child are doing fine.

VICTOR: Oh, how wonderful! Thanks, thanks a million, Doctor. Can I see them?

DOCTOR: In a little while. (He exits).

JANINE: Give us a kiss, my dear! So you're a daddy! Go see your wife and baby, and then get home fast and go to bed.

CHARLES: Eh oui! C'est maintenant que tu vas avoir besoin de te reposer!

CHARLES: I should say so! You'll need to get some rest now, all right!

FAUX AMIS: **déranger** = *to bother, disturb,* not *deranged* (**fou**).

Response Drill

Je me calme un peu enfin.
    Ah bon! tu te calmes un peu enfin?
Victor se calme un peu enfin.
    Ah? Il se calme un peu enfin?
Liliane se calme un peu enfin.
    Vraiment? Elle se calme un peu enfin?
Victor et Liliane se calment un peu enfin?
    Oui. Ils se calment un peu enfin.
Nous nous calmons un peu enfin.
    Très bien! Vous vous calmez un peu enfin.

Repetition Drills

Te blâmes-tu de nous déranger?
Victor se blâme-t-il de vous déranger?
Liliane se blâme-t-elle de nous déranger?
Nous blâmons-nous de vous déranger?
Vous blâmez-vous nous déranger?
Victor et Liliane se blâment-ils de vous déranger?
Les hommes se blâment-ils de vous déranger?
Les femmes se blâment-elles de nous déranger?

Substitution Drills

Complétez les phrases en donnant le pronom convenable:

Le médecin t'a dit *de te calmer*

de —— reposer; de —— coucher; de rentrer —— coucher; de rentrer —— reposer; de ne pas —— inquiéter; de ne pas —— réveiller; de ne pas —— déranger; de ne pas —— habiller; de ne pas —— fatiguer.

Victor! *Assieds-toi!*

Calme-——!; Réveille-——!; Lève-——!; Habille-——!; Couche-——!; Repose-——!; Brosse-—— les cheveux! Lave-—— la figure!

Chérie! *Asseyons-nous!*

Calmons-——!; Réveillons-——!; Levons-——!; Habillons-——!; Couchons-——!; Reposons-——!; Brossons-—— les cheveux!; Lavons-—— la figure!

Mes chers amis! *Asseyez-vous!*

Calmez-——!; Réveillez-——!; Levez-——!; Habillez-——!; Couchez-——!; Reposez-——!; Brossez-—— les cheveux!; Lavez-—— la figure!

Chérie, *ne t'inquiète pas trop!*

ne —— fatigue pas trop!; ne —— dérange pas trop!; ne —— couche pas encore!; ne —— lève pas encore!; Ne —— habille pas encore!; ne —— lave pas la figure!; ne —— brosse pas les cheveux!

J'ai voulu *me calmer*

—— lever; —— coucher; ——reposer; —— réveiller; —— habiller; —— laver la figure; —— brosser les cheveux.

Le médecin m'a dit *de ne pas me fatiguer*

de ne pas —— déranger; de ne pas —— coucher; de ne pas —— lever; de ne pas —— réveiller; de ne pas —— inquiéter.

C'est maintenant que *tu vas* t'inquiéter!

que tu — — fatiguer!
que tu — — déranger!
que tu — — coucher!
que tu — — calmer!
que tu — — lever!
que tu — — réveiller!
que tu — — inquiéter!
que tu — — laver la figure!
que tu — — brosser les cheveux!

Repetition Drill

Quand on est parents, on s'entr'aide.
Nous sommes parents, nous nous entr'aidons.
Vous êtes parents, vous vous entr'aidez.
Janine et Victor sont parents, ils s'entr'aident.
Janine et Liliane sont parentes, elles s'entr'aident.
Nous sommes parents, nous nous entr'aidons.

Response Drill

Chérie, je me lave un peu la figure.
    Te laves-tu la figure?
Oui, et je me brosse les cheveux.
    Te brosses-tu les cheveux?
Il se lave la figure.
    Se lave-t-il la figure?
Nous nous brossons les cheveux.
    Vous brossez-vous les cheveux?
Vous vous lavez la figure.
    Nous lavons-nous la figure?
Liliane et Victor se lavent la figure.
    Se lavent-ils la figure?

Grammaire

77. Reflexive Verbs

If you have often felt that French grammar is generally more complicated than English grammar, here is one case where it is certainly true. In English, a reflexive verb is *literally* reflexive, since the action of the verb *reflects back on the doer*:

I see myself	We see ourselves
You see yourself	You see yourselves
He sees himself	They see themselves
She sees herself	
One sees oneself	

Other reflexive verbs are: *I ask myself, I hurt myself, I blame myself*, etc. The reflexive pronouns *myself, yourself, himself*, etc. are indispensable to complete the sense of the verb. In French, however, the "reflexive" verb is often not reflexive. Here are cases where it is:

Tu **te blâmes** de nous déranger? *You're blaming yourself for bothering us?*
J'ai à peine le temps de **m'habiller.** *I hardly have time to dress myself.*
Je n'ose même pas **me regarder.** *I don't dare look at myself.*

In other cases, the French reflexive expresses a *reciprocal* action, where the reflexive pronoun means *one another*. It goes without saying that reciprocity exists only in the plural form:

Nous **nous entr'aidons.** *We help one another.*
Vous **vous aimez?** *Are you in love?* (*Do you love one another?*)
Ils **s'embrassent.** *They kiss* (*one another*).

Very often, the French reflexive is used in a *nonreflexive* sense, where the reflexive pronoun is not translated but has to be used because it is part of the verb.

Je **me calme** un peu enfin. *I'm finally feeling a bit calmer.*
Je **me lève** aussi. *I get up too.*

A knowledge of English reflexive verbs will not help much with the French ones. Just practice French speaking patterns carefully and note their meanings. Eventually the French concept of reflexive verbs—a much wider one than the English—will become familiar.

Actually, the French call all these verbs **les verbes pronominaux,** *pronominal verbs*, always used with certain pronouns. For convenience, though, they're generally known as *reflexive verbs*, whether or not their meaning is truly reflexive. Add their pronouns to the four other kinds of personal pronouns you have had, and the roster of French personal pronouns is just about complete:

Pronouns used only in connection with verbs				*Pronouns that may be used independently of verbs*
SUBJECT	DIRECT OBJECT	INDIRECT OBJECT	REFLEXIVE	STRESSED
je	me	me	me	moi
tu	te	te	te	toi
il	le	lui	se	lui
elle	la	lui	se	elle
on				soi*
nous	nous	nous	nous	nous
vous	vous	vous	vous	vous
ils	les	leur	se	eux
elles	les	leur	se	elles

Here is a typical reflexive verb, present tense:

se réveiller, *to wake up*

je me réveille	*I wake up, I'm waking up*
tu te réveilles	*you wake up, you're waking up*
il se réveille	*he wakes up, he's waking up*
on se réveille	*one wakes up, people are waking up*
nous nous réveillons	*we wake, we're waking up*
vous vous réveillez	*you wake up, you're waking up*
ils se réveillent	*they wake up, they're waking up*

* Used after prepositions, along with **on**: On fait cela pour **soi,** *One does that for oneself.*

je ne me réveille pas	nous ne nous réveillons pas
tu ne te réveilles pas	vous ne vous réveillez pas
il ne se réveille pas	ils ne se réveillent pas
on ne se réveille pas	

est-ce que je me réveille?	nous réveillons-nous?
te réveilles-tu?	vous réveillez-vous
se réveille-t-il?	se réveillent-ils?
se réveille-t-on?	

In the negative, the **ne** comes right after the subject; the **pas** is placed after the verb.

In questions, if the inverted form is used, **est-ce que** is of course used with the **je**; with the other pronouns, the reflexive pronoun goes first, then the inverted verb-subject group.

Here is the same verb in the IMPERFECT tense:

je me réveillais	*I was waking up, I used to wake up*
tu te réveillais	*you were waking up, you used to wake up*
il se réveillait	*he was waking up, he used to wake up*
on se réveillait	*people were waking up, people used to wake up*
nous nous réveillions	*we were waking up, we used to wake up*
vous vous réveilliez	*you were waking up, you used to wake up*
ils se réveillaient	*they were waking up, they used to wake up*

78. Reflexive Verbs, Imperative Form

Here is the imperative of **se réveiller:**

Réveillez-vous!	*Wake up!*
Réveille-toi!	*Wake up!* (familiar form)
Réveillons-nous!	*Let's wake up!*

And the negative imperative:

Ne vous réveillez pas!	*Don't wake up!*
Ne te réveille pas!	*Don't wake up! (familiar form)*
Ne nous réveillons pas!	*Let's not wake up!*

Here the **ne** comes first, as in the other (nonreflexive) imperatives: **ne parlez pas, ne dites pas, n'allez pas**, etc. Then comes the reflexive pronoun, the verb, and finally, the **pas.**

79. How to Use Infinitives of Reflexive Verbs

C'est gentil de votre part de **vous déranger** tant pour moi! *It's good of you to go to so much trouble for me!*
J'ai à peine le temps de **m'habiller.** *I hardly have time to get dressed.*
Rentre vite **te coucher.** *Get home fast and go to bed.*

In dictionaries, infinitives of reflexive verbs all start with **se**:

se blâmer	*to blame oneself*	s'habiller	*to get dressed*
se calmer	*to calm down*	s'inquiéter	*to worry*
se coucher	*to go to bed*	se lever	*to get up*
se déranger	*to take trouble*	se regarder	*to look at oneself*
s'entr'aider	*to help one another*	se reposer	*to rest*

But only in dictionaries do these verbs stand alone: in speech, they become part of a sentence, and their pronoun changes to agree with the subject of that sentence:

J'ai à peine le temps de **m**'habiller. *I hardly have time to dress myself.*
Tu as à peine le temps de **t**'habiller. *You hardly have time to dress yourself.*
Il a à peine le temps de **s**'habiller. *He hardly has time to dress himself.*
On a à peine le temps de **s**'habiller. *One hardly has time to dress oneself.*
Nous avons à peine le temps de **nous** habiller. *We hardly have time to dress ourselves.*
Vous avez à peine le temps de **vous** habiller. *You hardly have time to dress yourself.*
Ils ont à peine le temps de **s**'habiller. *They hardly have time to dress themselves.*

Exercices

Response Drill

Répondez affirmativement aux questions suivantes:

Victor se calme-t-il?
Oui, il se calme.

Liliane se calme-t-elle?
Te calmes-tu, Victor?
Charles se lève-t-il?
Janine se dérange-t-elle?
Vous réveillez-vous enfin, mes amis?
Se dépêche-t-on enfin?
Nous levons-nous enfin, chérie?
Victor et Liliane s'entr'aident-ils?
Liliane et Janine se regardent-elles?

Mettez les phrases suivantes à l'interrogatif en employant l'inversion:

Vous vous habillez vite.
Vous habillez-vous vite?

Elle se réveille de bonne heure.
Ils s'entr'aident.
Nous nous calmons.
Il se couche à minuit.
Tu te brosses les cheveux.
Vous vous levez très tard.
Il se repose maintenant.
Victor se calme enfin.
Liliane se réveille de bonne heure.
Victor et Liliane s'inquiètent.

Répondez aux déclarations suivantes par un impératif (Reply to the following statements with an imperative):

Chérie, je veux me lever.
Eh bien, lève-toi!

Je veux m'habiller.
Je veux me calmer.
Je veux me reposer.
Je veux me regarder dans la glace.
Je veux me brosser les cheveux.
Je veux me laver la figure.

Victor, je ne veux pas me lever.
A la bonne heure! Ne te lève pas!

Je ne veux pas m'habiller.
Je ne veux pas me réveiller.
Je ne veux pas me reposer.
Je ne veux pas me regarder dans la glace.
Je ne veux pas me laver la figure.
Je ne veux pas me brosser les cheveux.

Mes amis, nous nous couchons.
Couchez-vous donc!

Nous nous levons.
Nous nous reposons.
Nous nous réveillons.

Nous nous habillons.
Nous nous entr'aidons.
Nous nous lavons la figure.
Nous nous brossons les cheveux.

Mais nous nous inquiétons!
Ne vous inquiétez pas!

Mais nous nous blâmons!
Mais nous nous dérangeons!
Mais nous nous levons!
Mais nous nous réveillons!
Mais nous nous habillons!
Mais nous nous lavons la figure!
Mais nous nous brossons les cheveux!

Nous nous réveillons.
Réveillons-nous donc vite!

Nous nous couchons.
Nous nous brossons les cheveux.
Nous nous embrassons.
Nous nous calmons.
Nous nous levons.
Nous nous habillons.
Nous nous maquillons.

Nous nous couchons.
Ne nous couchons pas encore!

Nous nous réveillons.
Nous nous levons.
Nous nous blâmons.
Nous nous habillons.
Nous nous calmons.
Nous nous dérangeons.
Nous nous lavons la figure.

Transformation Drill

Je me brosse les cheveux.
Je ne me brosse pas les cheveux.

Victor se couche tard.
Il s'inquiète maintenant.

Ils se calment.
Victor et Liliane se reposent.
On se lève à huit heures.
Vous vous réveillez de bonne heure?
Tu te laves la figure?
Nous nous habillons vite.

Chain Drills

Je ne veux pas . . .
Je ne veux pas me lever.

Vous ne voulez pas . . .
Liliane ne veut pas . . .
Nous ne voulons pas . . .
Elles ne veulent pas . . .
Victor et Liliane ne veulent pas . . .
Tu ne veux pas . . .
Charles ne veut pas . . .

Victor a à peine le temps . . .
Victor a à peine le temps de se brosser les cheveux.

J'ai à peine le temps . . .
Elles ont à peine le temps . . . .
Nous avons à peine le temps . . .
Vous avez à peine le temps . . .
Janine et Charles ont à peine le temps . . .
Il a à peine le temps . . .

C'est gentil de votre part . . .
C'est gentil de votre part de vous déranger.

C'est gentil de ta part . . .
C'est gentil de leur part . . .
C'est gentil de sa part . . .
C'est gentil de ma part . . .
C'est gentil de notre part . . .
C'est gentil de votre part . . .

Questions sur le Dialogue

1. Victor s'inquiète-t-il d'abord?
2. Se calme-t-il enfin?

3. Janine et Charles se dérangent-ils pour lui?
4. Quand on est parents, s'entr'aide-t-on?
5. A quelle heure Liliane se réveille-t-elle?
6. Victor a-t-il le temps de s'habiller?
7. A-t-il le temps de se brosser les cheveux?
8. A-t-il le temps de se laver la figure?
9. Se regarde-t-il dans une glace?
10. A-t-il un fils ou une fille?
11. Est-ce que Liliane et l'enfant vont bien?
12. Victor peut-il les voir? Quand?
13. A-t-il besoin de se reposer?

Prononciation [ɑ̃]

banc	cent	paon
quand	Henri	Laon
blanche	Rouen	Saint-Saëns
rentre	parent	Caen
camp	temps	
lampe	emporter	
Adam	Luxembourg	
jambe	contempler	

A Caen, j'ai emporté cent lampes blanches.
Quand rentre Adam?
Henri ennuie ses parents de Rouen.
Il contemple les jambes du paon.
Le commandant plante sa tente devant le banc.

Dialogue Review

A. Class reads Dialogue 17 in unison or in groups.
B. Several students give Dialogue 16 by heart.
C. *Dictée* based on Dialogue 15

The American Hospital in Neuilly.

DIX-HUITIEME LEÇON

Je ne me souviens pas de cela!

LILIANE: Et je me suis réveillée hier à 12.20 h?	LILLIAN: And I woke up yesterday at 12:20, you say?
VICTOR: Oui. Ou plûtôt, nous nous sommes réveillés tous deux, toi d'abord, moi ensuite.	VICTOR: Right! Or rather, both of us woke up, you first, then I did.
LILIANE: Tiens! Je ne me souviens pas de cela! Et puis après?	LILLIAN: Well! I don't remember that, not a bit! And afterwards?
VICTOR: Je me suis levé, toi aussi tu t'es levée, je me suis habillé, toi aussi tu t'es habillée. Tu ne te souviens toujours pas?	VICTOR: I got out of bed, and so did you, I got dressed, and so did you . . . You still don't remember?
LILIANE: Si . . . si! Je me suis lavé la figure, je me suis brossé les cheveux et les dents, je me suis un peu maquillée—	LILLIAN: Yes . . . yes! I washed my face, brushed my hair and teeth, put on a little makeup—
VICTOR: Et moi je t'ai grondée! (Riant) Oh! les femmes! Moi, je m'inquiétais tant, je me dépêchais tant, et toi tu te maquillais! Je t'ai presque poussée dehors!	VICTOR: And I bawled you out! These women! (Laughs) I was so worried, I was in such a hurry, and *you* were putting on makeup! I practically pushed you outside!
LILIANE: Tais-toi, animal! Les hommes ne peuvent pas comprendre ces choses-là.	LILLIAN: Quiet, you monster! Men can't understand these things.
VICTOR: Puis, dans le taxi, j'ai dit au chauffeur de se dépêcher.	VICTOR: Then, in the taxi, I told the driver to make it fast.
LILIANE: Et comme il s'est dépêché, ce fou-là! Il m'a vraiment effrayée!	LILLIAN: He certainly did rush, the madman! He really frightened me!
VICTOR: Il nous a effrayés tous deux! Mais nous nous sommes trouvés à Neuilly en peu de temps.	VICTOR: He frightened us both! But we were in Neuilly very shortly.
LILIANE: Et à l'hôpital, une infirmière m'a emmenée . . .	LILLIAN: And at the hospital, a nurse led me away . . .

VICTOR: Et cinq heures plus tard, notre petite est arrivée! Nous nous sommes embrassés, Janine et moi—

VICTOR: And five hours later our baby came! We kissed, Janine and I—

LILIANE: Janine? Elle était là?

LILLIAN: Janine? She was there?

VICTOR: Mais oui.

VICTOR: Why, yes.

LILIANE: Et Charles?

LILLIAN: And Charles?

VICTOR: Lui aussi.

VICTOR: So was he.

LILIANE: Ils se sont tant dérangés, à cette heure-là, et tu les a laissés faire?

LILLIAN: They went to such trouble, at that hour, and you let them?

VICTOR: Mais non! Mme Casiez leur a dit que nous partions! J'ai protesté, et Janine s'est presque fâchée! . . . Oh! Oh! Catherine s'est reveillée.

VICTOR: I should say not! Mme Casiez told them we were leaving! I protested, and Janine almost got angry! . . . Oh! Oh! Catherine is awake.

LILIANE: Pauvre petite, elle a faim!

LILLIAN: Poor little thing, she's hungry!

Response Drills

Ordinairement, Liliane se réveille à 7.00 h.
    Mais hier, elle s'est réveillée à 8.00 h.
Ordinairement, Victor se réveille à 6.30 h.
    Mais hier, il s'est réveillé à 10.00 h.
Ordinairement, ils se réveillent tous deux à 7.30 h.
    Mais hier, ils se sont réveillés tous deux à 8.30 h.
Chérie, je m'inquiète. Ce fou-là va trop vite!
    Hier aussi, tu t'es inquiété. Ce fou-là allait trop vite!
Victor, tu t'inquiètes?
    Oui. Et hier, je me suis inquiété aussi!

Nous nous trouvons à l'hôpital?
    Oui. Et hier aussi, nous nous sommes trouvés à l'hôpital!
Les femmes se maquillent toujours à ce moment-là?
    Oui, Victor! Les femmes se sont toujours maquillées à ce moment-là!
Vous vous habillez, Mme Parry?
    Je me suis déjà habillée, Mme Casiez.
Tu te maquilles, Liliane?
    Pourquoi pas? Je me suis toujours maquillée!
Janine et Charles se fâchent.
    Et hier aussi, ils se sont fâchés!

Chérie, te souviens-tu de ce concert-symphonique?
    Non, je ne me souviens pas de cela.

Vous souvenez-vous de la naissance de Catherine?
 Bien sûr, nous nous souvenons de cela!
Liliane se souvient-elle de cette nuit-là?
 Mais oui, elle se souvient de cette nuit-là!
Victor se souvient-il de cette nuit-là?
 Bien entendu, il se souvient de cette nuit-là!
Tes parents se souviennent-ils de la date?
 Mais oui, ils se souviennent de la date!

Aujourd'hui, je me calme enfin.
 Hier, tu t'inquiétais!
Aujourd'hui, vous me blâmez!
 Hier, nous nous dérangions pour toi!
Aujourd'hui nous nous entr'aidons.
 Hier, vous vous fâchiez contre moi!
Aujourd'hui, Victor se repose enfin.
 Hier, ses yeux se fermaient!
Aujourd'hui, Liliane se maquille.
 Hier, elle se dépêchait trop!

Victor a grondé Liliane.
 Vraiment? Il l'a grondée?
Il a presque poussé Liliane dehors.
 Vraiment? Il l'a presque poussée dehors?
Le chauffeur de taxi a effrayé Liliane.
 Vraiment? Il l'a effrayée?
Il a effrayé Liliane et Victor.
 Vraiment? Il les a effrayés tous deux?
J'ai laissé faire nos amis.
 Vraiment? Tu les a laissés faire?
Vous avez dérangé Mme Casiez.
 Vraiment? Nous l'avons dérangée?
Nous avons dérangé ces femmes.
 Vraiment? Vous les avez dérangées?

Victor se lave le bras.
 Victor s'est lavé le bras.
Liliane se lave le bras.
 Elle s'est lavé le bras.
Victor se brosse les dents.
 Il s'est brossé les dents.
Liliane se brosse les dents.
 Liliane s'est brossé les dents.

Nous nous brossons les dents.
 Nous nous sommes brossé les dents.
Liliane et Victor se lavent la figure.
 Liliane et Victor se sont lavé la figure.
Ils se brossent les cheveux.
 Ils se sont brossé les cheveux.

Grammaire

80. Reflexive Verbs, Imperfect Tense

Je **m'inquiétais** tant! *I was so worried!*
Je **me dépêchais** tant! *I was in such a hurry!*
Toi, tu **te maquillais**! *You were putting on makeup!*

To get the imperfect tense of reflexive verbs, just change the verbs to the right form. The subject pronouns and reflexive pronouns stay the same:

se maquiller, *to put on makeup*
je me maquillais
tu te maquillais
il se maquillait
nous nous maquillions
vous vous maquilliez
ils se maquillaient

81. Reflexive Verbs, *Passe Compose*

Je **me suis levé** à 12:20. *I got up at* 12:20.
Toi aussi, tu **t'es levée.** *You got up too.*
Nous **nous sommes levés** tous deux. *Both of us got up.*
Liliane et Janine **se sont maquillées.** *Lillian and Janine put on makeup.*

You remember that the past participles of verbs like **arriver, entrer, venir**, etc., whose helping verb in the *passé composé* is **être**, agree with the subject in gender and number: **Je suis arrivé, elle est arrivée, nous sommes arrivés**, etc. The same thing is generally true of reflexive verbs:

se dépêcher, *to hurry*

je me suis dépêché	*I hurried* (masc.)
je me suis dépêchée	*I hurried* (fem.)
tu t'es dépêché	*you hurried* (masc.)
tu t'es dépêchée	*you hurried* (fem.)

il s'est dépêché	*he hurried*
elle s'est dépêchée	*she hurried*
nous nous sommes dépêchés	*we hurried* (masc.)
nous nous sommes dépêchées	*we hurried* (fem.)
vous vous êtes dépêché	*you hurried* (masc. sing.)
vous vous êtes dépêchés	*you hurried* (masc. pl.)
vous vous êtes dépêchée	*you hurried* (fem. sing.)
vous vous êtes dépêchées	*you hurried* (fem. pl.)
ils se sont dépêchés	*they hurried* (masc.)
elles se sont dépêchées	*they hurried* (fem.)

In the questions (except for **je**) the reflexive pronoun goes first, then the inverted question pattern:

est-ce que je me suis dépêché?
t'es-tu dépêché?
t'es-tu dépêchée?
s'est-il dépêché?
s'est-elle dépêchée?
nous sommes-nous dépêchés?
nous sommes-nous dépêchées?
vous êtes-vous dépêché?
vous êtes-vous dépêchés?
vous êtes-vous dépêchée?
vous êtes-vous dépêchées?
se sont-ils dépêchés?
se sont-elles dépêchées?

In the negative:

je ne me suis pas dépêché	nous ne nous sommes pas dépêchés
je ne me suis pas dépêchée	nous ne nous sommes pas dépêchées
tu ne t'es pas dépêché	vous ne vous êtes pas dépêché
tu ne t'es pas dépêchée	vous ne vous êtes pas dépêchés
	vous ne vous êtes pas dépêchée
	vous ne vous êtes pas dépêchées
il ne s'est pas dépêché	ils ne se sont pas dépêchés
elle ne s'est pas dépêchée	elles ne se sont pas dépêchées

To learn the *passé composé* of reflexive verbs, especially the negative, with its pattern of six words (subject pronoun, **ne**, reflexive pronoun, helping verb, **pas**, past participle) needs special attention. At first it may seem unbelievable that the French manage to say **Je ne me suis pas dépêché** as fast as we say "I didn't hurry," but they do. The same fluency is, again, acquired by practice.

82. Agreement of Past Participles

Up to now, you've seen that if the *passé composé* is used with **avoir**, the past participle stays the same, regardless of the gender and number of the subject:

J'ai fait beaucoup de courses, tu as fait beaucoup de courses, etc.

Now study these sentences:

Et moi, je t'ai **grondée**! *And I bawled you out!*
Je t'ai presque **poussée** dehors. *I nearly pushed you outdoors.*
Il nous a **effrayés** tous deux. *He frightened both of us.*
Et tu les a **laissés** faire? *And you let them do it?*
Nos courses? Nous les avons **faites**! *Our errands? We've done them!*
Où sont les quiches? Est-ce que tu les as **mangées**? *Where are the quiches? Did you eat them?*

In all these cases, the past participle changes spelling, although the helping verb is *avoir*. The reason: past participles agree with a preceding direct object. In the first two examples, **te** is a direct object pronoun representing *Lillian*, so we add an **-e** to **grondé** and **poussé**. In the next two cases, **nous** represents *Victor* and *Lillian*, and **les** represents *Janine* and *Charles*, so we add **-s** to **effrayé** and **laissé**. In the last two cases, **les** represents **courses**, then **quiches**—both feminine plurals; so we add **-es** to **fait** and **mangé.**

In the conjugation preceding these examples, the direct object (**courses**) comes after the verb (**fait**). This is why the past participle does not agree with **courses** there.

A brief review, now: where the *passé composé* calls for **être**, the past participle agrees with the subject in gender and number:

être Verbs:

Victor **est monté** au sommet de la Tour Eiffel.
Je **suis entrée** dans l'ascenseur.
Elles **sont entrées** dans le métro.
Nous **sommes rentrés** à 4:30.

This rule always holds true with the nonreflexive **être** verbs (**aller, monter, venir**, etc.). Now compare the following groups of reflexive verbs in two different settings:

Je **me suis levé** à 12:20.
Tu **t'es maquillée** à ce moment-là!
Nous **nous sommes réveillés** à minuit.
Liliane et Janine **se sont maquillées.**

In this setting, the past participles are made to agree with the subject in gender and number.

Liliane s'est lavé la figure.
Liliane s'est brossé les cheveux.
Liliane s'est brossé les dents.

In all these cases, Lillian is the subject; she's using reflexive verbs in the *passé composé*, and yet **lavé** and **brossé** do not agree; no **-e** is added to them. The reason the first four examples have the past participles preceded by the direct object (**me, te, nous, se**); in the last three, the direct object of **lavé** is **figure**; the direct object of **brossé** is **cheveux** and **dents**, all of which follow the verb.

Here is the rule, then, about the agreement of any past participle, whether the verb is used with **avoir** or **être**: if there is a direct object preceding it, the participle agrees with the subject. If the direct object follows, then—no agreement.

A question arises here: surely the **se** in the last three examples is a direct object pronoun and precedes the verb in each case? The answer: No. The **se** is the indirect object in these cases. Besides, Lillian obviously washed *her hands* (**les mains**), not herself; she obviously brushed *her hair* (**les cheveux**) and *teeth* (**les dents**), not herself. These parts of the body, by plain common sense, are the direct objects of the verb in each case, since they are receiving the direct action of the verb.

Exercices

Transformation Drills

Tu te réveilles, chérie?
Tu t'es réveillée, chérie?

Oui, Victor, je me réveille.
Victor s'habille.
Liliane se lève.
Victor et Liliane se dépêchent.
Liliane et Janine se maquillent.
Nous nous calmons enfin.
Vous vous dépêchez, M. Parry?
Vous vous dérangez à cette heure, mes amis?
Chères dames, vous calmez-vous?

Je me calme enfin.
Je me calmais enfin!

Vous me blâmez, n'est-ce pas?
Je m'habille si vite!

Elle se maquille à minuit!
Victor se dépêche trop.
Nous nous entr'aidons très souvent.
Tu te réveilles à cinq heures!
Janine et Victor s'embrassent, naturellement.
Liliane se souvient de tout cela.

Pourquoi te dépêches-tu?
Pourquoi t'es-tu dépêché?

Chérie, pourquoi te réveilles-tu?
Pourquoi vous inquiétez-vous?
Pourquoi les Vallin se dérangent-ils?
A quelle heure nous levons-nous?
A quelle heure se réveillent-elles?
Pourquoi Victor se blâme-t-il?
Pourquoi nous dépêchons-nous?
Pourquoi s'embrassent-elles?

Victor ne se calme pas.
Victor ne s'est pas calmé.

Elle ne s'habille pas.
Ils ne se lèvent pas à minuit.
Elles ne se dérangent pas.
Nous ne nous dépêchons pas.
Chérie, tu ne te lèves pas?
Mes amis, vous ne vous dépêchez pas?

Liliane se lave la figure.
Liliane s'est lavé la figure.

Elle se maquille les yeux.
Elle se brosse les cheveux.
Elle se brosse les dents.
Victor et Charles se lavent les mains.
Liliane et Janine se maquillent la figure.
Elles se lavent les mains.

Response Drill

Tu as poussé Liliane dehors?
Oui, je l'ai poussée dehors.

Tu as grondé ta femme?
Le chauffeur de taxi a effrayé Liliane?

A-t-il effrayé Victor?
A-t-il effrayé Victor et Liliane aussi?
Victor! tu a laissé faire les Vallin?
Ses amis ont-ils taquiné Victor?
As-tu tricoté ces jolies choses?

Correlation Drill

Je me souviens très bien de cette nuit.

nous, vous, Liliane, Victor, ils, elles, tu, Charles et Janine

Questions sur le Dialogue

1. A quelle heure est-ce que Liliane s'est réveillée?
2. Qui s'est réveillé avec Liliane?
3. Est-ce que Liliane se souvient de cela?
4. Qui s'est lavé?
5. Qui s'est habillé?
6. Qui s'est lavé la figure?
7. Qui s'est brossé les cheveux et les dents?
8. Qui s'est maquillé?
9. Qui a grondé Liliane?
10. Qui s'inquiétait?
11. Qui se dépêchait beaucoup?
12. Qui a presque poussé Liliane dehors?
13. Qui a dit au chauffeur de se dépêcher?
14. Qui a effrayé Liliane?
15. Qui a emmené Liliane?
16. Quand le bébé est-il arrivé?
17. Qui s'est dérangé à cette heure de la nuit?
18. Qui a dit à Janine que Victor et Liliane partaient?
19. Qui s'est presque fâché?
20. Qui a faim?

Prononciation [ɔ̃]

mon	condition	nom	plomb
ton	oncle	ombre	vrombir
son	garçon	bombe	Domremy
vont	second	rompu	comble
long	Gaston	dompter	Riom
font	Mignon	sombre	nombreux
fonction		tomber	

L'oncle de Gaston est tombé à Domrémy.
Mon garçon, mon nom est Odilon Redon!
La bombe qui tombe rompt la maison.
Les ombres sont sombres à Riom.
Ma fonction, c'est de dompter Mignon!

Dialogue Review

A. Class reads Dialogue 18 in unison or in groups.
B. Several students give Dialogue 17 by heart.
C. *Dictée* based on Dialogue 16.

Students at the Sorbonne.

ris !
nationa
mmune
ir les transports
exigeons

St-Lazare railroad station in Paris.

DIX-NEUVIEME LEÇON

Janine va à la gare

JANINE: Donc, ta mère arrivera demain?

VICTOR: Oui, à 11.20 h! Vers 10.45 h, prendrai le métro pour la gare St-Lazare. Tu viendras avec moi?

JANINE: Ah non! Nous vous attendrons ici. Liliane aura besoin de moi, peut-être.

LILIANE: Mais si, tu iras à la gare, Janine! Ma belle-mère est ta cousine, et tu ne l'as pas vue depuis si longtemps!

JANINE: Ça me ferait tellement plaisir de la revoir! Mais aller à la gare . . . Eh bien, si j'ai le temps, Victor, je t'y accompagnerai. Mais je pense à notre dîner . . .

VICTOR: Pourquoi parles-tu de *notre* dîner?

JANINE: Pourquoi j'en parle? Parce que nous allons dîner ensemble. Parce que ce sera un dîner de gala pour ma chère cousine Toinette!

LILIANE: Oh! tu es si bonne! Que dis-tu de cela, Victor?

VICTOR: Je n'en dis rien! Les paroles me manquent. Et Maman en sera absolument ravie! Mais Janine, si tu peux, tu iras avec moi demain, n'est-ce pas? Tu finiras ton travail après.

JANINE: Ecoute . . . Nous avons le

JANINE: So your mother's arriving tomorrow?

VICTOR: Yes, at 11:20. At about 10:45, I'll take the subway to St-Lazare station. You'll come along?

JANINE: Oh no! We'll wait for you here. Liliane may need me.

LILLIAN: Why certainly you'll go to the station, Janine! My mother-in-law is your cousin, and you haven't seen her in so long!

JANINE: It'd be such a pleasure for me to see her again! But to go to the station . . . Well, if I've the time, Victor, I'll go along with you. But I'm thinking of our dinner . . .

VICTOR: Why are you talking about *our* dinner?

JANINE: Why am I talking about it? Because we're having dinner together. Because it'll be a gala dinner for my dear cousin Antoinette!

LILLIAN: Oh, how kind you are! What do you say to that, Victor?

VICTOR: I've nothing to say about it. Words fail me. And Mother will be so delighted about it! But if you can, Janine, you'll go with me tomorrow, won't you? You'll finish your work afterwards.

JANINE: Listen . . . We're the same

même âge, ta mère et moi. Mais elle . . . j'ai vu des photos récentes . . .

LILIANE: Je sais que tu en as vu. Eh bien?

JANINE: Eh bien, elle est restée si jolie, si fraîche! Que dira-t-elle de sa grosse cousine Janine?

VICTOR: Rassure-toi, ma chère. Maman t'a toujours admirée. Et ici, tu as été comme une seconde mère pour nous. Après les lettres que je lui ai écrites, et j'en ai écrit beaucoup—elle t'adore!

JANINE: Tu m'as enfin rassurée! J'irai à la gare avec toi.

age, your mother and I. But she . . . I've seen recent pictures . . .

LILLIAN: I know you've seen some. And so?

JANINE: And so, she's remained so pretty, so young-looking! What'll she say about her fat cousin Janine?

VICTOR: Don't worry, dear. Mother's always admired you. And here, you've been a second mother to us. After the letters I've written her—and I've written many—she's crazy about you.

JANINE: You've made me feel better! I'll go to the station with you.

Response Drills

Ta mère arrivera demain?
    Oui, elle arrivera demain.
A quelle heure arriveras-tu, Maman?
    J'arriverai à 11:20.
Victor, quand arriverons-nous à la gare?
    Nous y arriverons à 11:10.
Quand le taxi arrivera-t-il à l'hôpital?
    Il y arrivera vers 1:15.
Est-ce que j'arriverai aujourd'hui?
    Oui, tu arriveras aujourd'hui.

Janine finira-t-elle son travail?
    Oui, elle finira son travail.
Finiras-tu ton travail, Janine?
    Oui, je finirai mon travail.
Applaudirez-vous cette ballerine?
    Nous applaudirons cette ballerine.
Paulette choisira-t-elle de nouveaux vêtements pour Catherine?
    Non, elle ne choisira pas de nouveaux vêtements!
Victor finira-t-il sa thèse à Paris?
    Non, il ne finira pas sa thèse à Paris.
Victor et Liliane applaudiront-ils l'orchestre?
    Oui, ils applaudiront l'orchestre.
Attendras-tu le train à la gare?
    Oui, je l'attendrai à la gare.

Attendrez-vous ma mère ici?
 Oui, nous l'attendrons ici.
Victor confondra-t-il les ballets de Delibes?
 Oui, il les confondra toujours!
Entendrez-vous *Coppélia* ce soir?
 Oui, nous l'entendrons ce soir.
Attendras-tu Maman ici?
 Oui, j'attendrai Maman ici.
Janine attendra-t-elle sa cousine à la gare?
 Oui, elle l'attendra à la gare.

Prendras-tu le métro, Victor?
 Oui, je le prendrai.
Prendrons-nous le métro?
 Oui, nous le prendrons.
Prendrez-vous le métro ensemble?
 Oui, nous le prendrons ensemble.
Prendrez-vous du thé avec moi, Mme Casiez?
 Oui, j'en prendrai volontiers.
Votre mari et sa cousine prendront-ils le métro, Mme Parry?
 Oui, ils le prendront.
Mme Parry et Mme Vallin prendront-elles le déjeuner aux Galeries Lafayette?
 Oui, Mme Casiez, elles l'y prendront.
Iras-tu à la gare avec moi, Janine?
 Non, mon cher, je n'irai pas avec toi.
Janine ira-t-elle à la gare avec Victor?
 Non, elle n'ira pas avec lui.
Irons-nous ensemble à la gare?
 Non, tu iras sans moi.
Victor ira-t-il à la gare avec Liliane?
 Non, il n'ira pas avec elle.
Irez-vous à la gare maintenant?
 Non, nous n'irons pas à la gare maintenant.

Vous allez revoir votre cousine, Mme Vallin?
 Oui. Ça me fera tellement plaisir!
Nous allons dîner avec nous.
 Vous me ferez tellement plaisir!
Je t'emmène avec moi.
 Tu me feras plaisir de m'emmener avec toi!
Victor vous emmène avec lui.
 Il me fera plaisir de m'emmener avec lui!

Tu nous invites à dîner?
    Je me ferai plaisir de vous inviter à dîner.
Victor et Liliane dînent chez vous?
    Ils nous feront plaisir de dîner chez nous.
Vous l'emmenez avec vous?
    Nous lui ferons plaisir de l'emmener avec nous.
Tu viendras à la gare, Janine?
    Je viendrai à la gare, Victor.
Nous viendrons dîner chez toi, avec plaisir.
    Ta Maman viendra à Paris demain!
Liliane et toi, vous viendrez au ballet avec moi.
    Et Charles ne viendra pas au ballet?

Repetition Drills

Ta mère arrivera demain!
A quelle heure sera-t-elle ici?
Je serai ravie de la revoir!
Nous serons ravis de la revoir, Charles et moi.
Vous serez ravis aussi, n'est-ce pas?
Liliane et l'enfant seront-elles au dîner?
Le train sera-t-il déjà là?

Tu ne voudras pas venir à la gare?
Mais Maman voudra tant te voir!
Nous voudrons vous inviter à dîner, Charles et moi.
Vous voudrez accepter, n'est-ce pas?
Je voudrai revoir Toinette, mais je suis trop occupée.
Les Vallin voudront revoir la mère de Victor.
Ils voudront l'inviter à un dîner de gala.

Si j'ai le temps, je t'accompagnerai.
Si Janine n'est pas occupée, elle ira avec Victor.
Si elle est occupée demain, elle restera à la maison.
Si tu ne viens pas avec moi, tu resteras avec Liliane?
Si Victor ne part pas à 10.45 h, il n'arrivera pas de bonne heure.
Si nous y allons tout de suite, nous y serons de bonne heure.
Si vous voulez bien inviter Maman, elle sera ravie.
Si Janine et Victor vont à la gare, Liliane et l'enfant resteront seules.

Transformation Drills

Dans les exercices suivants, le professeur lira la première phrase de chaque paire; la classe répondra en disant la forme transformée (In the following exercises, the professor will read the first sentence of each pair; the class responds by giving the changed form):

Je pense à notre dîner.
    J'y pense.
Victor va à la gare.
    Victor y va.
Il ne sera pas à la Sorbonne demain.
    Il n'y sera pas demain.
Liliane fait des courses aux Galeries Lafayette.
    Liliane y fait des courses.
On trouve des lentilles à l'épicerie.
    On y trouve des lentilles.
Penses-tu à ton dîner?
    Y penses-tu?
Cette lettre va aux Etats-Unis.
    Cette lettre y va.

J'ai pensé à notre dîner.
    J'y ai pensé.
Victor est allé à la gare.
    Victor y est allé.
Il n'a pas été à la Sorbonne hier.
    Il n'y a pas été hier.
Liliane a fait des courses aux Galeries Lafayette.
    Liliane y a fait des courses.
On a trouvé des lentilles à l'épicerie.
    On y a trouvé des lentilles.
As-tu pensé à ton dîner?
    Y as-tu pensé?
Cette lettre est allée aux Etats-Unis.
    Cette lettre y est allée.

Les lentilles se trouvent à l'épicerie.
    Les lentilles s'y trouvent.
Je me trouve maintenant à l'hôpital.
    Je m'y trouve maintenant.
Victor se repose à la maison.
    Victor s'y repose.
Tu te trouves déjà à l'hôpital?
    Tu t'y trouves déjà?
Victor et Janine se trouveront à la gare.
    Victor et Janine s'y trouveront.

Les lentilles se sont trouvées à l'épicerie.
    Les lentilles s'y sont trouvées.
Je me suis trouvé à l'hôpital.
    Je m'y suis trouvé.
Victor s'est reposé à la maison.
    Victor s'y est reposé.
Tu t'es trouvé à l'hôpital?
    Tu t'y es trouvé?
Victor et Janine se sont trouvés à la gare.
    Victor et Janine s'y sont trouvés.

Je parle de notre dîner, Victor.
    J'en parle.
Que dis-tu de cela, Victor?
    Je n'en dis rien.
Maman sera si contente de ce dîner.
    Elle en sera si contente!
Nous sommes ravis de cette idée.
    Nous en sommes ravis.
Parlez-vous des romans romantiques?
    En parlez-vous?
Que dites-vous des romans romantiques?
    Qu'en dites-vous?
Seras-tu content de ce dîner?
    En seras-tu content?
Victor parlera de sa thèse.
    Il en parlera.

J'ai parlé de notre dîner, Victor.
    J'en ai parlé.
Qu'as-tu dit de cela, Victor?
    Qu'en as-tu dit?
Maman a été si contente de ce dîner!
    Maman en a été si contente!
Nous avons été ravis de ton idée.
    Nous en avons été ravis.
Avez-vous parlé des romans romantiques?
    En avez-vous parlé?
Qu'avez-vous dit des romans romantiques?
    Qu'en avez-vous dit?
Avez-vous été content de ce dîner?
    En avez-vous été content?

Victor a parlé de sa thèse.
    Il en a parlé.

Victor se lève de son lit.
    Victor s'en lève.
Victor et Liliane se lèvent de leur lit.
    Victor et Liliane s'en lèvent.
Mais non! je ne me souviens pas de cela!
    Mais non! je ne m'en souviens pas!
Vous vous fâchez de ma vitesse, Madame?
    Vous vous en fâchez, Madame?
Tu ne te souviens pas de ce concert?
    Tu ne t'en souviens pas?
Liliane se fâche de cette vitesse.
    Liliane s'en fâche.

Victor s'est levé de son lit.
    Victor s'en est levé.
Victor et Liliane se sont levés de leur lit.
    Victor et Liliane s'en sont levés.
Mais non! je ne me suis pas souvenue de ce concert!
    Mais non! Je ne m'en suis pas souvenue!
Vous vous êtes fâchée de ma vitesse, Madame?
    Vous vous en êtes fâchée?
Tu ne t'es pas souvenue de cela?
    Tu ne t'en es pas souvenue?
Liliane s'est fâchée de cette vitesse.
    Liliane s'en est fâchée

Grammaire

83. THE FUTURE TENSE (Le futur)

Donc, ta mère **arrivera** demain? *So your mother will arrive tomorrow?*
Nous **resterons** ici ensemble. *We'll stay here together.*
Tu **viendras** avec moi, n'est-ce pas? *You'll come with me, won't you?*

arriver (1st conjugation)*
j'arriver**ai** *I will arrive* [arivəre] SOUNDS the same as 2nd person plural.

---

* Note the linkings in the plural. Also, in actual speech, first conjugation verbs in the future tense tend to be pronounced without the [ə], which is most often swallowed; and the words actually emerge as [ʒarivre], [ty arivra], etc.

tu arriver**as**	*you will arrive*	[arivəra]	2nd and 3rd person singular SOUND the same.
il arriver**a**	*he will arrive*	[arivəra]	
nous arriver**ons**	*we will arrive*	[nuzarivərɔ̃]	SOUNDS the same as 3rd person plural.
vous arriver**ez**	*you will arrive*	[vuzarivəre]	SOUNDS the same as 1st person singular.
ils arriver**ont**	*they will arrive*	[ilzarivərɔ̃]	SOUNDS the same as 1st person plural.

finir (2nd conjugation)

je finir**ai**	*I will finish*	[finire]
tu finir**as**	*you will finish*	[finira]
il finir**a**	*he will finish*	[finira]
nous finir**ons**	*we will finish*	[finirɔ̃]
vous finir**ez**	*you will finish*	[finire]
ils finir**ont**	*they will finish*	[finirɔ̃]

attendre (3rd conjugation)

j'attendr**ai**	*I will wait*	[ʒatɑ̃dre]
tu attendr**as**	*you will wait*	[tyatɑ̃dra]
il attendr**a**	*he will wait*	[il atɑ̃dra]
nous attendr**ons**	*we will wait*	[nuzatɑ̃drɔ̃]
vous attendr**ez**	*you will wait*	[vuzatɑ̃dre]
ils attendr**ont**	*they will wait*	[ilzatɑ̃drɔ̃]

être (irregular)

je ser**ai**	*I will be*	[səre]
tu ser**as**	*you will be*	[səra]
il ser**a**	*he will be*	[səra]
nous ser**ons**	*we will be*	[sərɔ̃]
vous ser**ez**	*you will be*	[səre]
ils ser**ont**	*they will be*	[sərɔ̃]

avoir (irregular)

j'aur**ai**	*I will have*	[ʒore]
tu aur**as**	*you will have*	[ora]
il aur**a**	*he will have*	[ora]
nous aur**ons**	*we will have*	[nuzorɔ̃]
vous aur**ez**	*you will have*	[vuzore]
ils aur**ont**	*they will have*	[ilzorɔ̃]

The future tense in French expresses future action. It is easier to remember than the present tense, since it is formed (with some exceptions) by adding the following endings to the infinitive: **-ai, -as, -a, -ons, -ez, -ont**. Here is a list of future stems for verbs studies up to this point, particularly those with irregular future stems:

parler	parler-	1st conjugation (entire infinitive)
finir	finir-	2nd conjugation (entire infinitive)
attendre	attendr-	3rd conjugation (entire infinitive minus final *-e*)
aller	ir-	
avoir	aur-	
connaître	connaîtr-	
dire	dir-	
écrire	écrir-	
être	ser-	
faire	fer-	
pouvoir	pourr-	
savoir	saur-	
venir	viendr-	
vouloir	voudr-	
s'asseoir	assiér-	

Besides actual future action, the future tense shows implied future action. In English we often use the present tense for this idea, but the future is understood:

Donc, ta mère arrivera demain? *So your mother's arriving tomorrow?* (*So your mother will arrive tomorrow?*)

84. The Future Tense in Condition–Result Sentences

Si j'**ai** le temps, je t'y **accompagnerai**. *If I have the time, I'll go there with you.*
Si tu **peux**, tu **iras** avec moi. *If you can, you'll go with me.*

In these sentences, the part beginning with **si** tells what condition will bring a certain result. The result is given in the future tense. This present–future combination may of course be reversed:

Je t'y accompagnerai si j'ai le temps.
Tu iras avec moi si tu peux.

85. *A* + Things = *Y* (Pronom adverbial)

Mais aller **à la gare** . . . Eh bien, je t'**y** accompagnerai. *But to go to the station . . . Well, I'll go along with you.*
Penses-tu **à ton dîner?** Oui, j'**y** pense. *Are you thinking about your dinner? Yes, I'm thinking about it.*

Victor est allé **à la Sorbonne.** Il **y** est allé. *Victor went to the Sorbonne. He went there.*

The word **y** is an adverbial pronoun for phrases starting with **à**, and referring to things, not persons* (**gare, dîner, Sorbonne**). Very often, though not always, it refers to a place. In these sentences, **y** replaces **à la gare, à ton dîner, à la Sorbonne.**

86. *De* + Things = *En* (Pronom partitif)

Maman sera si contente **de ce dîner** — elle **en** sera absolument ravie. *Mother will be so happy with this dinner—she'll be absolutely delighted with it.*

J'ai vu **des photos récentes**. Bien entendu, tu **en** as vu! *I've seen some recent pictures. Of course, you've seen some (of them)!*

Tu ne te souviens pas **de cela**? Tu ne t'**en** souviens pas? *You don't remember that? You don't remember it?*

Just as **y** is a pronoun for phrases starting with **à** and referring to things, **en** is a pronoun for those starting with **de** and referring usually to things† (**accueil, photos, cela**). Also, even if **en** replaces a feminine or plural noun, as in **photos**, there is no agreement between it and the past participle, even where it precedes the participle.

Exercices

Transformation Drills

Mettez les verbes au futur (Change the verbs to future tense):

Maman arrive demain.
Maman arrivera demain.

Je vais à la gare vers 10.45 h.
Tu prends le métro?
Janine vient à la gare avec moi.
Mais non, nous restons à la maison, Liliane et moi.
Vous m'attendez ici?
Le train est déjà là!
Liliane a besoin de moi.
Mais si, tu vas à la gare.

---

* You recall that phrases starting with **à** and referring to persons are replaced by the indirect object personal pronouns **me, te, lui**, etc.

† When **en** is used with quantity expressions, it may, you recall, refer to persons (Avez-vous des frères? Oui, j'**en** ai **trois**).

Ça me fait plaisir de la revoir.
Tu m'y accompagnes, Janine?
Mais je suis si occupée!
C'est un dîner de gala.
Que dites-vous de cela?
Nous en sommes si contents!
Tu finis ton travail?
Que dit-elle de sa grosse cousine Janine?
Mais qu'est-ce que ça lui fait?
Tu ne veux pas venir à la gare?
Oh, oui, je vais avec toi!

Tu iras à la gare à 2.45 h.
Vous irez à la gare 2.45 h.

Tu partiras à 2.20 h.
Tu attendras le train.
Tu arriveras demain.
Tu seras ici jeudi.
Tu auras besoin de moi.

Je me réveillerai à 12.20 h.
Nous nous réveillerons à 12.20 h.

Je me laverai la figure.
Je me brosserai les dents.
Je m'habillerai vite.
Je me dépêcherai beaucoup.
Je me reposerai après.
Je me calmerai enfin.
Je me souviendrai de ce jour!

Changez les phrases suivantes de sorte qu'elles indiquent une condition (Change the following sentences so that they become condition–result sentences):

J'ai le temps, je t'accompagne à la gare.
Si j'ai le temps, je t'accompagnerai à la gare.

Tu finis ton travail, tu viens à la gare.
Nous prenons le métro, nous arrivons à la gare de bonne heure.
Liliane a besoin de moi, je reste à la maison.
Vous n'allez pas à la gare, vous nous attendez ici.
Victor et Janine partent maintenant, ils ont besoin d'un taxi.
Le chauffeur se dépêche trop, je me fâche!

Victor se calme, il se repose enfin.
Ma cousine vient, nous faisons un dîner de gala.
Toinette arrive demain, je suis tellement occupée!
Tu fais ce dîner, nous en sommes si contents!
Je suis tellement occupée, je ne vais pas à la gare.

Changez les phrases suivantes en employant le pronom *y* (Change the following sentences by using *y*):

Maman sera à la gare à 11.20 h.
Maman y sera à 11.20 h.

Mme Parry arrivera à Paris demain.
Janine pense déjà à son dîner.
Nous resterons à la maison.
Tu viendras aux Galeries Lafayette avec moi?
Mais si, tu accompagneras Victor à la gare!
Victor et Liliane sont à l'hôpital maintenant.
Vous allez donc à la Tour Eiffel?
Je resterai à la maison.
Vous n'allez pas à la gare?

Maman ne sera pas à la gare.
Maman n'y sera pas.

Mme Parry n'arrivera pas à Paris demain.
Janine ne pense pas à son dîner.
Nous ne resterons pas à la maison.
Tu ne viendras pas aux Galeries Lafayette?
Tu n'accompagneras pas Victor à la gare?
Victor et Liliane ne sont pas à l'hôpital maintenant.
Vous n'allez donc pas à la Tour Eiffel?

Maman n'a pas été à la gare.
Maman n'y a pas été.

Mme Parry n'est pas arrivée à la gare.
Janine n'a pas pensé à son dîner.
Nous ne sommes pas restés à la maison.
Tu n'es pas venu aux Galeries Lafayette!
Tu n'as pas accompagné Victor à la gare?
Victor et Liliane n'ont pas été à l'hôpital.
Vous n'êtes pas allés à la Tour Eiffel?

Les gâteaux au chocolat se trouvent à la pâtisserie.
Les gâteaux au chocolat s'y trouvent.

Tu te trouves maintenant à l'hôpital?
Je me repose à l'hôpital.
Il se repose à la maison.
Nous nous trouvons à l'Opéra.
Vous vous trouvez déjà à la Tour Eiffel?
Tu te trouves à Chicago?
Je me trouve enfin à la maison.

Les tartes aux abricots se sont trouvées à la pâtisserie.
Les tartes aux abricots s'y sont trouvées.

Tu t'es trouvé à l'hôpital?
Je me suis reposé à l'hôpital.
Il s'est reposé à la maison.
Nous nous sommes trouvés à l'Opéra.
Vous vous êtes trouvé à la Tour Eiffel?
Tu t'es trouvé à Chicago?
Je me suis trouvé enfin à la maison.

Changez les phrases suivantes en employant le pronom *en* (Change the following sentences by using *en*):

Tu parles de ton dîner, Janine?
Tu en parles, Janine?

Que dit-il de cela?
Nous serons si contents de ce dîner?
Maman sera ravie du dîner!
Parle-t-il des romans spirituels?
Que dites-vous de ces romans?
Je parle des romans intéressants.
Vous parlez de votre thèse?
Oui, je parle de ma thèse.
Que dit-elle du dîner?

Tu as parlé de ton dîner, Janine?
Tu en as parlé, Janine?

Qu'a-t-il dit de cela?
Nous avons été si contents de ce concert!
Maman a été ravie du dîner!

A-t-il parlé des romans spirituels?
Qu'avez-vous dit de ces romans?
J'ai parlé des romans intéressants.
Vous avez parlé de votre thèse?
Oui, j'ai parlé de ma thèse.
Qu'a-t-elle dit du concert?

Je me souviens de cette musique.
Je m'en souviens.

Vous vous souvenez de ce ballet?
Nous nous souvenons de nos fiançailles.
Liliane se lève de son lit.
Elle se fâche de cette vitesse!
Tu te souviens de la Tour Eiffel?
Ils se lèvent de leur lit.
Je me fâche des prix élevés!
Victor se souvient du concert.
M. Musy se fâche des romans déprimants.
Tu te lèves déjà du lit, chérie?

Je me suis souvenue de cette musique.
Je m'en suis souvenue.

Vous vous êtes souvenue de ce ballet?
Nous nous sommes souvenus de nos fiançailles.
Liliane s'est levée de son lit.
Elle s'est fâchée de cette vitesse.
Tu t'es souvenu de la Tour Eiffel?
Ils se sont levés de leur lit.
Je me suis fâchée des prix élevés.
Victor s'est souvenu du concert.
M. Musy s'est fâché des romans déprimants.
Tu t'es déjà levée du lit, chérie?

Questions sur le Dialogue

1. Quand arrivera la mère de Victor?
2. Quand Victor prendra-t-il le métro?
3. Qui aura besoin de Janine?
4. La mère de Victor est-elle la sœur de Janine?
5. Pourquoi Janine pense-t-elle à un dîner de gala?
6. La mère de Victor aimera-t-elle ce dîner?

7. La mère de Victor a-t-elle le même âge que Janine?
8. Pourquoi Janine ne veut-elle pas aller à la gare?
9. Pourquoi la mère de Victor adore-t-elle Janine?
10. Victor a-t-il rassuré Janine?
11. Ira-t-elle à la gare avec Victor?

Prononciation [ɛ̃]

fin
vin
matin
Indes
raisin
tinter
Ingres
gingembre

important
timbre
simple
gimblettes
limbe
Rimbaud
pimbèche
Quimper

lynx
syntaxe
syndic
Tyndaris

nymphe
sympathique
thym
Olympe

gain
bain
vaincre
main
ainsi
romain
saindoux

daim
faim
essaim

loin
besoin
joindre

rein
sein
teint
peindre
teindre
geindre

appendice
examen
Benjamin
agenda
Rubens

citoyen
moyen
doyen

bien
lien
chien
Adrien

viens
tiens
viendrai
tiendrai

Cinq nymphes vinrent joindre Tyndaris.
Julien vient de loin; il a faim.
Ingres fut un peintre important.
Les bains romains sont pleins de citoyens.
Le chien viendra manger des gimblettes.

Dialogue Review

A. Class reads Dialogue 19 in unison or in groups.
B. Several students give Dialogue 18 by heart.
C. *Dictée* based on Dialogue 17.

Victor's mother arrives.

VINGTIEME LEÇON

L'arriveé de grand'maman

MME PARRY: Victor! mon fils! Enfin! Ces trains mettent tant de temps à arriver! Quel plaisir d'être à Paris! . . . Qu'est-ce que je dis! Quelle joie de te revoir! Mais qui est-ce qui est venu avec toi . . . qui vois-je! C'est toi, Ninon! Viens vite, ma chère, embrasse-moi! Tu t'es si souvent mise en quatre pour mes enfants! Mais qu'est-ce que c'est, Ninon, tu pleures! Qu'est-ce qui te fait pleurer?

JANINE: Quand je te revois après si longtemps . . . que veux-tu? Je suis comme ça. Mais dépêchons-nous de rentrer. On t'y attend!

MME PARRY: Qui m'attend donc?

VICTOR: (Riant) Qui t'attend? Que tu es distraite, grand'maman!

MME PARRY: Ah, Mon Dieu! Allons, Victor! Qu'attends-tu donc? Tu as une voiture?

VICTOR: Non, Maman. Mais il y a un taxi dehors. J'y mets ton bagage.

MME PARRY: Enfin! Je verrai ma petite-fille! Je reverrai Liliane! . . . Mais mets-moi au courant! Comment vas-tu, Ninon? Et Charles? Et ton fils Henri? . . . Voyons, qui est-ce que j'ai oublié?

MRS. PARRY: Victor! My son! Finally! These trains take so much time getting here! What a pleasure to be in Paris! . . . What am I saying! What a joy to see you again! Why, who's this that came with you . . . whom do I see! It's you, Ninon! Come over here quick, my dear, kiss me! You've often gone to such trouble for my children! Why, what is it, Ninon, you're crying! What's making you cry?

JANINE: When I see you again after such a long time . . . what do you expect? That's how I am. But let's hurry home. Someone's waiting for you!

MRS. PARRY: Who's waiting for me?

VICTOR: (Laughing) Who's expecting you? How absentminded you are, Grandma!

MRS. PARRY: Oh, my goodness! Come on, Victor! What are you waiting for? Have you a car?

VICTOR: No, Mother. But there's a cab outside. I'll put your bags in.

MRS. PARRY: Finally! I'll see my granddaughter! I'll see Lillian again! . . . Well, bring me up to date! How are you, Ninon? And Charles? And your son Henri? . . . Let's see, whom did I forget?

JANINE: Il n'y a que Poussette.
MME PARRY: Poussette? Qui est-ce?
JANINE: C'est notre chatte.
MME PARRY: (Riant) Tu me fais marcher, hein?
JANINE: Pourquoi pas? Ah! voilà notre taxi. Mets-toi là, Toinette. Tu verras Liliane et l'enfant, tu te reposeras. Et puis, vers sept heures, tu mettras une jolie robe, n'est-ce pas? Et tu monteras prendre le dîner chez moi.

JANINE: Only Poussette.
MRS. PARRY: Poussette? Who's that?
JANINE: It's our cat.
MRS. PARRY: (Laughing) You're pulling my leg, eh?
JANINE: Why not? Ah! Here's our cab. Get in, Toinette. You'll see Lillian and the baby, take a rest . . . And then, around seven o'clock, you'll put on a pretty dress, O.K.? And you'll come up to my place for dinner.

Repetition Drills

Qui est venu avec toi?
Qui est-ce qui est venue avec toi?
Qui t'attend?
Qui est-ce qui t'attend?
Qui viendra avec moi?
Qui est-ce qui viendra avec moi?
Qui taquinait Victor?
Qui est-ce qui taquinait Victor?
Qui a envoyé ce cadeau?
Qui est-ce qui a envoyé ce cadeau?
Qui a eu le temps de se maquiller?
Qui est-ce qui a eu le temps de se maquiller?

Qui vois-je?
Qui est-ce que je vois?
Qui as-tu oublié?
Qui est-ce que tu as oublié?
Qui taquinait-on?
Qui est-ce qu'on taquinait?
Qui Victor emmenèra-t-il?
Qui est-ce que Victor emmènera?
Qui Janine prend-elle dans ses bras?
Qui est-ce que Janine prend dans ses bras?
Qui avez-vous invité à dîner?
Qui est-ce que vous avez invité à dîner?
Qui applaudissions-nous?
Qui est-ce que nous applaudissions?

Que dis-je?
Qu'est-ce que je dis?
Que veux-tu?
Qu'est-ce que tu veux?
Qu'attend Victor?
Qu'est-ce que Victor attend?
Qu'as-tu acheté?
Qu'est-ce que tu as acheté?
Que fera-t-il?
Qu'est-ce qu'il fera?
Que disions-nous?
Qu'est-ce que nous disions?
Que voulait-il faire?
Qu'est-ce qu'il voulait faire?
Qu'as-tu préparé pour le dîner?
Qu'est-ce que tu as préparé pour le dîner?
Que faisiez-vous à la plage?
Qu'est-ce que vous faisiez à la plage?

Qu'est-ce qui te fait pleurer?
Qu'est-ce qui t'amuse?
Qu'est-ce qui coûte si cher?
Qu'est-ce qui amusera Victor?
Qu'est-ce qui se trouvait à la charcuterie?
Qu'est-ce qui s'est trouvé à la librairie?
Qu'est-ce qui est arrivé chez vous?
Qu'est-ce qui fera plaisir à Mme Parry?
Qu'est-ce qui peut faire pleurer Janine?

Response Drills

Exercices sur l'emploi du verbe *mettre*. Répondez aux questions du professeur (Exercises on the use of *mettre*. Answer the professor's questions):

Vas-tu mettre les billets dans ton sac?
    Oui, je les y mets.
Je vais mettre tes valises dans le taxi, n'est-ce pas?
    Mais oui, tu les y mets!
Tu ne vas pas mettre une jolie robe pour le dîner?
    Mais si, je mets une jolie robe!
Allez-vous mettre vos belles robes pour le concert?
    Mais certainement, nous les mettons!

Allons-nous mettre tes valises dans le taxi?
    Ah oui! Vous les y mettez tout de suite.

Mon pauvre mari distrait, tu n'as pas mis les billets dans mon sac?
    Mais si, je les ai mis dans ton sac!
Qui est-ce qui a mis ce cadeau sur la table?
    Nous l'y avons mis hier.
Charles et Janine ont mis le cadeau sur la table?
    Oui, ils l'y ont mis.

Allais-tu souvent chez Victor quand tu avais dix ans?
    Oui. Et je mettais toujours une jolie robe!
Tu mettais toujours une jolie robe? Je ne m'en souviens pas!
    C'est vrai, Toinette? Elle ne mettait pas de robes usées?
Mais nous, Ninon, nous en mettions toujours!
    Ne mettiez-vous pas de vieux vêtements pour jouer ensemble?
Quelle question! Bien sûr, ils en mettaient!
    Mes enfants en mettaient aussi.

Exercices sur l'emploi du verbe *voir*. Répondez aux questions du professeur:

Vous voyez souvent M. Musy?
    Oui, Mme Casiez, je le vois souvent.
Tu vois des ballets avec Liliane?
    Oui, Maman, nous en voyons ensemble.
Liliane voit-elle Paris avec Ninon?
    Oui, elles le voient ensemble.
Victor voit-il Paris avec les deux femmes?
    Oui, ils le voient ensemble.

Moi! j'ai déjà vu ce ballet à Chicago?
    Oui! tu l'y as déjà vu!
Victor, as-tu vu les billets?
    Oui, chérie, je les ai vus!
Ont-ils vu la Tour Eiffel, Ninon?
    Oui, Toinette, ils l'ont vue.
Avez-vous vu le quartier de la Sorbonne?
    Oh, oui! Nous l'avons vu.
Liliane a-t-elle vu ces chapeaux?
    Oui, elle les a vus.

Repetition Drills

Exercice sur le verbe *revoir*, au *futur*. Répétez après le professeur:

Viens, Janine. Nous serons bien vite à la gare.
Et je reverrai Toinette!
Oui, tu reverras bientôt Maman.
Bonjour, Monsieur! Vous verrez bientôt Madame votre mère?
Oui, Mme Casiez. Nous la verrons ensemble!
Et elle verra bientôt sa petite-fille.
Et les Vallin verront leur cousine!

Exercice sur les *verbes réfléchis* au *futur*. Répétez après le professeur:

Tu te reposeras un peu, n'est-ce pas?
Oui, Ninon, je me reposerai.
Et puis, quand Catherine se réveillera . . .
Je me révéillerai aussi.
Tu t'amuseras avec elle!
Nous nous amuserons avec elle aussi!
Oui! vous vous amuserez tous avec la petite.
Puis, Liliane et Catherine se reposeront un peu.

Grammaire

87. Pronouns that Ask a Question (Les pronoms interrogatifs)

Qui t'attend? **Qui est-ce qui** t'attend? *Who's waiting for you?*
Qui est venu avec toi? **Qui est-ci qui** est venu avec toi? *Who came with you?*
Qui est-ce? *Who is it?*

The pronouns **qui** and **qui est-ce qui** both ask the same question: *Who?* As such, they are used as the subject of sentences, where persons are concerned. The use of **qui est-ce qui** generally shows more force or emotion than **qui.**

Qui vois-je? **Qui est-ce que** je vois! *Whom do I see?*
Qui avez-vous invité à dîner? **Qui est-ce que** vous avez invité à dîner? *Whom have you invited to dinner?*
Qui as-tu oublié? **Qui est-ce que** tu as oublié? *Whom did you forget?*
Qui applaudissions-nous? **Qui est-ce que** nous applaudissions? *Whom were we clapping for?*

Qui est-ce que means *Whom?* So does **qui,** where it is used as a direct object and a person is concerned.

Note

a. **Qui** may mean *who?* or *whom?* depending on how it is used.
b. Qui est-ce **qui?** means *who?* Qui est-ce **que** means *whom?*

Qu'est-ce qui te fait pleurer? *What's making you cry?*
Qu'est-ce qui amusera Victor? *What'll amuse Victor?*

Qu'est-ce qui? asks the question *what?* where the subject is a thing. It has no alternate one-word form.

Que veux-tu? **Qu'est-ce que** tu veux? *What do you want?*
Qu'attends-tu donc? **Qu'est-ce que** tu attends? *What are you waiting for?*
Que fera-t-il? **Qu'est-ce qu'**il fera? *What'll he do?*
Qu'avez-vous envoyé? **Qu'est-ce que** vous avez envoyé? *What did you send?*

Que? and **Qu'est-ce que?** mean *what?* where a thing is the direct object.

To summarize:

LONG FORM	SHORT FORM		
Qui est-ce **qui?**	**Qui?**	*Who?*	Subject: Persons
Qui est-ce **que?**	**Qui?**	*Whom?*	Direct Object: Persons
Qu'est-ce **qui?**	(none)	*What?*	Subject: Things
Qu'est-ce **que?**	**Que?**	*What?*	Direct Object: Things

Here's a useful rule of thumb for the long forms:

Qui on the left means: the question asked concerns a person.
Que on the left means: the question asked concerns a thing.
Qui on the right means: the person or thing is the subject of the verb.
Que on the right means: the person or thing is the direct object of the verb.

Note also that when the long form contains **que** (direct object), there is no inversion of subject and verb; the short version of these same patterns requires inversion of subject and verb:

Qui vois-je? (inversion) **Qui est-ce que je vois?** (no inversion)
Que veux-tu? (inversion) **Qu'est-ce que tu veux?** (no inversion)

88. *Voir*, To See (Irregular Verb)

Qui **vois-je?** *Whom do I see?*
Je **verrai** ma petite-fille! *I'll see my granddaughter!*
Ont-ils **vu** la Tour Eiffel? *Have they seen the Eiffel Tower?*
Tu **reverras** Liliane. *You'll see Lillian again.*

Voir (*to see*) and its related verb **revoir** (*to see again*) are irregular and very frequently used. Its past participle is **vu**, and the future stem is **verr-**.

PRESENT

je vois	*I see*	[vwa]	All singular forms and
tu vois	*you see*	[vwa]	3rd persons plural SOUND
il voit	*he sees*	[vwa]	the same.
nous voyons	*we see*	[vwajɔ̃]	1st and 2nd persons plural
vous voyez	*you see*	[vwaje]	differ by only a single
ils voient	*they see*	[vwa]	sound.

IMPERFECT	FUTURE	PASSÉ COMPOSÉ	IMPERATIVE
je voyais	je verrai	j'ai vu	vois
tu voyais	tu verras	tu as vu	voyons
il voyait	il verra	il a vu	voyez
nous voyions	nous verrons	nous avons vu	
vous voyiez	vous verrez	vous avez vu	
ils voyaient	ils verront	ils ont vu	

89. *Mettre*; To Put, To Put On (Irregular Verb)

Je **mets** tes bagages dans le taxi. *I'm putting your suitcases into the cab.*
Tu **mettras** une jolie robe. *You'll put on a pretty dress.*
Tu t'**es** si souvent **mise** en quatre pour mes enfants! *You've so often gone to a lot of trouble for my children!*
Ces trains **mettent** tant de temps à arriver! *These trains take so much time getting here!*
Ah! voilà notre taxi. **Mets**-toi là! *Ah! here's our cab. Get in!*

Mettre is another frequently used irregular verb. It generally means *to put* or *to place*. It also means *to put on* (*clothing*), but lends itself besides to many idioms, as you see from the examples. **Mettre du temps** means *to take time* in an almost literal sense of the verb **mettre**: *to "put in" time*; **se mettre en quatre** means *to take trouble* (enough for "four people"); **se mettre** means *to place oneself* and can mean to sit, lie, stand, etc., depending on the situation. Here's how **mettre** is conjugated:

PRESENT

je mets	*I put*	[mɛ]	All singular forms SOUND the
tu mets	*you put*	[mɛ]	same.
il met	*he puts*	[mɛ]	
nous mettons	*we put*	[metɔ̃]	1st and 2nd persons plural
vous mettez	*you put*	[mete]	differ by only a single sound.
ils mettent	*they put*	[mɛt]	

The past participle of **mettre** is **mis** and the future stem is **mettr-**:

IMPERFECT	FUTURE	PASSÉ COMPOSÉ	IMPERATIVE
je mettais	je mettrai	j'ai mis	mets
tu mettais	tu mettras	tu as mis	mettons
il mettait	il mettra	il a mis	mettez
nous mettions	nous mettrons	nous avons mis	
vous mettiez	vous mettrez	vous avez mis	
ils mettaient	ils mettront	ils ont mis	

Exercices

Transformation Drills

Janine est venue avec moi.
Qui est venu avec toi? Qui est-ce qui est venue avec toi?

Tu t'es si souvent mise en quatre pour mes enfants!
On t'y attend.
Tu me fais marcher, hein?
Tu te reposeras un peu.
Ses copains le taquinaient.
Je mettrai ma jolie robe verte.
Nous prendrons un taxi pour arriver à la maison.
Victor lit un roman de Camus.
M. Musy a lu *Candide*.
Victor disait toujours qu'il m'aimait bien.
Nous applaudissions toujours ces ballets.

Ah! je vois la Tour Eiffel.
Demain je verrai la Tour Eiffel.

Victor voit M. Musy à sa librairie.
Victor et Janine voient Mme Parry à la gare.
Vous voyez donc votre mère?
Tu vois ta petite-fille!
Je vois enfin ce ballet.
Nous voyons notre chauffeur.

Je vois souvent cet homme.
Je ne voyais pas souvent cet homme.

Victor voit son médecin.
Victor et Liliane voient ce ballet.
Vous voyez ces romans de Marivaux?
Tu vois ces gâteaux délicieux?

Je vois Mme Coudert à l'hôpital.
Nous voyons Paulette à Chicago.

Mais je vois Ninon!
Qui vois-je! Qui est-ce que je vois!

Nous attendons le chauffeur de taxi.
Tu as oublié ta cousine Paulette.
Ils taquinaient Victor.
On verra Maman demain.
Liliane a invité Mme Casiez pour le thé.
Victor aime bien M. Musy.
Victor applaudissait la belle ballerine.
Les parents de Victor les ont encouragés.
L'infirmière a emmené Liliane.

Response Drills

Le train a mis tant de temps à arriver!
Qu'est-ce qui a mis tant de temps à arriver?

Ce gâteau est très nourrissant!
Ces spectacles finissent si tard!
Notre taxi nous attend.
Les ballets de Delibes me font bâiller.
Cette eau-de-toilette coûte si cher!
Les gâteaux au chocolat se trouvent à la pâtisserie.
L'ascenseur mettra beaucoup de temps à monter.
Le métro met vingt minutes à y arriver.
Le magasin se trouve au coin de la rue.

Je dis que c'est un plaisir d'être à Paris.
Que dis-tu! Qu'est-ce que tu dis!

J'attends un taxi, Maman.
Elle t'a raconté l'histoire.
Liliane tricote de petits vêtements.
Tu prends du thé souvent.
Je prends volontiers de la quiche.
Nous prenons le métro, chérie.
Ils applaudissent l'orchestre.

Transformation Drills

Je mets mon chapeau noir.
Je mettrai mon chapeau noir.

Liliane met son chapeau vert.
Nous mettons les valises dans le taxi.
Je mets des bonbons dans ton sac.
Tu mets le thé près de mon lit?
Vous mettez tant de temps à arriver.
Victor et Liliane mettent vingt minutes à arriver à Neuilly.

Je mets ma robe rouge.
J'ai mis ma robe rouge.

Vraiment? Tu mets tant de temps à arriver?
Nous nous mettons au lit; nous sommes épuisés.
Je mets trois heures à arriver ici.
Tu mets le thé sur la table?
Vous mettez votre chapeau bleu, Madame?
Victor et Janine mettent les valises dans le taxi.

Je mets les valises dans la voiture.
Je mettais les valises dans la voiture.

Vraiment? Tu mets tant de temps à arriver?
Nous nous mettons au lit vers dix heures.
Je mets une belle robe pour aller au concert symphonique.
Tu mets du chocolat dans le gâteau?
Vous mettez toujours cette robe verte?
Victor et Janine mettent les valises dans la voiture.

Chain Drills

Victor est malade; il se met au lit.

Liliane est arrivée à l'hôpital; elle . . .
Nous sommes épuisés; nous . . .
Vous êtes fatigués; vous . . .
Tu es malade, Victor; tu . . .
Je suis à l'hôpital; je . . .
Victor et Liliane sont épuisés; ils . . .

Liliane aime les ballets; elle en voit volontiers.

Tu aimes ces ballets? Tu en . . .
J'aime beaucoup les ballets de Delibes; j'en . . .
Liliane et Victor aiment les ballets; ils en . . .
Nous aimons aussi les ballets de Stravinsky; nous en . . .
Vous aimez ces ballets, Madame; vous en . . .

Questions sur le Dialogue

1. Qu'est-ce qui met beaucoup de temps à arriver?
2. Qui vient d'arriver à Paris?
3. Qui est-ce qui est venu à la gare avec Victor?
4. Qui Mme Parry voit-elle?
5. Qui est-ce qu'elle embrasse?
6. Qui s'est mis en quatre pour Victor et Liliane?
7. Qui est-ce qui pleure?
8. Qu'est-ce qui fait pleurer Janine?
9. Qui Janine revoit-elle?
10. Qui est-ce qui attend Mme Parry à la maison?
11. Qui est distraite?
12. Qu'est-ce qui attend Victor, Janine et Mme Parry près de la gare?
13. Qui est-ce que Mme Parry verra pour la première fois?
14. Qui reverra-t-elle?
15. Qui a-t-elle oublié?
16. Qui est Poussette?
17. Qui est-ce qui fait marcher Mme Parry?
18. Qui se reposera?
19. Qui mettra une jolie robe?
20. Qui prendra le dîner chez Janine?

Prononciation [œ̃]

chacun	brun	jeun	parfum
aucun	commun	Meung	humble
Melun	pétun		Humbert
alun	emprunt		
tribun	Hun		
défunt	Lauzun		
Verdun	quelqu'un		

Humbert le Hun est fort importun.
Chacun emprunte humblement à quelqu'un.
Quelques-uns des tribuns sont à jeun.
Jean de Meung est défunt.
Le parfum de Verdun est commun.

Dialogue Review

A. Class reads Dialogue 20 in unison or in groups.
B. Several students give Dialogue 19 by heart.
C. *Dictée* based on Dialogue 18.

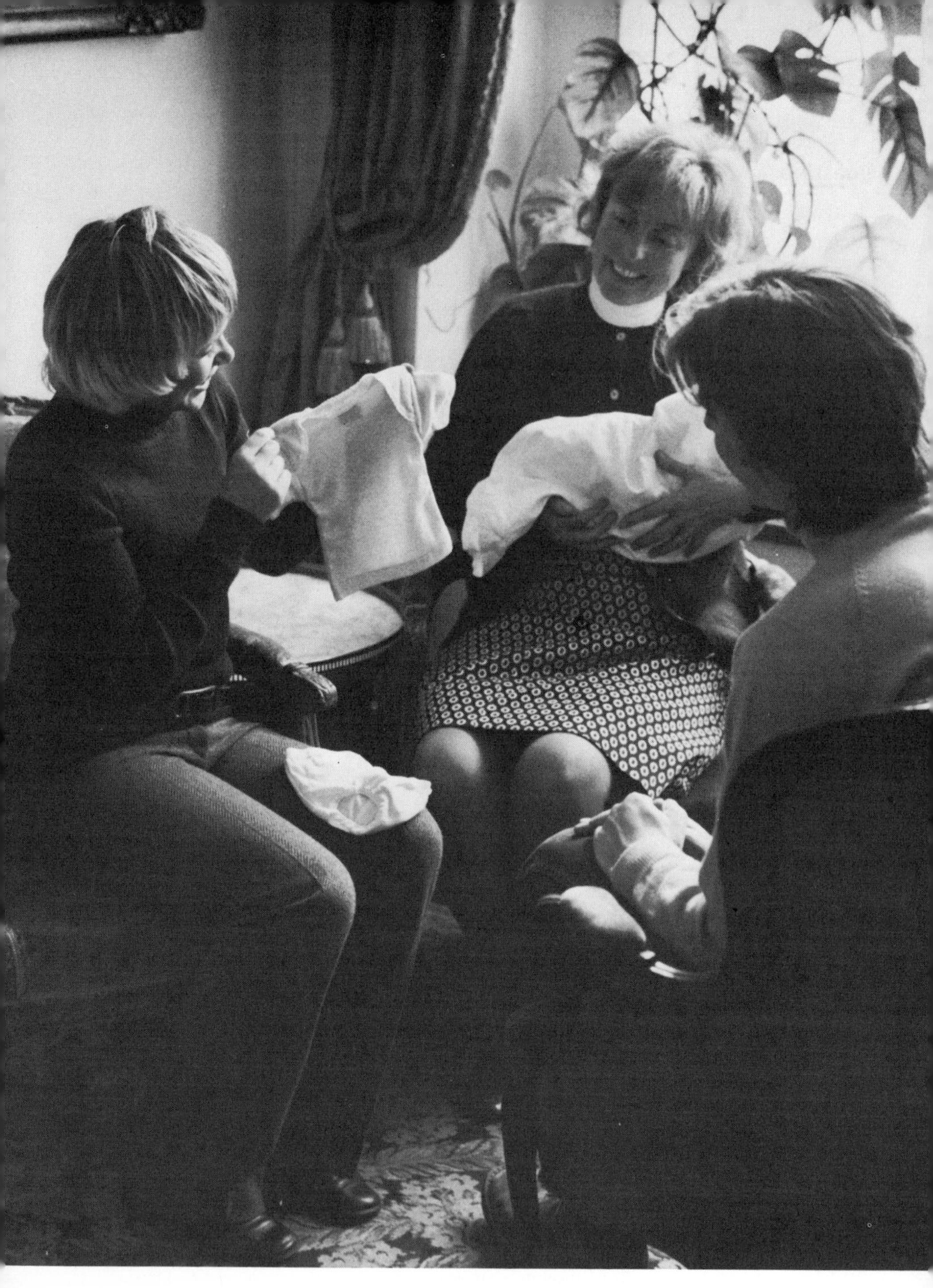

Gifts for Catherine.

VINGT ET UNIEME LEÇON

Papa Victor

MME PARRY: A qui est cette petite poupée, cette petite Parisienne? Est-elle vraiment à vous? Vous ne voudriez pas me la vendre, je suppose?

MRS. PARRY: Whose is this little doll, this little Parisian? Is she really yours? You wouldn't want to sell her to me, I suppose?

LILIANE: Mais certainement elle est à nous! Et nous ne la vendrions pas, pour rien au monde!

LILLIAN: Why certainly she's ours! And we wouldn't sell her, not for anything in the world!

MME PARRY: Je ne croirais pas, moi, qu'elle est à toi, Victor, si je ne la voyais pas de mes propres yeux. Premièrement, tu n'es encore qu'un enfant—

MRS. PARRY: I wouldn't believe she's yours, Victor, if I weren't seeing her with my own eyes. To begin with, you're still only a child yourself—

VICTOR: (Amusé) Je savais bien que tu parlerais ainsi! Et j'ai vingt-trois ans!

VICTOR: (Amused) I just knew you'd talk like that! And I'm twenty-three years old!

MME PARRY: Vingt-trois ans! Ça ne me rajeunit aucunement, n'est-ce pas?

MRS. PARRY: Twenty-three! That doesn't make me a bit younger, does it?

VICTOR: Je suis nettement assez vieux pour être père! Si nous le voulions, nous pourrions avoir un deuxième enfant dans neuf mois!

VICTOR: I'm clearly old enough to be a father! If we wanted to, we could have a second baby in nine months!

LILIANE: Victor! Tais-toi!

LILLIAN: Victor! Don't say that!

VICTOR: Catherine est à moi. Regarde-la donc! Qui ne la reconnaîtrait pas comme ma fille?

VICTOR: Catherine is mine. Look at her! Who wouldn't recognize her as my daughter?

MME PARRY: (Très amusée) Oh! Victor, tu ne serais pas mon fils si tu n'étais pas taquin, je devrais bien le savoir!

MRS. PARRY: (Much amused) Oh! Victor, You wouldn't be my son if you weren't such a kidder. I ought to know that!

LILIANE: Et comment! Mais aujourd'hui il est tout bonnement choquant.

LILLIAN: And how! But today he's downright shocking.

VICTOR: Mais qu'est-ce qui est si choquant? Catherine voudrait bien avoir un frère, n'est-ce pas, mignonne?

VICTOR: But what's so shocking? Catherine would like to have a brother, wouldn't you, cutie?

MME PARRY: Et moi, j'aurais un petit-fils! A propos, j'ai apporté des cadeaux pour la petite. Et vous ne devineriez jamais. . . . Ambroise a donné cinquante dollars, et très gentiment, d'ailleurs!

MRS. PARRY: And I'd have a grandson! By the way, I've brought gifts for the baby . . . And you'd never guess . . . Ambrose gave fifty dollars! And very nicely, besides!

LILIANE ET VICTOR: Pas possible!!

LILLIAN AND VICTOR: Impossible!!

LILIANE: Et ma cousine Paulette?

LILLIAN: And my cousin Paulette?

MME PARRY: Paulette a envoyé des vêtements magnifiques—tous en dentelle! Et des joujoux flambant neufs! Toute la famille en est absolument sidérée!

MRS. PARRY: Paulette sent marvelous clothing—all in lace! And some brand-new toys! The whole family's absolutely flabbergasted!

LILIANE: Je n'en reviens pas!

LILLIAN: I can't get over it!

VICTOR: Si je n'avais pas une forte constitution, je m'évanouirais!

VICTOR: If I didn't have a strong constitution, I'd faint!

Response Drill

Qui est cette enfant? Cette petite poupée est-elle vraiment à toi?
    Oui, Maman, elle est à moi.
Cette petite Parisienne est-elle vraiment à vous?
    Oui, Maman, elle est à nous.
Ce cadeau est-il à Catherine?
    Oui, il est à elle.
Ces joujoux sont-ils à la petite?
    Oui, ils sont à elle.
Cet appartement est-il à Victor et à Liliane?
    Oui, il est à eux.
Cet argent est-il à l'enfant?
    Oui, il est à elle.

Substitution Drill

Je savais bien
        que vous ne voudriez pas me la vendre!
        que tu ne me la vendrais pas!

que Liliane en serait sidérée!
que je ne devinerais pas!
que nous arriverions à midi.
que Maman et Victor me taquineraient!

Repetition Drill

Cette petite Parisienne est-elle vraiment à vous?
Mais certainement, elle est à nous!
Premièrement, tu n'es encore qu'un enfant.
Je suis nettement assez vieux pour être père!
Je savais bien que tu parlerais ainsi!
Ça ne me rajeunit aucunement!
Aujourd'hui il est tout bonnement choquant!
L'oncle Ambroise a très gentiment donné cinquante dollars.
Toute la famille en est absolument sidérée!

Transformation Drill

Si j'ai le temps, je t'accompagnerai.
Si j'avais le temps, je t'accompagnerais.
Janine n'est pas occupée, elle ira avec Victor.
Si Janine n'était pas occupée, elle irait avec Victor!
Elle restera à la maison si elle est occupée.
Elle resterait à la maison si elle était occupée.
Tu resteras avec Liliane si tu ne viens pas avec moi?
Tu resterais avec Liliane si tu ne venais pas avec moi?
Si Victor ne part pas à 10.45 h, il n'arrivera pas de bonne heure.
Si Victor ne partait pas à 10.45 h, il n'arriverait pas de bonne heure.
Nous y serons de bonne heure, si nous y allons tout de suite.
Nous y serions de bonne heure, si nous y allions tout de suite.
Si vous voulez bien inviter Maman, elle sera ravie.
Si vous vouliez bien inviter Maman, elle serait ravie.
Liliane et l'enfant resteront seules, si Janine et Victor vont à la gare.
Liliane et l'enfant resteraient seules, si Janine et Victor allaient à la gare.
Ils arriveront à 11.10 h s'ils se dépêchent.
Ils arriveraient à 11.10 h s'ils se dépêchaient.

Grammaire

90. *Etre A*

Cette petite poupée **est**-elle vraiment **à** vous? *Is this little doll really yours?*
Mais certainement, elle **est à** nous! *Why certainly, she's ours!*

Je ne croirais pas que Catherine **est à** toi, Victor. *I wouldn't believe Catherine's yours, Victor.*
Elle **est** bien **à** moi! *She's mine, all right!*

When **être** is used with **à** and the stressed pronouns (**moi, toi**, etc.) it shows possession (*to belong to*). It answers the question: **A qui est?** *Whose is . . .?*

91. The Conditional (Le conditionnel)

Nous ne la **vendrions** pas! *We wouldn't sell her!*
Je savais bien que tu **parlerais** ainsi! *I just knew you'd talk like that!*
Qui ne la **reconnaîtrait** pas? *Who wouldn't recognize her?*
Moi, j'**aurais** un petit-fils! *I'd have a grandson!*

The verbs in these sentences, used with the helping verb *would* (*would* sell, *would* recognize, *would* talk, *would* have) are in **le conditionnel** (*the conditional*). Their stem is always identical with the future stem:

parler			
je parler**ais**	[parlərɛ]	*I would speak*	All singular forms
tu parler**ais**	[parlərɛ]	*you would speak*	and 3rd persons
il parler**ait**	[parlərɛ]	*he would speak*	plural SOUND the same.
nous parler**ions**	[parlərjɔ̃]	*we would speak*	1st and 2nd persons
vous parler**iez**	[parlərje]	*you would speak*	plural differ by only
ils parler**aient**	[parlərɛ]	*they would speak*	a single sound.

finir	**vendre**	**être**	**avoir**
je finir**ais**	je vendr**ais**	je ser**ais**	j'aur**ais**
tu finir**ais**	tu vendr**ais**	tu ser**ais**	tu aur**ais**
il finir**ait**	il vendr**ait**	il ser**ait**	il aur**ait**
nous finir**ions**	nous vendr**ions**	nous ser**ions**	nous aur**ions**
vous finir**iez**	vous vendr**iez**	vous ser**iez**	vous aur**iez**
ils finir**aient**	ils vendr**aient**	ils ser**aient**	ils aur**aient**

The conditional is formed from two elements already studied: the future stem and the endings of the imperfect tense.

92. Condition–Result Sentences Using the Imperfect and Conditional

Je ne le **croirais** pas si je ne la **voyais** pas. *I wouldn't believe it if I didn't see her.*
Si je n'**avais** pas une forte constitution, je m'**évanouirais**! *If I didn't have a strong constitution, I'd faint!*

Tu ne **serais** pas mon fils si tu n'**étais** pas taquin! *You wouldn't be my son if you weren't a kidder!*

These sentences, using the imperfect–conditional combination, tell what *would* happen if a certain condition were met. You have previously studied condition–result sentences using the present–future tense combination:

Si j'**ai** le temps, je t'y **accompagnerai**. (Or: Je t'y **accompagnerai** si j'**ai** le temps). *If I have time, I'll go along with you.*
Si tu **peux**, tu **iras** avec moi. (Or: Tu **iras** avec moi si tu **peux**). *If you can, you'll go with me.*

These examples show what *will* result if a certain condition *is* met. Actually, condition–result expressions are close in meaning, whether they use the present–future or the imperfect–conditional combination: there is not much difference between "If I have time, I'll go with you" and "If I had time, I'd go with you." However, the first expression does convey a somewhat stronger degree of possibility and determination than the second.

Note

a. The *imperfect* is used in the "if" part of the sentence, which states the condition.
b. The *conditional* is used in the "result" part of the sentence.
c. These facts hold true whether the "if" or "result" part is mentioned first or last. It would therefore be just as correct, in the above examples, to say:

Si je ne la **voyais** pas, je ne le **croirais** pas.
Je m'**évanouirais**, si je n'**avais** pas une forte constitution!
Si tu n'**étais** pas taquin, tu ne **serais** pas mon fils!

One more item:

Je ne le **croirais** pas. *I wouldn't believe it.*
Je m'**évanouirais**! *I'd faint!*
Tu ne **serais** pas mon fils! *You wouldn't be my son!*

The "result" part of a condition–result expression, containing the conditional form, makes complete sense in itself; the "if" part leading to each result remains unstated but understood.

93. Descriptive Adverbs (Les adverbes descriptifs)

Premièrement, tu n'es encore qu'un enfant! *First of all, you're only a child!*
Mais je suis **nettement** assez vieux pour être père! *But I'm clearly old enough to be a father!*

Je savais **bien** que tu parlerais ainsi! *I just knew you'd talk like that!*
Ambroise a donné cinquante dollars — et très **gentiment**! *Ambrose gave fifty dollars—and very nicely!*

Most adjectives can be turned into corresponding adverbs by adding **-ment** to their feminine form:

premier	premièrement
net	nettement
certain	certainement
aucun	aucunement
bon	bonnement
complet	complètement
franc	franchement
seul	seulement
tel	tellement

If the masculine form of the adjective ends in a vowel, the **-ment** is added to the adjective without further change:

vrai	vraiment
absolu	absolument
juste	justement

A few adjectives have a special form before **-ment**:

gentil	gentiment	
énorme	énormément	
patient	patiemment	[pasjamɑ̃]
récent	récemment	[resamɑ̃]

Many common adverbs are not based on related adjectives:

TIME	DEGREE	MANNER	QUANTITY
déjà, *already*	aussi, *so*	bien, *well*	beaucoup, *much*
encore, *again*	moins, *less*	ensemble, *together*	peu, *little*
jamais, *never*	plus, *more*	vite, *quickly*	tant, *so much*
parfois, *sometimes*	presque, *almost*	volontiers, *willingly*	trop, *too*
quelquefois, *sometimes*			
toujours, *always, still*			

Exercices

Transformation Drills

J'ai une jolie enfant.
La jolie enfant est à moi.

Mme Parry a beaucoup de bagages.
Victor a une jolie enfant.
Vous avez une librairie, M. Musy?
Tu as une voiture, Victor?
Nous avons un appartement.
J'ai un chapeau neuf.

Voilà le gâteau de Mme Casiez.
Ce gâteau est à elle.

Voilà mes bagages.
Voilà ton chapeau.
Voilà la librairie de M. Musy.
Voilà l'appartement de Mme Coudert.
Voilà notre enfant!
Voilà votre fille, M. Parry!
Voilà leur taxi.

Si je ne la vois pas, je ne le croirai pas.
Si je ne la voyais pas, je ne le croirais pas.

Situ la vois, je sais bien que tu parleras ainsi.
Si nous le voulons, nous pourrons avoir un deuxième enfant.
Si vous avez un fils, nous aurons un petit-fils.
Je t'accompagnerai à la gare si j'ai le temps.
Nous arriverons à dix heures si nous prenons le métro.
Je prendrai du fromage si j'ai faim.
Victor applaudira les ballerines si elles sont jolies.

Chain Drills

Si j'allais à la gare, j'y verrais Toinette.

Si tu allais à la gare, tu . . .
Si nous allions à la gare, nous . . .
S'il allait à la gare, il . . .
Si vous alliez à la gare, vous . . .
S'ils allaient à la gare, ils . . .

Je lirais les œuvres de Camus si j'avais plus de temps!

Tu . . .	si tu avait plus de temps!
Il . . .	s'il avait plus de temps!
Nous . . .	si nous avions plus de temps!

Vous . . .	si vous aviez plus de temps!
Ils . . .	s'il avaient plus de temps!

Expansion Drill

Je ne suis plus un enfant. (premier)
Premièrement, je ne suis plus un enfant.

Tu devrais bien le savoir! (certain)
Je n'en reviens pas! (franc)
Ça ne me rajeunit pas. (vrai)
Paulette a envoyé des joujoux flambant neufs! (juste)
Ça t'étonne? (tel)
Mais je n'y crois! (aucun)
Il ne le comprend pas. (absolu)
Attendez-moi. (patient)
Prends l'enfant. (gentil)

Vous lui écrivez? (souvent)
Vous lui avez souvent écrit?

Je lui écris. (souvent)
Nous lui écrivons. (toujours)
Victor lui écrit. (déjà)
Nous lui écrivons. (beaucoup)
Ils lui écrivent. (bien)
Tu lui écris? (vite)
Liliane lui écrit. (peu)

Questions sur le Dialogue

1. A qui est la petite Catherine?
2. Est-ce que Victor vendrait sa fille à Mme Parry?
3. Si Mme Parry ne voyait pas Catherine, qu'est-ce qu'elle ne croirait pas?
4. Pourquoi?
5. Victor n'est-il encore qu'un enfant?
6. Pourquoi Mme Parry croit-elle que Victor est encore un enfant?
7. Victor savait-il que sa mère parlerait ainsi?
8. Quelle âge a-t-il?
9. Son âge rajeunit-elle Mme Parry?
10. Victor est-il taquin?
11. Victor voudrait-il avoir un autre enfant?
12. Qui a envoyé des cadeaux à Catherine?

13. Combien d'argent l'oncle Ambroise a-t-il donné?
14. Comment a-t-il donné cet argent?
15. Quels cadeaux la cousine Pauline a-t-elle envoyés?
16. A-t-elle envoyé des vêtements et des joujoux usés?
17. La famille est-elle sidérée de tout cela?

Prononciation [f] [v]

faire	Philippe	vais	wallon
foule	Philarète	avenir	wagon
fier	Philine	vêtements	wagon-lit
fluide	Euphémie	voyez	Waterloo
chef	Omphale	veuve	Wagner
bref	dauphin	votre	Wurtemberg
soif	philosophie	vendredi	
œuf	éphémère	Vivienne	
rosbif	prophète	Victor	
Frédéric	phonétique	Yves	
Fanély	diaphane	Vouvray	
Fifi	Phidias		

Joseph fait une farce à Frédéric.
La fille de Fréror fut faible.
La foudre a frappé les infidèles sur la Tour Eiffel.
Philippe s'enfuit avec le fils de Fifi!
Ce Philarète est un fou fieffé!

Voyez-vous les vêtements de Victor?
Je voyage à Waterloo en wagon.
Vivienne viendra vous voir vendredi.
Voulez-vous du vin de Vouvray?
Vous voilà veuve, hélas!

Dialogue Review

A. Class reads Dialogue 21 in unison or in groups.
B. Several students give Dialogue 20 by heart.
C. *Dictée* based on Dialogue 19.

Good-bye to the old Halles.

The new Halles in Rungis.

VINGT-DEUXIEME LEÇON

La nostalgie

MME PARRY: Enfin! Voilà une enfant qui est bien habillée pour sa promenade, une enfant que j'adore, et pour qui je suis venue à Paris! Qu'est-ce que je ferais maintenant à Chicago, si je ne pouvais pas la voir!

MRS. PARRY: Finally! Here's a baby who's well dressed for her walk. I'm crazy about her and I came to Paris for her! What would I do now, in Chicago, if I couldn't see her!

VICTOR: Je sais, moi, ce que tu ferais: nous t'enverrions des photos d'elle, que tu montrerais à tout le monde!

VICTOR: I know what you'd do! We'd send you pictures of her, that you'd show everyone!

MME PARRY: Crois-tu que c'est ce qui nous satisferait? Que nous serions contents de dire aux gens: "Voilà notre petite-fille, à qui nous envoyons tous ces cadeaux-là?"

MRS. PARRY: Do you think that would satisfy us? That we'd be content to tell people: "Here's our granddaughter we're sending all those gifts to?"

LILIANE: Voyons! En voilà assez de cette taquinerie! Je ne comprends pas ce que vous avez ce matin, vous deux! Où allons-nous nous promener?

LILLIAN: Come on! Enough of this teasing! I don't know what's gotten into the two of you this morning! Where shall we take our walk?

MME PARRY: Oh, pour ça . . . je voudrais bien revoir les endroits qui m'ont plu autrefois, et qui me rempliraient de nostalgie . . . J'y suis! Promenons-nous du côté des Halles! C'est tout près, n'est-ce pas?

MRS. PARRY: Oh, that . . . I'd like to revisit the spots I liked before, that would fill me with nostalgia . . . I have it! Let's take a walk toward the Halles! It's pretty near, isn't it?

LILIANE: Les anciennes Halles que tu connaissais ont disparu.

LILLIAN: The old Halles you knew are gone.

MME PARRY: Ah! oui, en effet, j'en ai entendu parler. Mais qu'est-ce qui les a remplacées?

MRS. PARRY: Ah! Yes indeed, I've heard about that. But what's replaced them?

LILIANE: Ce qui les a remplacées? Mais, les nouvelles Halles, qui se

LILLIAN: What's replaced them? Why, the new Halles, which are now at

trouvent actuellement à Rungis, près de l'aéroport d'Orly. Le progrès, tu sais!

Rungis, near the Orly airport. Progress, you know!

MME PARRY: Quel progrès? A bas le progrès, dis-je! Les anciennes Halles, que j'aimais tant, n'existent plus! On y allait à deux heures du matin, manger de la soupe à l'oignon! Cela me contrarie, vraiment!

MRS. PARRY: What progress? Down with progress, I say! The old Halles, that I loved so much! People went there to eat onion soup at 2 a.m.! That really upsets me!

VICTOR: Ce qui m'étonne, c'est que les nouvelles Halles ne se trouvent pas ailleurs depuis plus longtemps. C'est un changement que je regrette mais que j'approuve. C'est une chose qui était très nécessaire.

VICTOR: What surprises me is that the new Halles haven't been located in another place for a longer time. It's a change I'm sorry about but approve of. It's something that was very necessary.

MME PARRY: Mais pourquoi donc?

MRS. PARRY: But why?

VICTOR: C'est à cause de la répartition des aliments, qui est plus facile et plus économe maintenant.

VICTOR: It's because of food distribution, which is easier and more economical now.

FAUX AMIS: **actuellement** = *now*, *at present*, not *actually* (**réellement**).

About the Dialogue

Les Halles is the central food market of Paris; it was located for several centuries in the heart of the city, but in March 1969 it was transferred to the outskirts, near Orly airport, for purposes of modernization, greater space, and more efficient distribution of commodities.

Repetition Drills

Voilà une enfant qui est bien habillée pour sa promenade!
Ce sont ces endroits qui m'ont plu autrefois.
J'aime les endroits qui me rempliraient de nostalgie.
C'est un changement qui était très nécessaire.
C'est Paulette qui a envoyé tous ces cadeaux?
Oui! Et c'est l'oncle Ambroise qui a donné cinquante dollars!
Vraiment! Eh bien, c'est moi qui vais m'évanouir!
Et c'est moi qui n'en reviens pas!

Tu montrerais à tout le monde les photos de Catherine, que je t'enverrais!
Promenons-nous du côté des Halles, que j'aimais tant!
Les anciennes Halles que tu connaissais ont disparu.
C'est un changement que je regrette.

Mais c'est un changement que tu approuves?
M. Musy est un homme que j'aime bien.
Mais Camus est un écrivain qu'il ne lit pas.
C'est plutôt Voltaire qu'il préfère.
Janine va nous servir de la bouillabaisse, que j'adore.
C'est une chose qu'elle sait très bien préparer.
A la bonne heure! Voilà un dîner que je vais manger avec plaisir!

Et tu crois que c'est ce qui nous satisferait?
Ce qui a remplacé les anciennes Halles? Mais les nouvelles Halles!
Ce qui m'étonne, c'est qu'elles n'existent pas depuis longtemps!
Et ce qui me contrarie, moi, c'est que les anciennes Halles n'existent plus!
Y manger de la soupe à l'oignon, voilà ce que me faisait plaisir!
Ce qui me remplirait de nostalgie, c'est de m'y promener comme autrefois!
L'oncle Ambroise a donné de l'argent, c'est ce qui m'étonne!
Ce qui me remplit de nostalgie, c'est la rue Rambuteau.
Je comprends bien ce qui vous étonne!

Response Drill

Qu'est-ce que je ferais maintenant à Chicago?
    Ce que tu ferais? Tu montrerais des photos de Catherine à tes amis!
Qu'est-ce que Paulette a envoyé?
    Tu verras bientôt ce qu'elle a envoyé!
Et qu'est-ce que l'oncle Ambroise a donné?
    Je vais te montrer ce qu'il a donné!
Il a envoyé tout cet argent! Mais qu'est ce qu'il a dit?
    Je ne sais pas, moi, ce qu'il a dit!
Paulette a envoyé tout cela! Qu'est-ce que la famille a dit?
    Tu vas entendre ce que la famille a dit!

Grammaire

94. PRONOUNS REFERRING TO PERSONS OR THINGS: *QUI*

Voilà une enfant **qui** est bien habillée pour sa promenade! *Here's a baby who's well dressed for her walk!*

Je voudrais revoir les endroits **qui** m'ont plu autrefois. *I'd like to revisit the spots I liked before.*

In the first sentence, **qui**, a relative pronoun, refers back to **enfant**, a person, it and therefore means *who*; it is the subject of **est**. In the second, **qui** refers back to **endroits**, a thing, and therefore means *which* or *that*; it is the subject of **ont plu**. In both cases, **qui** is the subject of the verb following it.

95. Pronouns Referring to Persons or Things: *Que*

Voilà une enfant **que** j'adore! *Here's a child (whom) I'm crazy about!*
Les anciennes Halles **que** tu connaissais ont disparu. *The old Halles (which, that) you knew have disappeared.*

In the first sentence, **que**, a relative pronoun, refers back to **enfant**, a person, and is the direct object of the verb **adore**; in the second, it refers back to les **Halles**, a thing, and is the direct object of **connaissais**. In both cases, **que** represents nouns that are the direct object of the verb following it. An important detail:

Where **que** is used, English is inclined to drop the *whom*, *that*, or *which*. We would commonly say, "Here's a child I'm crazy about" and "The former Halles you knew are gone." But the French always retain the **que** in such cases; they do not drop their relative pronouns as we do. In other words, the French equivalents of *whom*, *that*, or *which* must be used where they are required and are never omitted.

96. Pronouns Referring to Something Indefinite: *Ce Qui, Ce Que*

Et tu crois que c'est **ce qui** nous satisferait? *And you think that would satisfy us?*
Mais qu'est-**ce qui** les a remplacées? *But what's replaced them?*
Ce qui les a remplacées? Mais, les nouvelles Halles! *What's replaced them? Why, the new Halles!*
Qu'est-**ce que** je ferais maintenant? *What would I do now?*
Je sais **ce que** tu ferais. *I know what you'd do.*
Qu'est-**ce que** Paulette a envoyé? *What did Paulette send?*
Tu verras bientôt **ce qu'**elle a envoyé! *You'll soon see what she sent!*

Qui and **que** are relative pronouns referring to persons or things; **ce qui** and **ce que** refer back to something indefinite, and mean simply **what** (literally *that which*). **Ce qui** is a subject pronoun; in the examples, it is the subject of **satisferait** and **a remplacées. Ce que** is an object pronoun; in the examples, it is the direct object of **ferais** and **a envoyé.**

Exercices

Transformation Drills

Nous avons un enfant; il est très joli.
Nous avons un enfant qui est très joli.

Paulette a envoyé des joujoux; ils sont flambant neufs.

Voilà une bonne nouvelle; elle m'étonne beaucoup!
Voici le chauffeur; il prendra vos bagages.
Promenons-nous du côté des Halles; elles me rempliront de nostalgie.
Voilà Catherine; elle est habillée pour sa promenade.
Nous t'enverrions des photos; elles seraient jolies.
C'est une bonne idée; elle ne nous satisferait pas!
Je te donne ce médicament; il te donnera de l'appétit!
J'applaudis cette ballerine; elle a la taille si gracieuse!
C'est une bouillabaisse; elle est délicieuse.
Liliane a fait beaucoup de courses; elles l'ont fatiguée.

Où sont les bagages? Je les ai apportés.
Où sont les bagages que j'ai apportés?

Promenons-nous du côté des Halles: je les aimais tant!
Aimez-vous les joujoux? Paulette les a envoyés!
Voyez-vous le chèque? Ambroise l'a donné pour Catherine!
Victor, prendras-tu les œufs? Je te les apporte!
Liliane, aimes-tu la bouillabaisse? Je l'ai préparée!
Voilà le chapeau neuf; Liliane l'a acheté aujourd'hui.
C'est M. Musy; Victor l'admire beaucoup.
Voilà Catherine; sa grand'mère l'adore.
Vous goûtez les livres de Camus? Je ne les aime pas, moi!
Il a dit quelque chose; je n'ai pas compris.

C'est quelque chose qui nous satisferait.
C'est ce qui nous satisferait.

Je veux voir quelque chose qui remplace les Halles.
Il y a quelque chose qui me manque.
Voici quelque chose qui nous étonne beaucoup.
Liliane servira à Victor quelque chose qui lui donnera de l'appétit.
Je préfère voir quelque chose qui me remplirait de nostalgie.
Nous t'enverrions quelque chose qui vous ferait plaisir.
Voilà quelque chose qui est impossible!
Voilà quelque chose qui me contrarie!
On sait quelque chose qui te remplirait de nostalgie.
Je vais te montrer quelque chose qui t'étonnera.

Je te donnerai quelque chose que tu préfères.
Je te donnerai ce que tu préfères.

C'est quelque chose qu'il veut?
Nous savons bien quelque chose que tu ferais.

Liliane a acheté quelque chose qu'elle aimait.
Voilà quelque chose que je ne croirais pas!
C'est bien quelque chose qu'on voudrait revoir.
Allez-vous m'envoyer quelque chose que je te demande?
Ces médicaments étaient quelque chose que je détestais.
La soupe à l'oignon était quelque chose que j'aimais le mieux.
Voici quelque chose que Paulette a envoyé!

Use the suitable relative pronoun:

Il a dit quelque chose/Elle voudrait savoir.
Il a dit quelque chose qu'elle voudrait savoir.

Il a dit quelque chose/Cette chose m'étonne.
Nous désirons deux billets/Ces billets ne coûtent pas cher.
Tu as lu un roman/Je n'aime pas ce roman.
Tu as lu un roman/Ce roman est de Camus?
Janine nous a servi de la bouillabaisse/J'adore le bouillabaisse.
Nous avons vu *Coppélia/Coppélia* est un ballet de Delibes.
Ils ont fait quelque chose/Cette chose me contrarie beaucoup.
Paulette a envoyé des joujoux/Catherine adorera ces joujoux!
Liliane me donnait des médicaments/Je détestais ces médicaments!

Questions sur le Dialogue

1. Qui est bien habillée pour sa promenade?
2. Pour qui Mme Parry est-elle venue à Paris?
3. Qui est-ce qu'elle adore?
4. Qu'est-ce qu'elle ferait si elle ne pouvait pas voir Catherine?
5. Qu'est-ce que Victor lui enverrait?
6. A qui est-ce qu'elle montrerait les photos de la petite?
7. Est-ce que cela satisferait Mme Parry?
8. Où Mme Parry voudrait-elle se promener?
9. Où se trouvent les nouvelles Halles?
10. Que mangeait-on aux anciennes Halles?
11. Qu'est-ce qui étonne Victor?
12. Pourquoi Victor approuve-t-il le changement des Halles?
13. Pourquoi ce changement était-il nécessaire?

Prononciation [s]

ours
hélas
jadis
fils
mars
bis
mœurs
os
sens
atlas
gratis
biceps

Agnès
Arras
Gil Blas
Médicis
Rheims
Léonidas
Rubens

scène
sceptique
sceau
scélérat
irascible

soixante
six
dix
Auxerre
Béatrix
Bruxelles

ciel
cela
cycle
force

glaçon
reçu
conçu
Français

centime
Céline
cinq

Hélas! les mœurs de Cécile sont scandaleuses.
Ce petit glaçon, Agnès, semble si sceptique!
J'ai reçu soixante bicyclettes d'Arras.
Ces saucissons-ci sont six sous la douzaine.
Léonidas? C'est un scélérat forcené et irascible.

Dialogue Review

A. Class reads Dialogue 22 in unison or in groups.
B. Several students give Dialogue 21 by heart.
C. *Dictée* based on Dialogue 20.

Typical farm in Normandy.

VINGT-TROISIEME LEÇON

On va faire des excursions

VICTOR: Puisque les anciennes Halles ont été déplacées, je te propose d'autres excursions.

MME PARRY: Je veux bien. Lesquelles?

VICTOR: Tu lis beaucoup de romans français, n'est-ce pas? Il y a Croisset, Combourg, Illiers. Lequel de ces endroits t'intéresserait?

MME PARRY: Illiers . . . Illiers . . . la petite ville où Marcel Proust est né. Mais je serais ravie de la visitèr! Tu sais bien que cela me plairait!

VICTOR: Je le crois bien! Laquelle des grandes œuvres littéraires françaises as-tu lue et relue dix fois? *A la recherche du temps perdu!* Tu m'as dit cela le jour où j'ai commencé à la lire pour la première fois!

MME PARRY: Voyager à Illiers! C'est une chose à laquelle je n'ai jamais osé songer! Et tu parlais d'autres endroits. Lesquels as-tu mentionnés?

VICTOR: Croisset et Combourg.

MME PARRY: Croisset! c'est là qu'on trouve la maison de Flaubert, où il vivait et écrivait. Et Combourg . . . réfléchissons . . .

VICTOR: Pense à *René*.

MME PARRY: *René* . . . Combourg . . . Le château familial de Chateaubriand!

VICTOR: Since the old Halles have been moved somewhere else, let me suggest other trips.

MRS. PARRY: That's fine with me. Which ones?

VICTOR: You read a lot of French novels, don't you? There's Croisset, Combourg, Illiers. Which of these places would interest you?

MRS. PARRY: Illiers . . . Illiers . . . the little town where Marcel Proust was born. Why, I'd love to visit it! You know I'd like that, all right!

VICTOR: I should say so! Which of the great French literary works have you read and reread ten times? *Remembrance of Things Past*! You told me that the day I began reading it for the first time.

MRS. PARRY: To take a trip to Illiers! That's something I never dared dream about! And you were talking about other spots. Which ones did you mention?

VICTOR: Croisset and Combourg.

MRS. PARRY: Croisset! That's where Flaubert's house is—where he lived and wrote. And Combourg . . . let me think . . .

VICTOR: Think of *René*.

MRS. PARRY: *René* . . . Combourg . . . Chateaubriand's ancestral château!

VICTOR: (Riant) Tu y es enfin! Dis donc, auxquels de ces endroits préfères-tu te rendre?

VICTOR: (Laughing) You hit it, finally! Tell me, which of these spots do you want to go to?

MME PARRY: A tous! Mais à Illiers surtout!

MRS. PARRY: All of them! But especially to Illiers!

About the Dialogue

Illiers is a small town not far from Chartres, located on the Loir River (not to be confused with the much larger Loire). It has a population of three to four thousand, a fourteenth-century château, and ruins left over from feudal times. Its main claim to fame is the fact that Marcel Proust was born there.

Combourg is a small town not far from the Breton part of St-Malo, where stands the feudal château in which the writer Chateaubriand spent a good part of his youth.

Croisset is a suburb of Rouen where Gustave Flaubert spent most of his adult life. Almost single-mindedly devoted to the art of writing, he came to be known as "The Hermit of Croisset."

Marcel Proust (1871–1922) was the author of the huge novel, *A la recherche du temps perdu* (*Remembrance of Things Past*) a vast stream-of-consciousness work in which he analyzes, with infinite subtlety, his own experiences and feelings and those of people who were part of his life.

François-René de Chateaubriand (1768–1848), writer, traveler, politician, is considered the father of French romanticism. His two short novels, *Atala* and *René*, with their early American locale, brought exotic local color and passion of literary expression to readers long used to the classic style.

Gustave Flaubert (1821–80), son of a noted surgeon, is generally regarded as the outstanding exponent of the French realistic school of fiction, which replaced and often satirized the romantic style. He is known principally for *Madame Bovary* and *L'Education sentimentale* (*Sentimental Education*). The latter novel, for many years under the shadow of *Bovary*, has in recent years begun to come into its own among discerning readers, some of whom see in its passive, directionless anti-hero, Frédéric Moreau, a forerunner of Camus' Meursault, protagonist of *L'Etranger*.

Response Drills

Il y a Croisset, Combourg, et Illiers.
   Lequel de ces endroits t'intéresserait?
Voilà un chapeau blanc et un chapeau jaune.
   Lequel de ces chapeaux Liliane a-t-elle acheté?
Marivaux et Voltaire sont des écrivains du dix-huitième siècle.
   Lequel est le plus spirituel?

Victor, voilà un œuf et un croissant.
    Lequel mangeras-tu?
Proust, Flaubert et Chateaubriand ont écrit de très grands romans.
    Lequel des trois est le plus grand écrivain?
Delibes a composé plusieurs ballets.
    Lequel avons-nous vu à Chicago?
La famille a envoyé beaucoup de cadeaux.
    Lequel voulez-vous voir le premier?
Victor, regarde donc les ballerines!
    Laquelle trouves-tu la plus jolie?
A Croisset il y a la maison de Flaubert; à Illiers, on trouve la maison de Proust.
    Laquelle irons-nous visiter?
Voici une pilule et une infusion de tilleul.
    Laquelle voudrais-tu prendre la première?
Flaubert a écrit plusieurs grandes œuvres.
    Laquelle lirez-vous?
Je vois trois belles robes.
    Laquelle coûte le moins cher?
Liliane a beaucoup de cousines.
    Laquelle est la plus économe?
Liliane avait plusieurs amies.
    Laquelle la taquinait le plus souvent?
Nous te proposons toutes ces excursions.
    Laquelle voudrais-tu faire?

Tu parlais d'autres endroits.
    Lesquels ai-je mentionnés?
J'ai vu de beaux vêtements pour enfants.
    Lesquels as-tu achetés?
Tu nous apportes tous ces cadeaux?
    Oui. Lesquels voudriez-vous voir?
M. Musy, j'aime tous les bons écrivains!
    Mais, jeune homme, lesquels aimez-vous le plus?
Le médecin m'a donné plusieurs médicaments pour toi.
    Ouf! Lesquels vas-tu me donner?
Maman adore les bons romans français.
    Lesquels a-t-elle lus plusieurs fois?
Victor a vu les ballets de Delibes et de Stravinsky.
    Lesquels admire-t-il le plus?

Je te propose d'autres excursions.
    Je veux bien! Lesquelles me proposes-tu?

Victor, va prendre mes robes.
    Lesquelles as-tu achetées?
Victor, voilà tes pilules.
    Mon Dieu! Lesquelles vais-je prendre maintenant?
Ah! voilà les ballerines, enfin!
    Lesquelles ont les bras les plus expressifs?
Les infirmières de l'hôpital américain sont très bonnes.
    Lesquelles sont les meilleures?
J'ai toujours aimé les boutiques de la rue Rambuteau.
    Lesquelles t'intéressent le plus?
Je connais les tragédies de Corneille.
    Lesquelles avez-vous vues?
Mais je préfère les comédies de Molière.
    Vraiment? Lesquelles avez-vous lues?

Repetition Drills

Illiers! C'est la petite ville où Proust est né!
Croisset! C'est l'endroit où Flaubert écrivait ses romans!
Combourg! C'est l'endroit où se trouve le château familial de Chateaubriand!
Voilà la maison où Victor Hugo a écrit *Les Misérables*.
Mais la rue où Baudelaire est né n'existe plus.
Le 11 juin est le jour où je me suis marié.
J'ai aimé Liliane depuis le moment où je l'ai connue.
1871? C'est l'année où Proust est né.
Le dix-huitième siècle est l'époque où Voltaire et Marivaux ont écrit leurs romans.
La nuit où Catherine est née, je me suis levé à 12.20 h.

C'est un endroit auquel je serais enchantée de voyager!
Voilà un théâtre auquel je n'ai pas songé.
Mais Maman, c'est un endroit auquel je pense depuis longtemps.
Voici un ballet auquel j'aime songer.
Ce n'est pas le magasin auquel je voudrais aller!
Le ballet auquel je pensais, c'est *Coppélia*.

A laquelle des œuvres littéraires pensiez-vous?
Voilà une excursion à laquelle je n'ai jamais osé songer.
C'est une chose à laquelle je n'ai jamais osé songer.
C'est la gare à laquelle Victor se dépêche d'aller.
Illiers est la ville à laquelle nous irons demain.
Voilà la famille à laquelle j'enverrai ce cadeau.
C'est bien la quiche à laquelle j'ai songé!

Voilà des endroits auxquels j'aime aller!
Et voilà des médicaments auxquels Victor n'aime pas penser.
Voici les magasins auxquels je me dépêche d'aller.
Auxquels de ces ballets penses-tu?
Auxquels de ces romans songe-t-il?
Auxquels de ces magasins sommes-nous allés?
Auxquels de ces cadeaux as-tu songé?
Auxquels de ces amis avez-vous écrit?

Auxquelles des œuvres de Marivaux pensez-vous, jeune homme?
Voilà des excursions auxquelles on aime songer!
Ce sont des villes auxquelles j'ai toujours pensé.
Auxquelles des gares iras-tu, Victor?
Auxquelles des familles Mme Casiez a-t-elle dit cela?
Mais ce sont des choses auxquelles on ne veut pas penser!
Auxquelles des bibliothèques Victor est-il allé?
Auxquelles de tes cousines écris-tu cette lettre?
Auxquelles de tes amies penses-tu, Liliane?

Grammaire

97. Interrogative Pronouns: *Lequel*, *Lesquels*, *Laquelle*, *Lesquelles*

Lequel de ces endroits t'intéresserait? *Which of these spots would interest you?*
Lesquels de ces endroits as-tu mentionnés? *Which of these spots did you mention?*
Laquelle de ces excursions t'intéresse? *Which of these excursions interests you?*
Tu me proposes d'autres excursions. **Lesquelles?** *You're suggesting other trips to me. Which ones?*

The function of the interrogative pronouns **lequel, lesquels, laquelle, lesquelles** is to pick out a thing or things in a group: *which* (*one, ones*)? Notice that these words are made up of **le, la**, or **les** combined with **quel, quels, quelle**, or **quelles**, depending on the gender and number of the noun they refer to. They can also refer to a person or persons in a group, but this will be taken up later.

98. Relative Adverb *Où*

Illiers? C'est la petite ville **où** Proust est né! *Illiers! That's the little town where* (*in which*) *Proust was born!*
La nuit **où** Catherine est née, je me suis levé à 12.20h. *The night* (*when, that*) *Catherine was born, I got up at 12:20.*

The word **où** can indicate place (*where, in which*) or time (*when*). In these cases, it becomes a relative pronoun, since it refers back to place nouns (**ville, endroit, maison, rue**) or time nouns (**jour, année, moment, siècle, nuit**).

99. Relative Pronouns Combined with *A*: *Au*, *Aux*, *A La*, *Auquel*, *Auxquels*, *A Laquelle*, *Auxquelles*

Mais c'est un endroit **auquel** j'aime voyager! *Why, that's a spot I love to take a trip to!*

C'est une chose **à laquelle** je n'ai jamais osé songer. *That's something I've never dared dream about.*

Ce sont des villes **auxquelles** j'ai toujours aimé penser. *They're cities I've always liked to think about.*

Auxquels de ces endroits préfères-tu aller? *To which of these places do you prefer to go?*

Wherever **le**quel, **les**quels, **la**quelle, and **les**quelles are combined with verbs that use **à** (**voyager, songer, aller, penser**), the following changes in spelling are made: **à**+**le**quel = **au**quel; **à**+**les**quels = **aux**quels; **à**+**les**quelles = **aux**quelles. There is, of course, no change in **à**+**la**quelle.

Exercices

Transformation Drills

Voilà le chapeau que je préfère.
Lequel préférez-vous?

Ouf! voici le médicament que je prends.
Voici le gâteau que nous prenons.
C'est ce roman-là que je lis.
Voilà le ballet que j'adore!
Jeune homme, voici le roman que je préfère.
Ah! voilà l'orchestre que nous aimons.
C'est ce ballet que nous aimons.

Voici la cravate que j'acheterai.
Laquelle acheterez-vous?

C'est la quiche que Charles prendra.
Maman, voici l'excursion que j'ai proposée.
Voici la voisine que Liliane connaît.
C'est cette ballerine que j'admire beaucoup.
Voilà la musique qu'elle adore.

C'est cette cousine qu'on préfère.
C'est la rue que j'aime.

Voilà les chapeaux que j'aime.
Lesquels Victor aime-t-il?

Voilà les gâteaux que j'aime.
Voilà les romans que M. Musy déteste.
Voilà les écrivains que je lis.
Voilà les cadeaux que nous envoyons.
Voilà les amis que Liliane préfère.
Voilà les voisins que je connais.
Voilà les restaurants que je préfère.

Tiens! Ce sont ces cravates que tu achètes?
Lesquelles Charles achète-t-il?

Voici les voisines que j'aime.
Voici les tartes que je prends.
Voici les excursions que nous voulons proposer.
Voici les ballerines que Victor applaudit.
Voici les pilules qu'il déteste.
Voici les boutiques que nous achetons.
Voici les rues que nous connaissons.

Ah! voilà le gâteau que je prends.
Lequel prenez-vous?

C'est le ballet que Liliane adore.
Voici les cadeaux que Pauline envoie.
Ce sont les amies que Janine préfère.
Voilà les femmes que Victor déteste.
Voilà les détails que j'écris dans ma lettre.
Voici une ville que je connais bien!
C'est l'eau-de-toilette que Victor prendra.
Voici les romans que j'aime.

Expansion Drills

Proust est né à Illiers. (petite ville)
Illiers est la petite ville où Proust est né.

Flaubert vivait et écrivait à Croisset. (endroit)
Je ferai une excursion à Combourg. (château)
Nous allons monter à ce sommet. (endroit)

Catherine est née à Neuilly. (ville)
Notre appartement se trouve ici. (quartier)

Proust est né en 1871. (année)
1871 est l'année où Proust est né.

Catherine est née en mai. (mois)
Je suis arrivée à Paris lundi dernier. (jour)
Molière vivait au dix-septième siècle. (époque)
Chateaubriand est né en 1768. (année)
Notre fils Henri est né le 18 mai 1956. (date)

Transformation Drill

Je rêve à un ballet.
Voici le ballet auquel je rêve.

Je téléphone à la gare.
Je rêve à ce gâteau merveilleux.
J'irai à cette université.
Je réfléchis à ces idées.
Je n'oserais pas songer à ces choses.
Je suis monté à ce sommet.
J'ai pensé à ces cravates.
Je ne suis pas encore allé à ces endroits.

J'irais volontiers à cette ville.
Je ne monterai pas à cette tour!
Je suis allée à ce magasin.
Je réfléchis encore à ces cadeaux.
Je songe à cette ballerine!

Questions sur le Dialogue

1. Qu'est-ce que Victor propose à sa mère?
2. Quelles excursions lui propose-t-il?
3. Où Marcel Proust est-il né?
4. Illiers est-il une grande ville?
5. Mme Parry voudrait-elle y aller?
6. Laquelle des grandes œuvres françaises Mme Parry a-t-elle souvent relue?
7. Mme Parry a-t-elle songé à voyager à Illiers?
8. Où trouve-t-on la maison de Flaubert?
9. Que faisait-il à Croisset?
10. Que trouve-t-on à Combourg?

Prononciation [z]

douze	risible	transaction	fez
zèle	raison	présomption	Berlioz
zéro	besoin	mésange	Suez
zoölogie	masure	déshonneur	Cortez
Zoé	césure	disette	gaz
Zazie	Rosine	Moselle	
	réseau		

Rosine a besoin d'un vase de roses.
Zazie a un zèle démesuré.
M. Endrèze a le déshonneur de cette transaction.
Zoé, quelle présomption risible!
Berlioz eut raison d'être misanthrope.

Dialogue Review

A. Class reads Dialogue 23 in unison or in groups.
B. Several students give Dialogue 22 by heart.
C. *Dictée* based on Dialogue 21.

A summer house near St-Malo.

VINGT-QUATRIEME LEÇON

Le projet de Mme Parry

JANINE: Ah! te voilà de retour, Toinette! J'ai passé une journée si agréable chez toi! Et la tienne? Comment était-elle?

MME PARRY: La mienne? Tu veux dire ma journée à Illiers? Oh! formidable! J'ai visité tous les endroits que Proust dépeint dans son œuvre! Pourquoi, grande entêtée, as-tu refusé de nous y rejoindre?

JANINE: Parce que, chère Toinette, je ne suis pas de ces gens qui aiment se promener, au mois de juillet, dans un patelin comme Illiers, et qui ne craignent pas cette chaleur!

MME PARRY: Et il n'y a que les Américains, n'est-ce pas, qui feraient une telle excursion en été?

JANINE: (Riant) Peut-être! Ce privilège, c'est le leur! Le mien, c'est de rester chez moi bien tranquillement, ou de me rendre à notre petite maison de campagne.

MME PARRY: Mais c'était un tel plaisir pour moi, et pour Victor aussi!

JANINE: Tu as complètement raison. Ce plaisir, c'était le *vôtre*! Mais demande un peu à Liliane quel a été le sien, ou plutôt le *nôtre*! Crois-tu donc que je me plains des heures tranquilles que j'ai passées ici, avec elle et ta petite-fille!

JANINE: Ah! So you're back again, Toinette! I've had such a pleasant day at your place. And yours? How was it?

MRS. PARRY: Mine? You mean my day at Illiers? Oh, terrific! I visited all the places Proust describes in his work! Why, you stubborn character, did you refuse to meet us there?

JANINE: Because, Toinette dear, I'm not one of those people who like to walk around in a hick town like Illiers in the month of July, and who aren't afraid of this heat!

MRS. PARRY: And it's only Americans who'd go on such an excursion in the summertime, right?

JANINE: (Laughing) Maybe! That privilege is theirs! Mine is to stay home nice and quietly or to go away to our little country house.

MRS. PARRY: But it was such a pleasure for me, and for Victor too!

JANINE: You're completely right. That pleasure is *yours*! But ask Lillian what hers, or rather *ours*, was! Do you think I'm complaining of the peaceful hours I spent here with her and your granddaughter?

MME PARRY: Non! Et je te remercie de ton dévouement. Tu te rends donc à ta maison de campagne?

JANINE: Penses-tu! Pendant que tu es encore là? Ordinairement, au mois d'août, Charles et moi, nous y rejoignons mon beau-frère, sa femme, et ses deux enfants. Les siens et les nôtres sont du même âge. On s'amuse ensemble. Mais cette année je reste ici.

MME PARRY: A cause de moi? Je crois bien que non! J'ai d'autres projets! Dis-moi, Ninon, toi qui crains tellement la chaleur de juillet à Illiers, craindrais-tu la chaleur d'août sur la Côte d'Emeraude?

JANINE: Tu veux dire en Bretagne? Je ne comprends pas—

MME PARRY: Ecoute. Nous faisons une excursion au pays de Chateaubriand, c'est-à-dire au château de Combourg, près de St-Malo. J'y ai loué une maison pour six semaines. Mes enfants m'y accompagnent. J'espère bien, chère Ninon, que tu nous y rejoindras avec les tiens!

MRS. PARRY: No! And I thank you for your devotion. Then you're going to your country house?

JANINE: Are you kidding? While you're still here? Usually, during August, Charles and I join my brother-in-law, his wife and his two children there. His and ours are the same age. We enjoy ourselves together. But this year I stay here.

MRS. PARRY: Because of me? I should say not! I have other plans! Tell me, Ninon, you're pretty scared of the July heat in Illiers, but would you be scared of the August heat on the Côte d'Emeraude?

JANINE: You mean in Brittany? I don't understand—

MRS. PARRY: Listen. We're taking a trip to Chateaubriand country, that is, to the château at Combourg, near St-Malo. I've rented a house there for six weeks. My children are going along with me. And I hope, dear Ninon, that you'll join us there with yours!

FAUX AMIS: **formidable** = *amazing, terrific.* It may also mean *formidable* in the literal English sense; **rester** = *to stay, to remain,* not *to rest* (**se reposer**).

About the Dialogue

The *Côte d'Emeraude* is part of the French seacoast on the English Channel, in the vicinity of *St-Malo*, a principal port of the region.

Repetition Drills

J'ai trouvé mon chapeau, Victor, mais je ne vois pas le tien.
Tu as trouvé ton chapeau, mais tu ne vois pas le mien?
Liliane a trouvé son billet mais Victor n'a pas le sien.

C'est ton plaisir, Toinette, mais ce n'est pas le nôtre!
Oui, cette excursion est mon plaisir, mais évidemment, ce n'est pas le vôtre!
Les Américains aiment ces excursions? Ce privilège, c'est le leur!

J'ai eu une journée agréable. Et la tienne? Comment était-elle?
La mienne? Tu veux dire ma journée à Illiers?
Où se trouve votre maison de campagne? La nôtre se trouve sur la côte d'Emeraude.
Vraiment? la vôtre se trouve donc en Bretagne?
Janine et Charles ont une petite maison de campagne; j'ai loué une maison plus grande que la leur.

Voilà les enfants de mon beau-frère. Les miens sont du même âge.
Ces enfants sont-ils vraiment les tiens?
Mon beau-frère a deux enfants. Les siens sont du même âge que les miens.
Nous avons deux enfants, toi aussi. Les nôtres sont du même âge que les tiens.
Nous avons de riches cousins, vous aussi. Les vôtres sont aussi avares que les nôtres!
Victor et Liliane ont plusieurs oncles, moi aussi. Les leurs sont plus généreux que les miens!

J'ai acheté des cadeaux pour tes cousines et pour les miennes aussi.
Quels cadeaux as-tu achetés pour les tiennes, chérie?
Liliane va tricoter des vêtements pour mes sœurs et pour les siennes aussi.
Nous avons deux sœurs, toi aussi. Les nôtres sont du même âge que les tiennes.
Vous avez de riches cousines, nous aussi. Les vôtres sont aussi avares que les miennes.
Victor et Liliane ont plusieurs tantes, nous aussi. Les leurs sont aussi généreuses que les nôtres.

Moi, je crains les grandes chaleurs.
Tu ne les crains pas, toi?
Liliane craint les foules.
Nous ne les craignons pas.
Vous craignez la chaleur de juillet?
Victor et Liliane ne la craignent pas.

J'ai dépeint Illiers dans cette lettre.
As-tu dépeint la maison de Proust?
Proust dépeint Illiers beaucoup mieux que moi!
Dans notre lettre, nous avons dépeint la Tour Eiffel.
Avez-vous dépeint le ballet que vous avez vu?
Victor et sa mère ont dépeint leur excursion à Illiers.

Maman, est-ce que je craignais les foules quand j'étais petite?
Si tu les craignais? Mais, pas du tout!
Mais ton mari les craignait un peu.
Nous craignions toujours les grandes chaleurs.
Ne les craigniez-vous pas, vous aussi?
Victor et Liliane craignaient-ils la vitesse de ce taxi?

Je vous rejoindrai à St-Malo au mois d'août.
Ne nous rejoindras-tu pas avant cela?
Peut-être. Mais Charles ne nous rejoindra que quand il sera libre.
Nous vous rejoindrons au ballet à 8.30 h.
Nous rejoindrez-vous chez nous après le ballet?
Janine et Charles nous rejoindront à St-Malo cet été.

Je ne me plaindrais pas de ces heures tranquilles.
Je savais bien que tu ne t'en plaindrais pas!
Qui s'en plaindrait?
Nous ne nous en plaindrions pas, Charles et moi!
Mais si vous aimiez Proust, vous ne vous plaindriez pas!
Penses-tu! Il n'y a que les Américains qui ne s'en plaindraient pas!

Grammaire

100. POSSESSIVE PRONOUNS (Les pronoms possessifs)

J'ai passé une journée si agréable! Et **la tienne**? *I've had such a pleasant day! And yours?*

La mienne? Tu veux dire ma journée à Illiers? *Mine? You mean my day at Illiers?*

Il n'y a que les Américains qui feraient une telle excursion. Et ce privilège, c'est **le leur**! *Only Americans would go on such a trip. And that privilege is theirs!*

C'était un tel plaisir pour nous deux! Chère Toinette, ce plaisir, c'était **le vôtre**! *It was such a pleasure for us both! Dear Toinette, that pleasure was yours!*

Previously, you learned the possessive adjectives (**mon, ton, son, ma, ta, sa**, etc.). The sentences above show examples of possessive pronouns; here is how they relate to possessive adjectives:

MASCULINE SINGULAR NOUN: **un privilège**

Mon privilège = le mien	*mine*
Ton privilège = le tien	*yours*
Son privilège = le sien	*his, hers*

Notre privilège = le nôtre *ours*
Votre privilège = le vôtre *yours*
Leur privilège = le leur *theirs*

Note

a. All along, it is a question here of one privilege; only the owners change.
b. Use **le** in every case to show the noun is masculine singular.
c. The adjectives **notre** and **votre** become **nôtre** and **vôtre** as pronouns. There is a difference in the pronunciation; this happens to be a case where the addition of an accent mark in a word changes its meaning (**notre** [nɔ̃tr]; **votre** [vɔ̃tr]; **nôtre** [notr]; **vôtre** [votr]).

MASCULINE PLURAL NOUN: **les privilèges**
Mes privilèges = les miens *mine*
Tes privilèges = les tiens *yours*
Ses privilèges = les siens *his, hers*
Nos privilèges = les nôtres *ours*
Vos privilèges = les vôtres *yours*
Leurs privilèges = les leurs *theirs*

Note

a. All along, it is a question of more than one privilege; only the owners change.
b. Use **les** in every case to show the noun is plural; add **-s** to the singular.

FEMININE SINGULAR NOUN: **la cousine**
Ma cousine = la mienne *mine*
Ta cousine = la tienne *yours*
Sa cousine = la sienne *his, hers*
Notre cousine = la nôtre *ours*
Votre cousine = la vôtre *yours*
Leur cousine = la leur *theirs*

Note

a. All along, it is a question of one (female) cousin; only the owners change.
b. Use **la** in every case to show the noun is feminine singular, as well as adding **-ne** to the singular of the masculine.

FEMININE PLURAL NOUN: **les cousines**
Mes cousines = les miennes *mine*
Tes cousines = les tiennes *yours*
Ses cousines = les siennes *his, hers*

Nos cousines = les nôtres	*ours*
Vos cousines = les vôtres	*yours*
Leurs cousines = les leurs	*theirs*

Note

a. All along, it is a question of more than one (female) cousin; only the owners change.
b. Use **les** in every case to show the noun is feminine plural; add **-s** to the feminine singular.

Finally, to avoid confusion between possessive adjectives and possessive pronouns:

a. The possessive adjectives go with nouns (**mon** privilège, **ses** privilèges, **ta** cousine, **leurs** cousines).
b. The posessive pronouns are made up of a definite article plus a pronoun (**le mien, la sienne, les nôtres**).
c. The English spellings of possessive adjectives and pronouns generally differ: *my-mine; your-yours; their-theirs; her-hers; our-ours.* Only the adjective *his* (*his* cousin) and the pronoun *his* (it's *his*, that hat is *his*) are the same.

101. Verb Pattern: *Craindre, Depeindre, Rejoindre*

J'ai visité tous les endroits que Proust **dépeint** dans son œuvre! *I visited all the places Proust describes in his work!*
Il y a des gens qui ne **craignent** pas cette chaleur. *There are people who aren't afraid of this heat.*
Crois-tu que je **me plains** des heures tranquilles que j'ai passées ici? *Do you think I'm complaining of the peaceful hours I spent here?*
Craindras-tu la chaleur d'août sur la Côte d'Emeraude? *Would you be scared of the August heat on the Côte d'Emeraude?*

A limited but important number of irregular verbs have infinitives ending in **-aindre, -eindre**, or **-oindre**. This is their pattern:

craindre, *to fear*

je crains	*I fear*	[krɛ̃]	All singular forms SOUND the same.
tu crains	*you fear*	[krɛ̃]	
il craint	*he fears*	[krɛ̃]	
nous craignons	*we fear*	[krɛɲɔ̃]	1st and 2nd persons plural differ by only a single sound.
vous craignez	*you fear*	[krɛɲe]	
ils craignent	*they fear*	[krɛɲ]	

PAST PARTICIPLE: **craint**
FUTURE: je **craindr**ai, etc.
CONDITIONAL: je **craindr**ais, etc. IMPERFECT: je **craign**ais, etc.

dépeindre, *to describe, to depict*

je dépeins	*I describe*	[depɛ̃]	All singular forms SOUND the same.
tu dépeins	*you describe*	[depɛ̃]	
il dépeint	*he describes*	[depɛ̃]	
nous dépeignons	*we describe*	[depɛɲɔ̃]	1st and 2nd persons plural differ by only a single sound.
vous dépeignez	*you describe*	[depɛɲe]	
ils dépeignent	*they describe*	[depɛɲ]	

PAST PARTICIPLE: **dépeint**
FUTURE: je **dépeindr**ai, etc.
CONDITIONAL: je **dépeindr**ais, etc. IMPERFECT: je **dépeign**ais, etc.

rejoindre, *to join, to meet* (*someone at a given place*)

je rejoins	*I join*	[rəʒwɛ̃]	All singular forms SOUND the same.
tu rejoins	*you join*	[rəʒwɛ̃]	
il rejoint	*he joins*	[rəʒwɛ̃]	
nous rejoignons	*we join*	[rəʒwɛɲɔ̃]	
vous rejoignez	*you join*	[rəʒwɛɲə]	1st and 2nd persons plural differ by only a single sound.
ils rejoignent	*they join*	[rəʒwɛɲ]	

PAST PARTICIPLE: **rejoint**
FUTURE: je **rejoindrai**, etc.
CONDITIONAL: je **rejoindrais**, etc.
IMPERFECT: je **rejoignais**, etc.

Transformation Drills

Mais, c'est ton privilège!
Mais, c'est le tien!

C'était notre plaisir.
C'est le privilège des Américains.
Ma journée a été très agréable.
Je prendrai tes bagages.
Mes enfants vous rejoindront.
Son oncle a toujours été très économe.
Vos cousines craignaient la chaleur.
Mon frère aura bientôt treize ans.
Tes parents t'ont encouragé?

Ce quartier est à moi.
Ce quartier est le mien.

Ce privilège est à lui.
Ce quartier est à elle.
Cette maison est à eux?
Cet enfant est à toi?
Cet argent est à nous.
Ce plaisir sera à vous.
Ces bagages étaient à elle.
Cette poupée est à vous?

Chain Drills

Vous n'avez pas vos livres, mais j'ai les miens.

Je n'aime pas ma tante, mais tu maies . . .
Vous ne rejoindrez pas vos cousines, mais nous rejoindrons . . .
Je n'admire pas trop ma voisine, mais Janine admire . . .
Jeune homme, j'ai mes écrivains favoris, vous avez . . .
Nous avons pris nos billets; Janine et Charles ont pris . . .
Vous adorez votre petite fille et nous adorons . . .

Je reste à la maison, je crains cette chaleur.

Il reste à la maison, il . . .
Nous restons à la maison, nous . . .
Elles restent à la maison, elles . . .
Vous restez à la maison, vous . . .
Tu restes à la maison, tu . . .

Si je ne m'amuse pas, je me plaindrai.

Si elles ne s'amusent pas, elles . . .
Si tu ne t'amuses pas, tu . . .
Si nous ne nous amusons pas, nous . . .
Si vous ne vous amusez pas, vous . . .
S'ils ne s'amusent pas, ils . . .

Transformation Drill

Proust dépeint ces endroits.
Proust a dépeint ces endroits.

Janine rejoint Charles à la campagne.
Je dépeins tout cela dans ma lettre.

Nous rejoignons mon beau-frère au mois d'août.
Il se plaint de cette journée.
Vous craignez les foules?
Victor et Liliane dépeignent leur excursion dans cette lettre.
Tu nous rejoins à St-Malo?

Questions sur le Dialogue

1. Qui est de retour?
2. Chez qui Janine a-t-elle eu une journée agréable?
3. Comment était la journée de Mme Parry?
4. Quels endroits Mme Parry a-t-elle visités avec Victor?
5. Pourquoi Janine a-t-elle refusé de rejoindre Mme Parry à Illiers?
6. Aime-t-elle la chaleur de l'été?
7. Craint-elle cette chaleur?
8. A qui est le privilège de faire une telle excursion en été?
9. Quel est celui de Janine?
10. A qui est le plaisir de visiter Illiers?
11. Janine se plaint-elle des heures tranquilles qu'elle a passées chez Liliane?
12. Avec qui a-t-elle passé ces heures?
13. Janine se rend-elle à sa maison de campagne cet été?
14. Qui est-ce qu'elle y rejoint, ordinairement?
15. Où se trouve la Côte d'Emeraude?
16. Quel est le pays de Chateaubriand?
17. Où Mme Parry a-t-elle loué une maison?
18. Qui va l'y accompagner?
19. Qui invite-t-elle à cette maison?

Prononciation [ʃ] [ʒ]

chez	je	gens
chapeau	jeune	gérant
architecte	Janine	agir
chameau	Jérémie	panégyrique
choux	Jacques	gynécologie
cheval	toujours	Georges
farouche	journée	Gisèle
Charlotte	Jaurès	Geneviève
Charles	bijou	geôlier
Foch	séjour	gigantesque
Rachel	juger	gager
		pigeon
		gageure

Le chien cherche Charlotte.
Rachel a un cheval farouche.
M. Foch a caché l'architecte dans le choux.

Les jeunes gens ont jugé Jacques.
Gageons que Julien rejoindra Gisèle.
Jérémie a rejeté cette jeune fille gigantesque!

Dialogue Review

A. Class reads Dialogue 24 in unison or in groups.
B. Several students give Dialogue 23 by heart.
C. *Dictée* based on Dialogue 22.

The "Drugstore."

Victor and Charles look for swimming suits.

VINGT-CINQUIEME LEÇON

Un maillot de bain

CHARLES: Fichtre! Les maillots de bain coûtent si cher! Je n'avais pas pensé à cela. Tu dis que celui-ci est parmi les moins chers? Et celui-là?

VICTOR: Lequel?

CHARLES: Ici, à gauche—celui qui est d'un si joli vert foncé.

VICTOR: Ce maillot-là coûte plus cher. Vois-tu, ceux qui se trouvent à gauche sont de meilleure qualité. Tu te figurais qu'ils coûteraient ce qu'ils avaient coûté il y a vingt ans?

CHARLES: Je m'étais figuré, moi, que des vêtements aussi courts que ceux-là se vendraient toujours assez bon marché! Et dire que le prix avait tellement augmenté!

VICTOR: Mais Charles, pense à ceci: n'y a-t-il pas quelque chose d'autre qui a augmenté, lui aussi?

CHARLES: (Riant) Tu veux dire mon tour de taille, n'est-ce pas? Ça, c'est vrai! Si on m'avait dit, pourtant, que je prendrais tellement de poids . . .

VICTOR: Janine m'a dit que tu es très bon nageur.

CHARLES: Autrefois, j'adorais la nage. Et le cyclisme aussi! Avant mon mariage j'avias même gagné deux prix. C'est ainsi que nous nous

CHARLES: I'll be darned! Swimming suits cost so much! I hadn't thought of that. You say this is among the less expensive ones? . . . And that one?

VICTOR: Which one?

CHARLES: Here, on the left—the one that's such a nice dark green.

VICTOR: That swimming suit is more expensive. You see, the ones on the left are a better quality. Did you imagine they'd still cost what they used to twenty years ago?

CHARLES: I'd imagined that articles of clothing as short as those still sold rather cheaply. And to think the price had increased so much!

VICTOR: But Charles, think of this: isn't there something else that's increased also?

CHARLES: (Laughing) You mean my waistline, don't you? That's true enough! Still, if anyone had told me that I'd put on so much weight . . .

VICTOR: Janine told me you're a very good swimmer.

CHARLES: I used to be crazy about swimming, once upon a time. And cycling too! Before I got married, I'd even won two prizes. That's how

sommes connus, Janine et moi. Elle était sortie voir passer les cyclistes, et moi, j'étais justement tombé de mon vélo! C'est elle qui m'a relevé.

Janine and I got acquainted. She'd gone out to see the riders go by, and I'd just fallen off my bike! She's the one who picked me up.

VICTOR: Et vous êtes tombés amoureux!

VICTOR: And you fell in love!

CHARLES: C'est ça! . . . Voyons . . . Je prends ce maillot-ci. Il n'est pas aussi beau que le vert, mais il est meilleur marché.

CHARLES: Right! . . . Let's see . . . I'll take this suit. It's not as nice as the green one, but it's cheaper.

VICTOR: Prends la maillot vert, puisque tu préfères celui-là! C'est moi qui paie, d'ailleurs. J'avais décidé de te faire ce cadeau, dès que je savais que tu aimais la nage. Et Maman y ajoute une robe de plage.

VICTOR: Take the green suit, since you prefer that one! Anyhow, I'm paying for it. I'd decided to get you this gift as soon as I knew you liked swimming. And Mother's contributing a beach robe.

CHARLES: Je tombe des nues, moi!

CHARLES: I'm absolutely speechless!

VICTOR: En voilà de très jolies. Tu aimes le vert . . . celle-ci te plaît-elle? Ou celle-là, aux raies vertes et blanches?

VICTOR: Here are some very good-looking ones. You like green . . . does this one suit you? Or that one, with the white and green stripes?

CHARLES: Vraiment, quelle générosité! Eh bien, j'accepte volontiers, mon cher Victor . . . Celle que je préfère, c'est la rayée.

CHARLES: Really, such generosity! Well, I gladly accept, Victor my boy . . . The one I prefer is the striped robe.

FAUX AMIS: **court** = *short*, not *court* (**cour**, f.).

Response Drills

Je n'avais jamais pensé à cela!
    Vraiment? N'y avais-tu jamais pensé?
Charles n'avait jamais pensé que les prix augmenteraient.
    Vraiment? Avait-il cru cela?
Mais nous lui avions dit qu'ils augmenteraient!
    Vraiment! Vous le lui aviez dit?
Charles et sa mère avaient décidé de lui faire ces cadeaux.
    Vraiment! Y avaient-ils déjà pensé?

Pourquoi donc étais-tu sortie?
    J'étais sortie voir passer les cyclistes!

Et Charles était tombé de son vélo!

Nous étions venus, ma famille et moi, passer trois semaines à la campagne.

Et vous étiez justement descendus dans la rue!

Oui! Et les cyclistes étaient justement entrés dans cette même rue!

Repetition Drills

Mais qu'est-ce que tu t'étais figuré?
Je m'étais figuré, moi, que ces maillots de bain ne coûteraient pas cher.
Liliane s'était maquillée, puis elle est sortie.
Nous nous étions figurés que tu aurais besoin d'un maillot!
Vous étiez-vous figurés qu'ils coûteraient si cher?
Elle et Charles s'étaient connus à la compagne.

Et tu dis que celui-ci est parmi les moins chers?
Oui. Celui-là, à gauche, coûte plus cher.
Celui-ci coûte donc moins cher que celui-là.
Et ceux-ci? Je veux dire les maillots rayés.
Ceux-ci ne sont pas aussi jolis que ceux-là.
Voici de jolies robes de plage.
Celle-ci est bleue.
Celle-là est rose!
Celles-ci sont d'un beau vert foncé.

Celui-ci me plaît.
Celui-là ne me plaît pas.
Je prends celle-ci.
Je ne prends pas celle-là.
Ceux-ci sont bon marché.
Ceux-là sont meilleur marché.
Je prends celle-ci.
Je ne prends pas celle-là.

Celui qui se trouve à gauche coûte cher.
Je prends celui que tu choisiras.
Ceux qui sont verts sont de meilleure qualité.
Ceux que je préfère sont verts.
Je prends celle qui te plaît.
Prends plutôt celle que tu voudras.
Charles aime celles qui sont rayées.
Celles qu'il préfère sont vertes.

Response Drill

Lequel de ces deux gâteaux est le plus nourrissant?
Celui qui est le plus nourrissant? Mais la bûche de Noël!
Lequel de ces maillots prendras-tu?
Celui qui je prendrai? Mais, le maillot vert foncé!
Laquelle de ces villes est la plus jolie?
Celle qui est la plus jolie? Mais, c'est Combourg!
Laquelle de ces femmes connais-tu le mieux?
Celle que je connais le mieux? Mais, c'est Mme Casiez!
Lesquels de ces écrivains M. Musy préfère-t-il?
Ceux qu'il préfère? Mais, Voltaire et Marivaux!
Lesquels de ces médicaments coûtent le plus cher?
Ceux qui coûtent le plus cher? Mais, ces grandes pilules roses!
Lesquelles de ces comédies sont les plus amusantes?
Celles qui sont les plus amusantes? Mais, les comédies de Molière!
Lesquelles de ces comédies Victor préfère-t-il?
Celles qu'il préfère? Mais les comédies de Marivaux!

Grammaire

102. Pronouns Pointing Out People or Things (Les pronoms démonstratifs)

Celui qui est à gauche coûte plus cher. *The one* (*that is*) *on the left is more expensive.*

Ceux qu'il préfère? Mais, Voltaire et Marivaux! *The ones* (*that*) *he prefers? Why, Voltaire and Marivaux!*

Celle que je préfère, c'est la rayée. *The one* (*that*) *I prefer is the striped one* (*robe*).

Celles qu'il préfère? Mais, les comédies de Marivaux! *The ones* (*that*) *he prefers? Why, Marivaux's comedies!* or *Those* (*that*) *he prefers? Why, Marivaux's comedies!*

There are four basic pronouns that point out people or things (demonstrative pronouns):

MASCULINE SINGULAR	MASCULINE PLURAL
celui, *the one*	ceux, *the ones, those*
FEMININE SINGULAR	FEMININE PLURAL
celle, *the one*	celles, *the ones, those*

103. *Celui-Ci*, *Celui-La*, and Related Combinations

Et tu dis que **celui-ci** est parmi les moins chers? *And you say that this one is among the least expensive?*

Je ne prends pas **celui-là**. *I'm not taking that one.*
Je m'étais figuré que **ceux-là** se vendraient assez bon marché. *I'd imagined that those (particular ones) would sell rather cheaply.*
Celle-ci te plaît-elle? Ou peut-être **celle-là**, aux raies vertes et blanches? *Does this one suit you? Or maybe that one, with the green and white stripes?*
J'aime **celles-ci**; je n'aime pas **celles-là**. *I like these; I don't like those.*

To contrast or oppose two things (or people), use the following forms:

MASCULINE SINGULAR	MASCULINE PLURAL
celui-ci, *this one*	ceux-ci, *these* (particular ones)
celui-là, *this one*	ceux-là, *these* (particular ones)
FEMININE SINGULAR	FEMININE PLURAL
celle-ci, *this one*	celles-ci, *these* (particular ones)
celle-là, *that one*	celles-là, *those* (particular ones)

104. The Pluperfect (Le plus-que-parfait)

Je n'**avais** pas **pensé** à cela! *I hadn't thought of that!*
Je n'**ai** pas **pensé** à cela! *I didn't think of that!*

Elle **était sortie** voir passer les cyclistes. *She'd gone out to see the cyclists go by.*
Elle **est sortie** voir passer les cyclistes. *She went out to see the cyclists go by.*

Je **m'étais figuré** que ceux-là se vendraient assez bon marché. *I'd imagined that those would sell rather cheaply.*
Je **me suis figuré** que ceux-là se vendaient assez bon marché. *I imagined that those sold rather cheaply.*

The French *plus-que-parfait* is a pretty close equivalent of the pluperfect (past perfect). As the paired examples above show, conjugating it is not difficult once you are familiar with the *passé composé*:

a. Both these tenses resemble each other; they are compound tenses, with a helping verb and past participle.
b. They differ in that the *passé composé* uses the present tense of **avoir** or **être** as helping verb; the *plus-que-parfait* uses the imperfect tense of **avoir** or **être**. The *passé composé*, in English, becomes either the simple past (*I imagined*, *I was*, *I ate*) or uses *have* or *has* as helping verb (*I have imagined*, *he has been*, *you have eaten*). The English helping verb for the pluperfect is *had* (*I had imagined*, *I had been*, *they had eaten*).

The *plus-que-parfait* and *passé composé* also have a "time" relationship. The first one tells of something that occurred in the past before another past event which occurred closer to the present. The more recent event would be expressed by the *passé composé*. For example:

Je n'avais pas pensé à cela (et puis, j'ai vu ces prix élevés)! *I hadn't thought of that (and then, I saw these high prices)!*

Elle était sortie voir passer les cyclistes (et puis, je suis arrivé avec mon vélo). *She'd gone out to see the cyclists go by (and then I came along with my bike).*

Here is a sampling of verbs in the *plus-que-parfait*:

parler

j'avais parlé	*I had spoken*
tu avais parlé	*you had spoken*
il avait parlé	*he had spoken*
nous avions parlé	*we had spoken*
vous aviez parlé	*you had spoken*
ils avaient parlé	*they had spoken*

sortir

j'étais sorti	*I had gone out*	masc. sing.
j'étais sortie	*I had gone out*	fem. sing.
tu étais sorti	*you had gone out*	masc. sing.
tu étais sortie	*you had gone out*	fem. sing.
il était sorti	*he had gone out*	
elle était sortie	*she had gone out*	
nous étions sortis	*we had gone out*	masc. pl.
nous étions sorties	*we had gone out*	fem. pl.
vous étiez sorti	*you had gone out*	masc. sing.
vous étiez sortis	*you had gone out*	masc. pl.
vous étiez sortie	*you had gone out*	fem. sing.
vous étiez sorties	*you had gone out*	fem. pl.
ils étaient sortis	*they had gone out*	
elles étaient sorties	*they had gone out*	

se coucher

je m'étais couché	*I had gone to bed*	masc. sing.
je m'étais couchée	*I had gone to bed*	masc. pl.
tu t'étais couché	*you had gone to bed*	masc. sing.
tu t'étais couchée	*you had gone to bed*	fem. sing.
il s'était couché	*he had gone to bed*	
elle s'était couchée	*she had gone to bed*	
nous nous étions couchés	*we had gone to bed*	masc. pl.
nous nous étions couchées	*we had gone to bed*	fem. pl.

vous vous étiez couché	*you had gone to bed*	masc. sing.
vous vous étiez couchés	*you had gone to bed*	masc. pl.
vous vous étiez couchée	*you had gone to bed*	fem. sing.
vous vous étiez couchées	*you had gone to bed*	fem. pl.
ils s'étaient couchés	*they had gone to bed*	
elles s'étaient couchées	*they had gone to bed*	

105. *CECI* AND *CELA*

Je n'avais pas pensé à **cela**. *I hadn't thought of that (situation).*

Mais Charles, pense à **ceci**: n'y a-t-il pas quelque chose d'autre qui a augmenté! *But Charles, think of this (situation): isn't there something else that's increased?*

Ça, c'est vrai! *That (situation) is true enough!*

Ceci, cela and **ça** (**ça** is the colloquial, everyday form of **cela**) are neuter pronouns, used when no specific noun has been mentioned—that is, when no gender has been established for them to refer to. They can indicate a thing or a whole situation or a state of affairs, but not persons.

Exercices

Transformation Drills

Le prix a augmenté.
Le prix avait augmenté.

Je n'ai jamais pensé à cela.
Qu'est-ce qu'ils ont coûté il y a vingt ans?
Je me suis figuré qu'ils se vendent bon marché.
Janine m'a dit que tu es bon nageur.
Tu as même gagné des prix!
C'est ainsi que nous nous sommes connus.
Nous sommes sortis voir passer les cyclistes.
Je suis tombé de mon vélo.
C'est Janine qui m'a relevé.
Victor a décidé de te faire ce cadeau.

J'aime le maillot qui est d'un vert foncé.
J'aime celui qui est d'un vert foncé.

Les maillots qui se trouvent à gauche sont de meilleure qualité.
C'est la femme qui m'a relevé.
Voilà la robe qui te plaît, n'est-ce pas?
Voilà les robes qui sont rayées.

Voilà la ballerine qui est la plus jolie.
Voilà le libraire qui m'a vendu ce livre.
Voilà les pilules qui ont coûté si cher!

Le maillot que je préfère, c'est le vert.
Celui que je préfère, c'est le vert.

La robe de plage que Charles préfère, c'est la rayée.
Voilà le vélo que je voudrais acheter.
Voilà les médicaments que j'ai pris!
Voilà les pilules que je détestais le plus!
Voilà les maillots que nous avons préférés.
Voilà les ballerines que Victor a admirées.
Voilà les cyclistes que Janine a vus.
Voilà le cadeau que je te donnerai!

Response Drill

Préférez-vous ce maillot-ci?
Non, je préfère ce maillot-là.

Celui-ci?
Vous aimez donc cette robe-ci?
Celle-là?
Applaudis-tu ces ballerines-là?
Celles-ci?
Prendras-tu donc ces maillots-là?
Ceux-ci?

Dites en français en employant *ceci*, *cela* (*ça*):

1. I didn't know that!
2. Who gave her that?
3. Paulette sent this for Catherine.
4. Lillian knitted that for the baby.
5. This upsets me (*contrarier*).
6. Victor, eat this!
7. Victor, do that!

Répondez aux questions suivantes en disant *Vraiment? Mais nous ne savions pas cela!* si la question est à l'affirmatif, et en disant *Oh si! nous savions bien cela!* si la question est au négatif (Answer the following questions by saying *Vraiment? Mais nous ne savions pas cela!* if the question is in the affirmative, and by saying *Oh si! nous savions bien cela!* if the question is in the negative):

Saviez-vous que Victor était malade?
Saviez-vous que Charles est si bon nageur?
Saviez-vous que ma mère est arrivée à Paris?
Ne saviez-vous pas que je parle français!
Ne saviez-vous pas que Liliane adore les ballets?
Saviez-vous que ma cousine Paulette est très riche?
Ne saviez-vous pas que nous nous connaissions depuis notre enfance?
Ne saviez-vous pas que M. Musy déteste les romans de Camus?

Questions sur le Dialogue

1. Qu'est-ce qui coûte si cher?
2. Charles avait-il pensé à cela?
3. Ce maillot-ci est-il parmi les moins chers?
4. Il ya a un maillot à gauche; de quelle couleur est-il?
5. Ce maillot-là coûte-t-il moins cher ou plus cher que l'autre?
6. Est-ce Charles se figurait que les maillots coûteraient ce qu'ils avaient coûté il y a vingt ans?
7. Le prix des maillots de bain a beaucoup augmenté. Qu'est-ce qui a augmenté, lui aussi?
8. Quand Charles avait-il gagné deux prix pour le cyclisme?
9. Qui était sorti voir passer les cyclistes?
10. Qui a relevé Charles quand il est tombé de son vélo?
11. Qu'est-ce qui est arrivé après cela?
12. Quel maillot Charles préfère-t-il?
13. Qui paie le maillot?
14. Qu'est-ce que Mme Parry y ajoute?
15. Quelle robe de plage Charles prend-il?

Prononciation [m] [n]

opium
maximum
minimum
Jérusalem
pensum
muséum

murmure
moineau
morceau
mépris
Mimi

dolmen
spécimen
hymen
lichen

damner
condamner
condamnable
automne

non
nain
Ninon
Nannette
nénuphar
âne
sonne
chanoine

Mimi murmure maintenant contre le chanoine.
Le moineau mange le morceau de pomme.
Ce spécimen est au muséum de Jérusalem.
Ce médicament contient un miminum d'opium.
Maman a mis mon manteau dans l'armoire.

Non! Nanette n'a nié aucune de ces nouvelles.
Ce nain de Nîmes est un âne!
Maintenant, ne nous noyons pas!
Noémi, annoncez la bonne nourrice!
Friponne! n'aimes-tu ni les épinards ni les navets?

Dialogue Review

A. Class reads Dialogue 25 in unison or in groups.
B. Several students give Dialogue 24 by heart.
C. *Dictée* based on Dialogue 23.

At the Louvre.

Chateaubriand's house near Paris.

VINGT-SIXIEME LEÇON

On parle de Chateaubriand

JANINE: Je n'aurais pas eu l'idée de visiter la Côte d'Emeraude, si tu ne m'y avais pas invitée!

MME PARRY: Oh! je l'avais bien deviné! Tu as ta maison de campagne.

JANINE: Pourtant, on m'en parlait depuis des années. Mme Coudert, notre voisine, est bretonne, et s'y rend chaque été.

MME PARRY: C'est une question de nos goûts personnels. Ceux d'un Américain le poussent à se déplacer, à explorer des endroits nouveaux, tandis que ceux des Français—

JANINE: C'est peut-être vrai, mais les choses sont en train de changer. Il y a aujourd'hui tant de Français qui se déplacent, qui font du camping . . . ça t'étonnerait! Mais la Côte d'Emeraude? C'est un choix extraordinaire, pour un Américain!

MME PARRY: Je ne suis pas une Américaine ordinaire, tu le sais bien! Si j'avais été une touriste ordinaire, j'aurais choisi la Côte d'Azur. Mais il y avait une éternité que je désirais voir la maison de l'auteur des *Mémoires d'outre-tombe.*

JANINE: La maison de qui?

MME PARRY: Celle de l'auteur des *Mémoires d'outre-tombe.*

JANINE: It wouldn't have occurred to me to visit the Côte d'Emeraude, if you hadn't invited me!

MRS. PARRY: Oh! I'd already guessed it! You have your country house.

JANINE: Still, I'd heard about it for years. Mme Coudert, our neighbor, is from Brittany and goes there every summer.

MRS. PARRY: It's a question of our personal tastes. An American's give him the itch to get around, to explore different spots, while Frenchmen's—

JANINE: Maybe that's true, but things are changing. Today, there are so many Frenchmen getting around, going camping . . . you'd be amazed! But the Côte d'Emeraude? It's an unusual choice, for an American!

MRS. PARRY: I'm not an ordinary American, as you well know! If I'd been an ordinary tourist, I'd have chosen the Riviera. But I've wanted for ever so long to see the house of the author of *Mémoires d'outre-tombe.*

JANINE: Whose house?

MRS. PARRY: The one belonging to the author of *Mémoires d'outre-tombe.*

JANINE: De qui donc est cet ouvragelà?

MME PARRY: Mais, c'est celui de Chateaubriand!

JANINE: Ah! c'est de Chateaubriand? Eh bien, je ne connais, moi, que *René* et *Atala*, qui m'ont tant fait pleurer, quand j'étais écolière! . . . Tiens! Toinette, la maison de Chateaubriand ne se trouve-t-il pas à Sceaux, près de Paris?

MME PARRY: Tu as complètement raison.

JANINE: Voici longtemps que je le savais. Justement, Charles a un parent qui habite à Sceaux.

MME PARRY: Mais cette maison-là, c'est celle que Chateaubriand habitait de 1807 à 1817. C'est dans celle de Combourg qu'il a passé une partie de sa jeunesse.

JANINE: Whose work is that?

MRS. PARRY: Why, it's Chateaubriand's!

JANINE: Ah! It's by Chateaubriand? Well, all *I'm* acquainted with is *René* and *Atala*, that made me cry so much when I was a schoolgirl . . . Hold on! Toinette, isn't Chateaubriand's house at Sceaux, near Paris?

MRS. PARRY: You're quite right.

JANINE: I've known it for a long time. As it happens, Charles has a relative living at Sceaux.

MRS. PARRY: But that house is the one Chateaubriand lived in from 1807 to 1817. It's the one at Combourg that he spent part of his youth in.

About the Dialogue

Sceaux is a southern suburb of Paris. Chateaubriand's house, now a museum, is a principal tourist attraction of the area.

Response Drills

Les Mémoires d'outre-tombe? De qui est cet ouvrage?
  Mais, c'est celui de Chateaubriand.
Coppélia? Sylvia? De qui sont ces ballets?
  Mais, ce sont ceux de Delibes!
*Le Tartuffe?** De qui est cette pièce?
  Mais, c'est celle de Molière!
Phèdre? Andromaque?† De qui sont-elles, ces pièces-là?
  Mais, ce sont celles de Racine!‡

* Molière's famous classic play about a religious hypocrite (1669).

† *Phèdre*, Racine's tragedy (1677), tells of the incestuous love of a queen for her stepson Hippolyte. *Andromaque*, another of his tragedies (1667), involves the unrequited love of Pyrrhus for Andromache, Hector's widow, that of Hermione for Pyrrhus, and that of Orestes for Hermione, and the multiple misfortunes which result.

‡ Jean Racine (1639–99) was one of France's greatest classic dramatists. His tragedies have the same literary status and universality as the comedies of his contemporary, Molière.

De qui est ce cadeau-là, Maman?
    Mais, c'est celui de ton oncle Ambroise!
Et de qui sont tous ces vêtements en dentelle?
    Mais, ce sont ceux de ta cousine Paulette!
De qui est cette lettre, Victor?
    Mais, c'est celle de ta mère, chérie!
De qui sont toutes ces pilules, chérie?
    Mais, ce sont celles du médecin! Prends-les donc!

A qui est cette enfant?
    Elle est aux Parry. C'est celle des Parry.
A qui sont ces robes?
    Elles sont à Mme Parry. Ce sont celles de Mme Parry.
Ces vêtements sont-ils à Liliane?
    Oui, ils sont à Liliane. Oui, ce sont ceux de Liliane.
Ce maillot-ci est-il à Charles?
    Oui, il est à Charles. Oui, c'est celui de Charles.
Ces gâteaux sont-ils à Mme Casiez?
    Non, ils ne sont pas à Mme Casiez. Non, ce ne sont pas ceux de Mme Casiez.
Ces pilules sont-elles à Victor?
    Oui, elles sont à Victor. Oui, ce sont celles de Victor.

Response Drill

C'est une question de nos goûts personnels.
    Ceux d'un Américain le poussent à se déplacer.
Il reste beaucoup de châteaux en France.
    C'est dans celui de Combourg que Chateaubriand a vécu.
Camus a écrit plusieurs pièces de théâtre.
    Mais M. Musy préfère celles de Marivaux.
La cousine de Victor s'appelle Janine Vallin.
    Celle de Liliane s'appelle Paulette.

Transformation Drills

Mettez les phrases suivantes au conditionnel passé:

Je n'y penserais jamais si tu ne m'en parlais pas.
    Je n'y aurais jamais pensé si tu ne m'en avais pas parlé.
Si tu ne m'en parlais pas, je n'y penserais jamais.
    Si tu ne m'en avais jamais parlé, je n'y aurais jamais pensé.

Nous verrions la Côte d'Emeraude, si on nous y invitait.
    Nous aurions vu la Côte d'Emeraude, si on nous y avait invités.
Si on nous y invitait, nous verrions la Côte d'Emeraude.
    Si on nous y avait invités, nous aurions vu la Côte d'Emeraude.
Resterais-tu à Paris cet été si je n'y venais pas?
    Serais-tu restée à Paris cet été si je n'y étais pas venue?
Si je n'y venais pas, resterais-tu à Paris cet été?
    Si je n'y étais pas venue, serais-tu restée à Paris cet été?
Seriez-vous plus contents si Catherine était un garçon?
    Auriez-vous été plus contents si Catherine avait été un garçon?

Si Catherine était un garçon, seriez-vous plus contents?
    Si Catherine avait été un garçon, auriez-vous été plus contents?
Janine craindrait-elle la chaleur si elle se rendait à sa maison de campagne?
    Janine aurait-elle craint la chaleur si elle s'était rendue à sa maison de campagne?
Si elle se rendait à sa maison de campagne, Janine craindrait-elle la chaleur?
    Si elle s'était rendue à sa maison de campagne, Janine aurait-elle craint la chaleur?
Je choisirais la Côte d'Azur, si j'étais une Américaine ordinaire.
    J'aurais choisi la Côte d'Azur, si j'avais été une Américaine ordinaire.
Si j'étais une Américaine ordinaire, je choisirais la Côte d'Azur.
    Si j'avais été une Américaine ordinaire, j'aurais choisi la Côte d'Azur.
Nous voyagerions en Italie s'il y avait assez d'argent.
    Nous aurions voyagé en Italie s'il y avait eu assez d'argent.
S'il y avait assez d'argent, nous voyagerions en Italie.
    S'il y avait eu assez d'argent, nous aurions voyagé en Italie.

Mettez les phrases suivantes à l'imparfait:

J'en entends déjà parler depuis des années.
    J'en entendais déjà parler depuis des années.
Il y a une éternité que Mme Parry désire voir cette maison.
    Il y avait une éternité que Mme Parry désirait voir cette maison.
Voici longtemps que nous le savons!
    Voici longtemps que nous le savions!
Voilà deux mois qu'il attend cet argent.
    Voilà deux mois qu'il attendait cet argent.
Nous nous y trouvons déjà depuis cinq ans.
    Nous nous y trouvions déjà depuis cinq ans.
Il y a une heure que Liliane écrit cette lettre.
    Il y avait une heure que Liliane écrivait cette lettre.

Tu dis que tu le connais depuis ton enfance?
    Tu dis que tu le connaissais depuis ton enfance?
Oh! oui, il y a des années que nous jouons ensemble!
    Oh! oui, il y avait des années que nous jouions ensemble!

Grammaire

106. *Celui*, *Celle*, *Ceux*, *Celles* Used With *De*

Voilà mes goûts personnels; mais **ceux** d'un Américain sont différents. *These are my personal tastes; but an American's are different.*

Je voudrais visiter la maison de l'auteur des *Mémoires d'outre-tombe.*—**Celle** de qui? *I'd like to visit the home of the author of* Mémoires d'outre-tombe. —*Whose?*

Cet ouvrage-là, c'est **celui** de Chateaubriand! *That work is Chateaubriand's!*

In the last unit, **celui, ceux, celle**, and **celles** were shown as subject pronouns used with **qui** (Je prends **celui qui** est d'un joli vert foncé.) and as object pronouns used with **que** (**Celle que** je préfère, c'est la rayée.). Here, these words are used with **de** to express the idea of belonging:

Ceux d'un Américain	*An American's* (literally, "those of an American")
Celle de qui?	*Whose?* (literally, "that of whom")
Celui de Chateaubriand	*Chateaubriand's* (literally, "that of Chateaubriand")

It turns out, therefore, that in French one often needs three words to show ownership:

celui de + name of owner	**celle de** + name of owner
ceux de + name of owner	**celles de** + name of owner

In English, of course, we usually manage this by simply adding *'s* to singular nouns (an *American's* tastes, *Chateaubriand's* house), or just an apostrophe to plurals (*Americans'* tastes, the *Parrys'* daughter). This three-word pattern, like partitives, is different enough from our own special patterns to require additional practice for familiarity.

107. The Past Conditional

J'**aurais choisi** la Côte d'Azur. *I'd have chosen the Riviera.* (Past conditional)
Je **choisirais** la Côte d'Azur. *I'd choose the Riviera.* (Conditional)

Serais-tu restée à Paris cet été? *Would you have stayed in Paris this summer?* (Past conditional)

Resterais-tu à Paris cet été? *Would you stay in Paris this summer?* (Conditional)

Auriez-vous **été** plus contents? *Would you have been happier?* (Past conditional)

Seriez-vouz plus contents? *Would you be happier?* (Conditional)

These pairs of sentences have one thing in common: they express actions resulting from certain implied conditions. But "I would choose" and "Would you stay" differ from "I would have chosen" and "Would you have stayed": the actions expressed by the conditional sentences *would* or *would not be done* at the present time or at some future date; those expressed by the two past conditional sentences *would* or *would not have been done* at some time in the past.

Here is a sampling of verbs in the past conditional:

parler

j'aurais parlé	*I would have spoken*
tu aurais parlé	*you would have spoken*
il aurait parlé	*he would have spoken*
nous aurions parlé	*we would have spoken*
vous auriez parlé	*you would have spoken*
ils auraient parlé	*they would have spoken*

rester

je serais resté	*I would have stayed*	masc. sing.
je serais restée	*I would have stayed*	fem. sing.
tu serais resté	*you would have stayed*	masc. sing.
tu serais restée	*you would have stayed*	fem. sing.
il serait resté	*he would have stayed*	
elle serait restée	*she would have stayed*	
nous serions restés	*we would have stayed*	masc. pl.
nous serions restées	*we would have stayed*	fem. pl.
vous seriez resté	*you would have stayed*	masc. sing.
vous seriez restés	*you would have stayed*	masc. pl.
vous seriez restée	*you would have stayed*	fem. sing.
vous seriez restées	*you would have stayed*	fem. pl.
ils seraient restés	*they would have stayed*	
elles seraient restées	*they would have stayed*	

se coucher

je me serais couché	*I'd have gone to bed*	masc. sing.
je me serais couchée	*I'd have gone to bed*	fem. sing.
tu te serais couché	*you'd have gone to bed*	masc. sing.
tu te serais couchée	*you'd have gone to bed*	fem. sing.

il se serait couché	*he'd have gone to bed*	
elle se serait couchée	*she'd have gone to bed*	
nous nous serions couchés	*we'd have gone to bed*	masc. pl.
nous nous serions couchées	*we'd have gone to bed*	fem. pl.
vous vous seriez couché	*you'd have gone to bed*	masc. sing.
vous vous seriez couchés	*you'd have gone to bed*	masc. pl.
vous vous seriez couchée	*you'd have gone to bed*	fem. sing.
vous vous seriez couchées	*you'd have gone to bed*	fem. pl.
ils se seraient couchés	*they'd have gone to bed*	
elles se seraient couchées	*they'd have gone to bed*	

The past conditional is a combination of the past participle of the verb and of the helping verb (**avoir, être**) in the conditional.

108. Condition–Result Sentences Using the Pluperfect and Past Conditional

Previously, we discussed condition–result sentences using the imperfect and the conditional:

Je ne le **croirais** pas si je ne le **voyais** pas. *I wouldn't believe it if I didn't see it (now).*
Si je n'**avais** pas une forte constitution, je m'**évanouirais**! *If I didn't have a strong constitution, I'd faint (now)!*

These condition–result situations are set in the present time. Now take note of the following:

Je n'**aurais** pas **eu** l'idée de visiter la Côte d'Emeraude, si tu ne m'y **avais** pas **invitée**. *It wouldn't have occurred to me (until now) to visit the Côte d'Emeraude if you hadn't invited me.*
Si j'**avais été** une touriste ordinaire, j'**aurais choisi** la Côte d'Azur! *If I had been (all my life) an ordinary tourist, I'd have chosen the Riviera.*

As a further test of these facts, here are these two examples used with the imperfect–conditional combination:

Je n'**aurais** pas l'idée de visiter la Côte d'Emeraude si tu ne m'y **invitais** pas! *It wouldn't occur to me (now) to visit the Côte d'Emeraude, if you didn't invite me!*
Si j'**étais** une touriste ordinaire, je **choisirais** la Côte d'Azur. *If I were an ordinary tourist, I'd choose the Riviera (now).*

Here, now are the imperfect–conditional examples used with the pluperfect–past conditional combination:

Je ne l'**aurais** pas **cru** si je ne l'**avais** pas **vu**. *I wouldn't have believed it if I hadn't seen it.*
Si je n'**avais** pas **eu** une forte constitution, je me **serais évanouie**! *If I hadn't had a strong constitution (all my life) I'd have fainted!*

109. *Depuis* used with the Imperfect

You recall that when **depuis** is used with the present tense, it tells that someone has been doing something and is still doing it:

Mon Dieu, je **perds** la mémoire **depuis** quelque temps! *Gad, I've been losing my memory for some time now! (And I'm still losing it!)*
Pourquoi **bâilles**-tu **depuis** une heure? *Why have you been yawning for an hour? (And you're still yawning!)*

When **depuis** is used with the imperfect, it tells that someone had been doing something in the past and was still doing it—up to a more recent moment in the past:

Quand enfin j'ai visité Illiers, on m'en **parlait depuis** des années! *By the time I visited Illiers, I'd heard about it for years! (And I was still hearing about it.)*
Il y **avait** une éternité que je **désirais** voir cette maison. *I'd been wanting for ever so long to see that house. (Even before the subject came up lately.)*

Exercices

Chain Drill

Voilà mon maillot, où est celui de Charles?

Voilà ma robe, où est . . .
Voilà mes filles, où sont . . .
Voilà ma maison de campagne, où est . . .
Voilà nos voisins, où sont . . .
Voilà mon vélo, où est . . .
Voilà ma femme, ou est . . .
Voilà mon fils, où est . . .

Transformation Drill

Je voudrais voir la maison de Chateaubriand, qui se trouve à Sceaux.
Je voudrais voir celle de Chateaubriand.

René est l'ouvrage de Chateaubriand.
Le château familial de Chateaubriand se trouve à Combourg.

M. Musy n'a jamais aimé les romans de Camus.
Victor lira les pièces de Marivaux.
Catherine est la fille des Parry.
Liliane adore les ballets de Delibes.
Victor et Liliane vont manger la bouillabaisse de Janine.
Mme Casiez préfère le gâteau de Liliane.
Le chauffeur de taxi a pris les bagages de Mme Parry.

Mettez les phrases suivantes au passé, et des deux façons suivantes (The following conditional sentences are set in the *present.* Set them in the *past*, in the two following ways):

Si j'avais assez d'argent, j'achèterais ce maillot-là.
Si j'avais eu assez d'argent, j'aurais acheté ce maillot-là.
J'aurais acheté ce maillot-là, si j'avais eu assez d'argent.

Si Victor n'était pas malade, il ne prendrait pas tous ces médicaments.
Si tu voulais obéir au médecin, tu mangerais ce croissant!
Si vous aviez les goûts d'un Américain, vous iriez à la Côte d'Azur.
Si Paulette envoyait de beaux vêtements à l'enfant, j'en serais sidéré!
Si l'oncle Ambroise lui donnait de l'argent, je m'évanouirais!
Si on m'écoutait, les anciennes Halles existeraient toujours!
Si le taxi arrivait de bonne heure, nous y serions avant midi.
Si vous saviez cela, vous vous plaindriez.
Si les étudiants connaissaient mieux les romans de Marivaux, ils en liraient plus souvent.
Si j'entendais cette musique pour la centième fois, je l'applaudirais.

Changez les phrases suivantes en employant *depuis, voila, voici, il y a*:

J'entends parler de la Côte d'Emeraude depuis des années.
Depuis des années, j'entendais parler de la Côte d'Emeraude.
Voilà des années que j'entendais parler de la Côte d'Emeraude.
Voici des années que j'entendais parler de la Côte d'Emeraude.
Il y avait des années que j'entendais parler de la Côte d'Emeraude.

Depuis longtemps, Mme Parry désire visiter ce château.
Depuis quelque temps, les nouvelles Halles se trouvent à Rungis.
Victor est dans le taxi depuis dix minutes.
Je vous attends déjà depuis trois heures.
Depuis vingt ans, au mois d'août, nous nous rendons à notre maison de campagne.
Liliane tricote des vêtements depuis plusieurs mois.
Victor étudie à la Sorbonne depuis le mois de septembre.
Mme Casiez habite ici depuis 1950.

Questions sur le Dialogue

1. Est-ce Janine aurait jamais eu l'idée de passer ses vacances sur la Côte d'Emeraude, si Mme Parry ne l'y avait pas invitée?
2. Qu'est-ce que Mme Parry avait deviné?
3. Qui parlait de la Côte d'Azur depuis des années?
4. Pourquoi?
5. Où Mme Coudert se rend-elle chaque été?
6. Est-ce que les goûts personnels d'un Américain le poussent à rester à la maison?
7. Qu'est-ce qui étonnerait Mme Parry?
8. Si Mme Parry avait été une touriste comme toute autre, quel endroit aurait-elle visité?
9. De qui sont *Les Mémoires d'outre-tombe*?
10. Quels ouvrages de Chateaubriand Mme Vallin connaît-elle?
11. Quand ces ouvrages l'ont-ils fait pleurer?
12. Où se trouve Sceaux?
13. Qui habite à Sceaux?
14. A quelle époque Chateaubriand vivait-il à Sceaux?
15. Où a-t-il passé une partie de sa jeunesse?

Prononciation [ɲ]

accompagner	campagne	poignée
agneau	ignorance	empoigner
ligne	Agnès	Montaigne
cygne	Espagne	moignon
craignais	Ignace	oignon
rejoigniez	Champagne	
dépeignons	poignard	

Je peignais un cygne et un agneau.
Ma maison de campagne est en Champagne.
Angès a des oignons magnifiques.
Il ne craignait pas que Montaigne fût ignorant!
Seigneur Ignace est soigné mais indigne.

Dialogue Review

A. Class reads Dialogue 26 in unison or in groups.
B. Several students give Dialogue 25 by heart.
C. *Dictée* based on Dialogue 24.

Oraison[1]

The author of this play, Fernando Arrabal (1932–), holds a distinguished place among the dramatists (Beckett, Ionesco, Genêt) whose works comprise what has come to be known as the Theatre of the Absurd. Of late years, Arrabal has become, in addition, an exponent of the Living Theatre, a form of dramatic expression that attempts to break down the barriers between players and audience.

As a boy, Arrabal experienced the nightmares of the Spanish civil war as well as the tortures of the Spanish police. In this short play, his characters, in the direct language of children—a language that is naturally cruel, transparent, and exact—announce, in the midst of the purest absurdity, the freshness of a new gospel: that of goodness (bonté). *It turns out to be the simplest and yet the most difficult—indeed, impossible—gospel to follow.*

PART I

En Scène[2]—Les deux personnages:[3] Fidio et Lilbé, homme et femme.
Un cercueil[4] d'enfant, noir.
Quatre cierges.[5]
Un Christ en fer.[6]
Au fond,[7] un rideau[8] noir.
(La pièce ne comporte[9] qu'un seul tableau.[10])
Musique au loin:[11] "Black and Blue" de Louis Armstrong. Silence.

FIDIO: A partir[12] d'aujourd'hui, nous serons bons et purs.
LILBE: Qu'est-ce qu'il t'arrive?[13]
FIDIO: Je dis qu'à partir d'aujourd'hui nous serons bons et purs comme les anges.[14]
LILBE: Nous?
FIDIO: Oui.
LILBE: On ne pourra pas.
FIDIO: Tu as raison. (*Un temps.*) Ce sera très difficile. (*Un temps.*) On essaiera.
LILBE: Comment?
FIDIO: En observant la loi du Seigneur.
LILBE: Je l'ai oubliée.
FIDIO: Moi aussi.
LILBE: Comment allons-nous faire alors?
FIDIO: Pour savoir ce qui est bien ou mal?[15]
LILBE: Oui.

[1] prayer [2] on the stage [3] characters [4] casket [5] candles [6] iron [7] upstage [8] curtain [9] includes, consists of [10] scene [11] in the distance [12] starting with [13] What's got into you? [14] angels [15] bad, evil

FIDIO: J'ai acheté la Bible.
LILBE: Et ça suffit?[16]
FIDIO: Oui, ça nous suffira.
LILBE: On sera des saints.
FIDIO: C'est trop demander. (*Un temps.*) Mais on peut essayer.
LILBE: Ça va être tout différent.
FIDIO: Oui, très.
LILBE: Comme ça, on ne s'ennuiera pas,[17] comme maintenant.
FIDIO: Et puis ce sera très joli.
LILBE: Tu es sûr?
FIDIO: Oui, sans doute.
LILBE: Lis-moi un peu le livre.
FIDIO: La Bible?
LILBE: Oui.
FIDIO: (*Lisant.*) "Au commencement Dieu créa le ciel[18] et la terre." (*Enthousiaste*). Comme c'est joli.
LILBE: Oui, c'est très joli.
FIDIO: (*Lisant.*) "Que la lumiere soit![19] Et la lumière fut. Dieu vit[20] que la lumière était bonne et Dieu sépara la lumière d'avec les ténèbres.[21] Dieu appela la lumière jour, et il appela les ténèbres nuit. Ainsi il y eut[22] un soir et il y eut un matin; ce fut le premier jour."

[16] is enough [17] won't be bored [18] God created the heavens [19] Let there be light
[20] saw [21] darkness [22] there was

L'AVENUE
BOULE
HOTEL
27
TRIPERIE
RESTAURANT
CAFÉ-BAR
RESTAURANT
PARIS
JOUR
TELE
POCHE
MODES
de PARIS
CHEZ BOU
RAMBUTEAU
METRO
METRO
CAFÉ-RESTAURANT

Old Paris.

Many people enjoy the beach in St-Malo.

VINGT-SEPTIEME LEÇON

Charles veut maigrir

JANINE: Dis donc, Charlot, n'as-tu pas assez nagé pour aujourd'hui?

CHARLES: Fichtre non! Je voudrais maigrir! Et ce n'est pas en restant sur la plage qu'on y arrive!

JANINE: Y arriveras-tu donc en te fatigant trop?

CHARLES: Mais j'ai besoin d'exercice! Et quand je me serai entraîné, j'irai faire un peu de ski nautique!

JANINE: L'exercice dont tu as besoin, mon cher, c'est celui de te lever de table un peu plus tôt! C'est en mangeant moins, c'est en résistant aux sucreries, c'est en suivant un régime qu'on maigrit!

CHARLES: Quand j'aurai perdu dix kilos en nageant, tu m'en féliciteras!

JANINE: Quand tu auras perdu dix kilos, les poules auront des dents! Et quand tu auras attrapé un bon rhume dans cet océan, dont l'eau est si glaciale; quand je me serai éreintée à te soigner, quand ta maladie aura causé des ennuis à Toinette, dont tu devrais apprécier la bonté, qu'en diras-tu?

CHARLES: Allons donc, petite! Ma santé—dont tu t'inquiètes tant—est excellente. Et je n'ai pas l'intention de me rendre malade en m'éreintant!

JANINE: Look here, Charlie, haven't you already swum enough for today?

CHARLES: Heck, no! I'd like to lose some weight! And you don't manage that by staying on the beach!

JANINE: Will you manage it by getting overtired?

CHARLES: But I need exercise! And when I've practiced up, I'll do a little water-skiing!

JANINE: The exercise you need, my good man, is to get up from the table a bit sooner! It's by eating less, staying away from sweets, and following a diet that a person loses weight!

CHARLES: When I lose ten kilos by swimming, you'll congratulate me!

JANINE: You'll lose ten kilos swimming when pigs can fly! And when you catch a bad cold in that ocean, with that icy water, when I have knocked myself out taking care of you, when your illness causes trouble for Toinette, whose kindness you should appreciate, what'll you have to say?

CHARLES: Oh, come on, sweetheart! My health—that you're so worried about—is fine; and I'm not planning to get sick overstraining myself!

Et d'ailleurs, est-ce ma faute si j'ai perdu ma taille svelte, dont j'étais si fier? Ne m'as-tu pas gâté, avec ta superbe cuisine?

JANINE: Voilà qui est vrai . . . mais il y a tant d'années que tu n'as pas nagé!

CHARLES: Ne t'en fais pas, petite! La nage, c'est un sport dont je connais bien les dangers, surtout pour un vieux ventru comme moi!

JANINE: Tu n'iras donc pas faire de ski nautique?

CHARLES: (Riant) Je te taquinais, petite.

JANINE: Ouf! Quel soulagement! . . . Quand tu auras fini de nager, Charlot, nous irons ensemble prendre une glace, veux-tu?

CHARLES: Pour me faire maigrir?

And besides, is it my fault if I've lost the nice slender build that I was so proud of? Haven't you spoiled me with your great cooking?

JANINE: That's true enough . . . but it's been so many years since you've done any swimming!

CHARLES: Don't get all upset, sweetheart! Swimming is one sport whose dangers I know all about, especially for a paunchy old guy like me!

JANINE: Then you won't go water-skiing?

CHARLES: (Laughing) I was teasing you, honey.

JANINE: Whew! What a relief! . . . When you're done swimming, Charlie, we'll go have an ice cream together, O.K.?

CHARLES: To make me lose weight?

FAUX AMIS: **régime** = *diet* in this case. It can mean *regime* in the sense of *government* or *administration.*

About the Dialogue

Quand les poules auront des dents literally means "when hens will have teeth." It is a way of expressing an unlikely eventuality. "When pigs can fly" is only one of many idiomatic equivalents in English.

Response Drills

On nous dit que Charles va perdre dix kilos!
    Quand Charles aura perdu dix kilos, les poules auront des dents!
Je vais faire un peu de ski nautique.
    Quand nous aurons causé des ennuis à Toinette, qu'en diras-tu?
Mais je te taquinais, Janine!
    Quand vous aurez fini de nager, nous irons prendre une glace.
On nous dit que tu vas faire du ski nautique.
    Quand j'aurai perdu dix kilos, on m'en félicitera!
Charles, je voudrais nager un peu.
    Quand tu auras un bon rhume, qui te soignera?

Est-ce que Victor et Liliane prennent une glace?
    Oui. Quand ils auront pris une glace, ils rentreront à la maison.

Tu t'entraînes, Charles?
    Quand je me serai entraîné, j'irai faire un peu de ski nautique!
Je m'entraîne, petite!
    Quand tu te seras entraîné, mon cher, les poules auront des dents!
Charles a attrapé un rhume!
    Quand Janine se sera éreintée à soigner son mari, qu'en dira Mme Parry?
Je ne veux pas maigrir, moi!
    Quand nous nous serons entraînés, petite, nous maigrirons ensemble!
Paulette a envoyé tout cela? Pas possible!
    Quand vous vous serez calmés, je vous raconterai les nouvelles.
Est-ce que M. et Mme Parry sont encore partis?
    Quand ils se seront habillés, ils se rendront à l'hôpital.

Comment maigrit-on?
    C'est en mangeant moins qu'on maigrit.
Comment devient-on svelte?
    C'est en résistant aux sucreries qu'on devient svelte!
Comment réussit-on à maigrir?
    C'est en suivant un régime qu'on réussit à maigrir!
Comment arrive-t-on à maigrir?
    Ce n'est pas en restant assis sur la plage qu'on arrive à maigrir!
Comment résiste-t-on à ces sucreries?
    C'est en se levant de table plus tôt qu'on résiste à ces sucreries!
Comment Paulette a-t-elle étonné tout le monde?
    En envoyant de beaux cadeaux, Paulette a étonné tout le monde.
Comment Liliane s'est-elle fatiguée?
    En montant à la Tour Eiffel, Liliane s'est trop fatiguée.
Comment Charles s'est-il éreinté?
    Charles s'est éreinté en nageant trop.
Comment Janine s'est-elle éreintée?
    Janine s'est éreintée en soignant Charles.
Quand Charles a-t-il attrapé un rhume?
    Charles a attrapé un rhume en s'entraînant.
Comment Victor s'est-il rendu malade?
    Victor s'est rendu malade en faisant du ski nautique.
Quand Mme Parry a-t-elle apporté beaucoup de cadeaux?
    En arrivant en France, Mme Parry a apporté beaucoup de cadeaux.

Ta santé est-elle bonne?
    Ma santé, dont tu t'inquiètes tant, est excellente!

Où est cette ballerine?
  Voilà la ballerine dont Victor a toujours parlé!
Voilà mon gâteau aux fruits, Mme Casiez.
  Ah! c'est le gâteau aux fruits dont vous m'avez parlé!
Mais Janine, j'ai besoin d'exercice!
  L'exercice dont tu as besoin, c'est celui de te lever de table plus tôt!
La Côte d'Emeraude est-elle jolie?
  La Côte d'Emeraude, dont Janine a entendu parler, a de très belles plages.

Ambroise a envoyé cinquante dollars pour notre fille!
  Voilà bien une nouvelle dont on est sidéré!
Avez-vous pris des photos?
  Nous avons des photos dont nous sommes fort satisfaits.
Charles, il te faudrait maigrir!
  Est-ce ma faute si j'ai perdu ma taille svelte, dont j'étais si fier?
Pourquoi restes-tu si longtemps dans cet océan, dont l'eau est si glaciale?
  Je nage, petite, parce que j'ai besoin d'exercice!
Quel maillot préfères-tu, Charles?
  Je préfère ce maillot-là, dont la couleur est si belle.
Qui sont ces voisins?
  Ce sont les frères Dujardin, dont la pharmacie se trouve tout près d'ici.

A qui Victor va-t-il écrire?
  Victor va écrire à l'oncle Ambroise, dont le chèque vient d'arriver.
Qui va passer quelque temps en France?
  Mme Parry, dont le train vient d'arriver, va passer quelque temps en France.
Qui préfère ce maillot vert?
  Charles, dont la taille a augmenté, préfère ce maillot vert.
Où montez-vous?
  Nous montons dîner chez Janine, dont la bouillabaisse nous attend!
A qui écriras-tu, Liliane?
  J'ecrirai immédiatement à Paulette, dont les cadeaux m'ont sidérée!
Mme Parry aime-t-elle les ouvrages de Chateaubriand?
  Mme Parry adore les ouvrages de Chateaubriand, dont la maison se trouve à Sceaux.

Repetition Drills

A dix heures, je serai déjà arrivé.
Si nous arrivons trop tard, le taxi sera déjà parti!
Au mois de juin, le bébé sera déjà né.
A midi, Liliane et Victor seront déjà rentrés.

Serez-vous déjà revenus à Paris vers le 1er septembre?
Bien sûr! A cette époque-là, nous serons déjà allés à Combourg.

Ta maladie causera des ennuis à Toinette, dont j'apprécie la bonté.
La nage, c'est un sport dont je connais bien les dangers.
René est l'ouvrage de Chateaubriand, dont j'aime les romans.
L'Etranger est un roman de Camus, dont M. Musy déteste les ouvrages.
Victor a une lettre de sa mère, dont il attend le train.
Allons visiter la Tour Eiffel, dont je voudrais voir le sommet.
Ah! voici la ballerine dont tu admires tant la taille.
Et voilà la musique dont tu adores tant le compositeur.

Grammaire

110. THE FUTURE PERFECT (Le futur antérieur)

Quand j'**aurai perdu** dix kilos en nageant, tu m'en féliciteras! *When I lose (I'll have lost) ten kilos swimming, you'll congratulate me!*

Quand je **me serai éreintée** à te soigner, qu'en diras-tu? *When I've knocked myself out (I'll have knocked myself out) taking care of you, what'll you have to say?*

A midi, Liliane et Victor **seront** déjà **rentrés.** *At noon, Lillian and Victor will already be (will already have been) back home.*

The future perfect tense (*futur antérieur*) is made up of the past participle of the verb and the helping verb (**avoir** or **être**) used in the future tense.

parler

j'aurai parlé	*I will have spoken*
tu auras parlé	*you will have spoken*
il aura parlé	*he will have spoken*
nous aurons parlé	*we will have spoken*
vous aurez parlé	*you will have spoken*
ils auront parlé	*they will have spoken*

aller

je serai allé	*I will have gone*	masc. sing.
je serai allée	*I will have gone*	fem. sing.
tu seras allé	*you will have gone*	masc. sing.
tu seras allée	*you will have gone*	fem. sing.
il sera allé	*he will have gone*	
elle sera allée	*she will have gone*	
nous serons allés	*we will have gone*	masc. pl.
nous serons allées	*we will have gone*	fem. pl.

vous serez allé	*you will have gone*	masc. sing.
vous serez allée	*you will have gone*	fem. sing.
vous serez allés	*you will have gone*	masc. pl.
vous serez allées	*you will have gone*	fem. pl.
ils seront allés	*they will have gone*	
elles seront allées	*they will have gone*	

se coucher

je me serai couché	*I will have gone to bed*	masc. sing.
je me serai couchée	*I will have gone to bed*	fem. sing.
tu te seras couché	*you will have gone to bed*	masc. sing.
tu te seras couchée	*you will have gone to bed*	fem. sing.
il se sera couché	*he will have gone to bed*	
elle se sera couchée	*she will have gone to bed*	
nous nous serons couchés	*we will have gone to bed*	masc. pl.
nous nous serons couchées	*we will have gone to bed*	fem. pl.
vous vous serez couché	*you will have gone to bed*	masc. sing.
vous vous serez couchés	*you will have gone to bed*	masc. pl.
vous vous serez couchée	*you will have gone to bed*	fem. sing.
vous vous serez couchées	*you will have gone to bed*	fem. pl.
ils se seront couchés	*they will have gone to bed*	
elles se seront couchées	*they will have gone to bed*	

The *futur antérieur* is used in French as the future perfect is used in English: to express an action that will have been completed at some time in the future. Actually, the French use this tense more readily in everyday speech than we use the future perfect in English; the "will have" combination comes out sounding stiff and formal ("When I'll have spoken"; "when I'll have gone to bed," etc.) so we usually avoid it. Instead we should probably use the simple perfect: Que fera-t-il quand il **se sera entraîné**? *What will he do when he has practiced up?* This speech pattern is shorter and less formal but actually implies future perfect, because the action in question is not yet completed.

111. PRESENT PARTICIPLES (Le participe présent)

Ce n'est pas **en restant** ici qu'on y arrive! *You don't manage that by staying here!*

C'est **en mangeant** moins qu'on maigrit. *It's by eating less that you lose weight.*

En arrivant en France, Mme Parry a apporté beaucoup de cadeaux. *Upon arriving in France, Mrs. Parry brought along many gifts.*

Y arriveras-tu **en** te **fatigant** trop? *Will you manage it by getting overtired?*

Outside of three exceptions, the present participles of all French verbs are based on:

a. the stem of the first person plural of the present tense,
b. the ending **-ant**.

For example:

parler	parl**ons**	parl**ant**
finir	finiss**ons**	finiss**ant**
vendre	vend**ons**	vend**ant**
faire	fais**ons**	fais**ant**
craindre	craign**ons**	craign**ant**
prendre	pren**ons**	pren**ant**

The three exceptions:

être	ét**ant**
avoir	ay**ant**
savoir	sach**ant**

Usually, the past participle is used with **en** in its prepositional sense. This combination can express several ideas:

a. A simultaneous action: **en montant à la Tour Eiffel,** *while climbing the Eiffel Tower*; **perdre dix kilos en nageant,** *to lose ten kilos while swimming.*
b. The means of a certain action: **en restant ici**, *by staying here*; **en mangeant moins**, *by eating less.*

In all cases, the action is performed by the person or thing that is the subject of the sentence. Note, also, that the present participles of reflexive verbs must include the reflexive pronoun that agrees with the subject:

Y arriveras-**tu** en **te** fatigant trop?
C'est en **se** levant de table plus tôt qu'**on** résiste à ces sucreries!

112. Relative Pronoun: *Dont*

Quand tu auras attrapé un bon rhume dans cet océan, **dont** l'eau est si glaciale, qu'en diras-tu? (de l'eau de cet océan). *When you catch a heavy cold in that ocean, with all that icy water* (*whose water is so icy*) *what'll you have to say?*

Quand ta maladie aura causé des ennuis à Toinette, **dont** tu devrais apprécier la bonté, qu'en diras-tu? (de la bonté de Toinette). *When your illness causes trouble for Toinette, whose kindness you should appreciate, what'll you have to say?*

Ma santé, **dont** tu t'inquiètes tant, est excellente! (s'inquiéter de ma santé). *My health that you're so worried about* (*about which you're so worried*) *is fine.*

The main fact to retain in connection with **dont** is this: Where there's a **dont** in the picture, there's also a **de** implied, as you see from the examples. **Dont** may refer to persons or things. Here, in connection with **océan**, it means *whose* or *of* *which*; with Toinette, it means *whose* or *of whom*; with **santé**, it means *about which*.

Exercices

Transformation Drills

Tu prendras le métro?
Tu auras pris le métro?

Vous m'attendrez ici?
Le train sera déjà là!
Liliane aura besoin de moi.
Ça me fera plaisir de la revoir.
Tu m'y accompagneras!
Mais je serai si occupée!
Que direz-vous à Paulette?
Nous en serons si contents!
Tu finiras ton travail?
Mais qu'est-ce qu'elle fait?
Charles perdra dix kilos en nageant.

Maman arrivera demain.
Maman sera arrivée demain.

J'irai à la gare vers 10.45 h.
Janine viendra à la gare avec moi.
Nous resterons à la maison.
Mais si, tu iras à la gare!
Oui, j'irai avec toi.
Janine s'éreintera à soigner son mari.
Elle s'inquiétera de sa santé.
Charles ne se rendra pas malade.
Janine et Charles iront prendre une glace.

Quand j'ai nagé, j'ai attrapé un rhume.
En nageant, j'ai attrapé un rhume.

Quand je reste ici, je ne maigris pas!
Quand Charles maigrira, il aura la taille svelte.
Quand tu te fatigueras, tu tomberas malade.
Quand on prend du poids, on a besoin d'exercice.
Quand on se lève de table plus tôt, on mange moins.
Quand on résiste aux sucreries, on maigrit.
Quand tu as suivi un régime, tu as perdu cinq kilos!

Charles a fait du ski nautique; il s'est éreinté.
En faisant du ski nautique, il s'est éreinté.

Charles s'éreinte. Il se rend malade.
Charles tombe de son vélo. Il fait la connaissance de Janine.
Janine gronde Charles. Elle a raison.
Janine est une cuisinière superbe. Elle gâte son mari.
Charles attrape un rhume. Il causera des ennuis à Toinette.
Charles connaît bien la nage. Il ne se fatiguera pas trop.
Mme Parry est arrivé en France. Elle a apporté beaucoup de beaux cadeaux.
Elle a apporté un chèque envoyé par l'oncle Ambroise. Elle a étonné tout le monde.
Elle se rend à la Côte d'Emeraude. Elle y invite Janine et Charles.

Voici l'océan. Je parlais de cet océan!
Voici l'océan dont je parlais.

Voici l'océan. L'eau de cet océan est si glaciale!
Voici le maillot vert. La couleur de ce maillot est si belle!
Ce sont les frères Dujardin. La pharmacie des frères Dujardin se trouve tout près d'ici.
Liliane va écrire à Paulette. Le cadeau de Paulette l'a sidérée!
Voici Mme Parry. Le train de Mme Parry vient d'arriver.
Nous avons une lettre de l'oncle Ambroise. Le chèque de l'oncle Ambroise est de cinquante dollars!
René est l'ouvrage de Chateaubriand. La maison de Chateaubriand se trouve à Sceaux.
Mme Parry aime relire l'œuvre de Proust. La maison de Proust se trouve à Illiers.
Je connais la ballerine. Le mari de cette ballerine est son ami.

Vous parlez de ce roman?
C'est le roman dont vous parlez?

Nous avons fait la connaissance de cette voisine.
Liliane a entendu parler de ce magasin.
Victor avait besoin de cet ouvrage.
Charles, tu as besoin de cet exercice!
Mme Parry s'inquiète de cette lettre.
Nous étions très fiers de cette taille svelte!
Janine parle de cette glace.
Charles avait parlé de ce maillot.
Je suis très fier de cette enfant!

Voici Toinette; nous apprécions sa bonté.
Voici Toinette, dont nous apprécions la bonté.

Mais c'est un sport! je connais bien ses dangers!
Voilà M. Musy; j'ai fait sa connaissance.
Ah! c'est un ballet de Delibes; j'adore sa musique.
Oh! voilà une lettre de Paulette; j'aime tant ses cadeaux!
Ah! voilà une lettre pour vous, Madame; j'aime tant vos gâteaux!
J'admire la Tour Eiffel; je vois son sommet d'ici.
Voilà ma cousine Janine; nous aimons tous sa superbe cuisine.
Oh! chérie, est-ce le médecin? Je déteste ses médicaments!

Questions sur le Dialogue

1. Charles voudrait-il prendre du poids?
2. Maigrit-on en restant sur la plage?
3. De quoi Charles a-t-il besoin?
4. Que fera-t-il quand il se sera entraîné?
5. De quel exercice a-t-il besoin?
6. Comment maigrit-on?
7. Que fera Janine quand Charles aura perdu dix kilos?
8. Qu'est-ce qui est glacial?
9. Qu'est-ce qui causera des ennuis à Toinette?
10. Qui va s'éreinter à soigner Charles?
11. De quoi Janine s'inquiète-t-elle?
12. La santé de Charles est-elle bonne?
13. Charles a-t-il toujours été gros?
14. Qui l'a gâté avec une superbe cuisine?
15. Charles ira-t-il vraiment faire du ski nautique?
16. Quand Charles aura fini de nager, que fera-t-il avec Janine?

Prononciation [b] [p]

bon	ballerine	Papa	poule	hop
robe	Benjamin	partir	plaire	julep
bébé	Bordeaux	Dieppe	Pauline	hanap
bleu	Béatrice	Paul	Pyrrhus	handicap
tombé	nabab	promène	Paulette	
besoin	Job	plage	pépin	
bonté	club			
superbe				

Béatrice est une belle ballerine.
Bibi a besoin d'une robe bleue.
Benjamin est tombé à Bordeaux.
C'est le biberon du bébé.
Le bon baron a une barbiche blanche.

Papa est parti pour Perpignan.
Paulette a perdu son parapluie.
J'ai pris un julep pour Philippe.
Ne pousse pas Poussette, s'il vous plaît!
M. Popelinot n'a pas compris ce passage.

Dialogue Review

A. Class reads Dialogue 27 in unison or in groups.
B. Several students give Dialogue 26 by heart.
C. *Dictée* based on Dialogue 25.

Oraison

PART II

LILBE: Tout a commencé comme ça?
FIDIO: Oui. Tu vois comme c'est simple et comme c'est beau.
LILBE: Oui, on me l'avait expliqué d'une façon[1] beaucoup plus compliquée.
FIDIO: Les histoires du cosmos?[2]
LILBE: (*Souriant.*)[3] Oui.
FIDIO: (*Souriant.*) A moi aussi.
LILBE: (*Souriant.*) Et aussi l'évolution.
FIDIO: Quelle affaire!
LILBE: Lis-m'en encore un peu.
FIDIO: (*Lisant.*) "L'Eternel Dieu forma l'homme de la poussière[4] de la terre, il souffla[5] dans ses mains un souffle[6] de vie et l'homme devint un être[7] vivant!" (*Un temps.*) "Alors l'Eternal Dieu fit tomber un profond sommeil sur l'homme qui s'endormit;[8] il prit une de ses côtes,[9] et referma la chair[10] à sa place.

[1] manner [2] universe [3] smiling [4] dust [5] blew [6] breath [7] being [8] fell asleep [9] ribs
[10] closed up the flesh

L'Eternel Dieu forma une femme de la côte qu'il avait prise de l'homme."
Fidio et Lilbé s'embrassent.

LILBE: (*Inquiète.*) Et on pourra coucher ensemble comme avant?
FIDIO: Non.
LILBE: Il faudra que je dorme toute seule alors?
FIDIO: Oui.
LILBE: Mais je vais avoir très froid.[11]
FIDIO: Tu t'y habitueras.[12]
LILBE: Et toi? Tu ne vas pas avoir froid?
FIDIO: Si, moi aussi.
LILBE: Alors, on ne se disputera comme lorsque[13] tu prends tout le drap?[14]
FIDIO: Bien sûr.
LILBE: En voilà une affaire difficile, la bonté.
FIDIO: Oui, très.
LILBE: Je pourrai mentir?
FIDIO: Non.
LILBE: Même pas faire des petits mensonges?[15]
FIDIO: Même pas.
LILBE: Et voler[16] des oranges à l'épicière?
FIDIO: Non plus.
LILBE: On ne pourra pas aller s'amuser, comme avant, au cimetière?[17]
FIDIO: Si, pourquoi pas?
LILBE: Et crever[18] les yeux des morts,[19] comme avant?
FIDIO: Ça, non.
LILBE: Et tuer?[20]
FIDIO: Non.
LILBE: Alors, on va laisser les gens continuer à vivre?
FIDIO: Evidemment.
LILBE: Tant pis[21] pour eux.

[11] I'll be very cold [12] You'll get used to it [13] when [14] bedsheet [15] tell little lies [16] steal [17] cemetery [18] poke out [19] dead people [20] kill [21] too bad

The gendarmes are always ready to help.

The St-Malo fortifications.

VINGT-HUITIEME LEÇON

A St-Malo

LILIANE: J'aime tant me promener ici, bien que les fortifications n'aient pas trop d'intérêt pour moi. Les remparts de St-Malo sont vraiment impressionnants! Mais—je ne saurais dire pourquoi—je me sens déjà fatiguée.

LILLIAN: I really do like walking here, though fortifications don't hold much interest for me. The ramparts of St-Malo are really impressive! But—I couldn't say why—I feel tired already.

VICTOR: Mais tu es une promeneuse infatigable! Pour que tu te sentes fatiguée, il faut qu'il y ait une bonne raison.

VICTOR: But you're a tireless walker! For you to be feeling tired so fast, there must be a good reason.

MME PARRY: En effet, la petite a mal dormi cette nuit.

MRS. PARRY: As it happens, the baby slept badly last night.

VICTOR: Chérie, tu aurais pu rester à la maison. Et moi, quoique ces fortifications me fascinent, j'aurais pu t'y tenir compagnie.

VICTOR: Dear, you could have stayed home. And although these fortifications fascinate me, I could have kept you company.

LILIANE: Tu es bien gentil, mais nous pouvons marcher encore quelque temps sans que j'aie vraiment besoin de me reposer. Ce matin, je ne pouvais pas me lever. Mais après une demi-heure, j'ai pu y arriver . . . Vraiment, je ne voudrais pas m'arrêter avant qu'on voie le tombeau de Chateaubriand.

LILLIAN: You're very sweet, but we can keep walking a while yet without my having to rest, really. This morning, I couldn't get up. But after half an hour I was able to make it . . . Really, I wouldn't want to stop before we see Chateaubriand's tomb.

MME PARRY: Ma chère, je pourrais bien remettre cette visite.

MRS. PARRY: My dear, I could easily put off this visit.

LILIANE: Mais nous sommes venus ici afin que tu puisses voir ce tombeaulà!

LILLIAN: But we came here so you could see that tomb!

JANINE: Il faudrait toujours que nous nous reposions un peu.

JANINE: We should still rest a bit.

CHARLES: Liliane, es-tu vraiment si curieuse de le voir, ce tombeau? Et surtout à St-Malo, pays du grand Surcouf?

LILIANE: Surcouf? Qui est-ce?

CHARLES: Dame! Robert Surcouf était, au début du dix-neuvième siècle, le plus grand corsaire du monde entier! Il est né et mort ici à St-Malo.

LILIANE: Quoi! un vrai corsaire?

CHARLES: Et comment! Voilà un homme qui savait bien capturer des navires anglais! Je parie que les mères anglaises qui se trouvaient près de la mer disaient à leurs enfants: "Ne vous promenez pas du côté de l'eau, de peur que* Surcouf vienne vous prendre!"

CHARLES: Lillian, are you really so curious to see that tomb? And especially in St-Malo, the birthplace of the great Surcouf?

LILLIAN: Surcouf? Who's that?

CHARLES: Wow! Robert Surcouf was—at the start of the nineteenth century—the greatest pirate in the whole world! He was born and died here in St-Malo.

LILLIAN: What! A real pirate?

CHARLES: And how! There's a man who could capture British ships! I'll bet that British mothers who were near the sea told their children: "Don't go near the water, or else Surcouf might come and get you!"

Response Drills

Où allez-vous?
    Il faut que je rentre maintenant.
Je vais chez les Parry.
    Il faut que vous apportiez un cadeau pour l'enfant.
Catherine se réveille-t-elle de bonne heure?
    Il faut que Victor et Liliane se lèvent à six heures.
Pourquoi s'arrête-t-on?
    Il faut que Liliane se repose un peu.
Victor, je voudrais me reposer.
    Il faut que tu restes à la maison.
Liliane se sent fatiguée.
    Il faudrait que nous nous reposions un peu.

Pourquoi bâilles-tu, Victor?
    Bien que j'applaudisse l'orchestre, j'ai sommeil!
Que me donnes-tu, chérie?
    Quoique tu n'applaudisses pas cette idée , je te donne ces médicaments!

---

* **De peur que** literally means "for fear that."

Pourquoi Victor bâille-t-il?
Bien qu'il applaudisse les ballerines, Victor est fatigué.
Votre santé est-elle bonne?
Quoique nous applaudiss?ons le médecin, nous sommes souvent malades.
Chérie, j'ai tellement sommeil!
Bien que vous applaudissiez cette ballerine, vous bâillez depuis une heure!
Janine et Charles s'amusent-ils au ballet?
Quoiqu'ils applaudissent l'orchestre, Janine et Charles voudraient rentrer.

Victor, c'est ce maillot-là que je préfère.
Achetons donc ce maillot-là avant qu'on le vende.
Pourquoi te dépêches-tu tant?
Je me dépêche pour que tu m'attendes.
Est-ce que tu m'as appelé?
Viens donc ici, afin que je t'entende mieux!
Ecris-tu souvent à la famille?
J'écris tant de lettres à mes cousines sans qu'elles y répondent!
Oh! quelle jolie robe!
Prenez-la avant que nous la vendions!
Pourquoi prenez-vous le métro?
Nous prenons le métro pour que vous nous attendiez à la gare.

Pourquoi se repose-t-elle maintenant?
Il faut bien qu'elle se repose; elle est fatiguée.
Pourquoi es-tu si fatiguée?
Il faut qu'il y ait une bonne raison!
Sais-tu pourquoi Liliane se sent fatiguée?
Liliane se sent fatiguée sans que je sache pourquoi.
Que fais-tu, chérie?
Je me promène avec Catherine afin qu'elle dorme.
Vous êtes déjà fatiguées? C'est étonnant!
Pour que nous nous sentions fatiguées, il faut qu'il y ait une raison!
Tu ne resteras donc pas à la maison?
Quoique Victor veuille m'y tenir compagnie, je ne resterai pas à la maison.
Que vas-tu faire, chérie?
Bien que tu me tiennes compagnie, je préfère sortir.
Pourquoi visitez-vous St-Malo aujourd'hui?
Nous visitons St-Malo aujourd'hui de peur que Liliane ne puisse pas y venir demain.

Peux-tu marcher encore, Liliane?
Avant qu'on voie le tombeau de Chateaubriand, il faut que je me repose.

Pourquoi Victor attend-il Liliane?
    Victor attend Liliane pour qu'elle vienne avec lui.
Veux-tu te reposer, madame?
    Je peux marcher encore, bien que je sois fatiguée.
Je vais me promener du côté de l'eau.
    Ne te promène pas du côté de l'eau, de peur que Surcouf te prenne!
Tu vas enfin manger quelque chose, Victor?
    Je vais prendre ce croissant, afin que vous soyez contente!

Repetition Drills

Nous pouvons marcher encore quelque temps.
Ce matin je ne pouvais pas me lever.
Tout d'un coup, j'ai pu y arriver.
Je pourrai me reposer demain.
Nous pourrions remettre cette visite!
Chérie, tu aurais pu rester à la maison!
Mais nous sommes venus pour que vous puissiez voir ce tombeau-là!
Tu te sens fatiguée sans que nous puissions comprendre pourquoi!

Tu vois, Liliane? Ta cousine Paulette sait choisir de beaux cadeaux!
C'est vrai, mais elle ne sait pas toujours en donner!
Voilà un homme qui savait bien capturer des navires anglais!
Et Chateaubriand savait très bien écrire des romans!
Liliane se sent un peu fatiguée, mais elle ne saurait dire pourquoi.
Vraiment, Toinette, tu ne saurais comprendre combien j'apprécie ta bonté!
Ne t'en fais pas, Janine, je saurai nager sans me fatiguer!
Victor sait étudier, mais il est si malade qu'il ne le peut pas.
Je sais bien comprendre Camus, mais je ne peux pas lire ses romans déprimants.
Liliane sait bien comprendre l'oncle Ambroise, mais elle ne peut pas l'aimer.
Autrefois tu savais bien nager, et tu pouvais le faire pendant des heures!
Autrefois elles savaient parler français, mais aujourd'hui elles ne le peuvent pas.

Grammaire

113. THE SUBJUNCTIVE (Le subjonctif)

Before this, all verb tenses you studied were in what is known as the indicative mood:

PRESENT: **J'aime tant me promener!**
PASSÉ COMPOSÉ: **Victor s'est levé a 12.20h.**
FUTURE: **Nous prendrons le métro.**

All of these tenses are in the indicative. There is also the imperative mood, which conveys requests or commands:

Prends un peu de jus d'orange!
Entrez, Mme Casiez, entrez!

The subjunctive is also a mood. The speaker uses it to express subjective feelings: desires, commands, emotions, certainty, uncertainty, denial, doubt, etc.

Some other facts to keep in mind:

a. In modern spoken French, the subjunctive appears mainly in two tenses, the present subjunctive and the past subjunctive. Learning their forms will be as routine as learning other verb tenses.
b. Learning when the French use the subjunctive will take longer than learning the verb forms themselves. There are some basic situations where the subjunctive must be used instead of the indicative, or the usage is simply incorrect. In other words, certain French speech patterns leave you no choice.
c. Generally, the subjunctive comes in dependent clauses. Here is a brief grammar refresher:

CLAUSE: A group of words having a subject and predicate.
INDEPENDENT CLAUSE: Makes complete sense all by itself, as in "I'm flying to Paris tomorrow" or "Are you going swimming?"
DEPENDENT CLAUSE: Does not make complete sense by itself. Depends on independent clause to complete its meaning: "I'm flying to Paris tomorrow *if the weather permits*"; "Are you going swimming *before the lifeguard arrives*?"

114. HOW THE PRESENT SUBJUNCTIVE IS FORMED

Usually, you find the stem of the present subjunctive by dropping the **-ent** from the 3rd person plural of the present indicative. Then you add these endings:

SINGULAR	PLURAL
-e	**-ions**
-es	**-iez**
-e	**-ent**

entrer (1st conjugation, regular)
(ils entr**ent**: STEM, **entr-**)

j'entr**e**	nous entr**ions**
tu entr**es**	vous entr**iez**
il entr**e**	ils entr**ent**

applaudir (2nd conjugation, regular)
(ils applaudiss**ent**: STEM, **applaudiss-**)

j'applaudiss**e**	nous applaudiss**ions**
tu applaudiss**es**	vous applaudiss**iez**
il applaudiss**e**	ils applaudiss**ent**

vendre (3rd conjugation, regular)
(ils vend**ent**: STEM, **vend-**)

je vend**e**	nous vend**ions**
tu vend**es**	vous vend**iez**
il vend**e**	ils vend**ent**

dire (Irregular verb)
(ils dis**ent**: STEM, **dis-**)

je dis**e**	nous dis**ions**
tu dis**es**	vous dis**iez**
il dis**e**	ils dis**ent**

Certain verbs have two stems in the present subjunctive. One serves all the singular forms and the third person plural; the other is for **nous** and **vous**:

vouloir (Irregular verb)
(STEMS: **veuill-, voul-**)

je veuill**e**	nous voul **ions**
tu veuill**es**	vous voul **iez**
il veuill**e**	ils veuill**ent**

prendre (Irregular verb)
(STEMS: **prenn-, pren-**)

je prenn**e**	nous pren **ions**
tu prenn**es**	vous pren **iez**
il prenn**e**	ils prenn**ent**

venir (Irregular verb)
(STEMS: **vienn-, ven-**)

je vienn**e**	nous ven **ions**
tu vienn**es**	vous ven **iez**
il vienn**e**	ils vienn**ent**

Tenir is conjugated like **venir: je tienne, nous tenions**, etc.

aller (Irregular verb)
(STEMS: **aill-, all-**)

j'aill**e**	nous all **ions**
tu aill**es**	vous all **iez**
il aill**e**	ils aill**ent**

A small group of verbs has a special present subjunctive stem resembling no stem encountered in other tenses:

faire (Irregular verb)
(STEM: **fass-**)

je fass**e**	nous fass**ions**
tu fass**es**	vous fass**iez**
il fass**e**	ils fass**ent**

pouvoir (Irregular verb)
(STEM: **puiss-**)

je puiss**e**	nous puiss**ions**
tu puiss**es**	vous puiss**iez**
il puiss**e**	ils puiss**ent**

savoir (Irregular verb)
(STEM: **sach-**)

je sach**e**	nous sach**ions**
tu sach**es**	vous sach**iez**
il sach**e**	ils sach**ent**

CAUTION: Do not confuse **nous sachions** and **vous sachiez** (subjunctive forms) with **sachons** and **sachez** (imperative forms). The subjunctive spelling has the **i**, the imperative does not.

The present subjunctive forms of **être** and **avoir** are in a class by themselves:

a. They do not follow the same stem-ending rules as all other verbs.
b. They function also as helping verbs in the past subjunctive, to be studied later.

PRESENT SUBJUNCTIVE OF **être**:

je sois	nous soyons
tu sois	vous soyez
il soit	ils soient

PRESENT SUBJUNCTIVE OF **avoir**:

j'aie	nous ayons	[nuzɛjɔ̃]
tu aies	vous ayez	[vuzɛje]
il ait	ils aient	

Sois, soyons, soyez are also the imperative forms of **être; ayons** and **ayez** are also the imperative forms of **avoir.**

115. THE SUBJUNCTIVE USED WITH *IL FAUT*

Il faut qu'elle **se repose** maintenant. *She has to rest now.*
Il faudrait toujours que **nous nous reposions** un peu. *We should still rest a bit.*

The subjunctive is used in dependent clauses where the main clause is **il faut** (*it's necessary*). The examples mean literally, "It's necessary that she rest now" and "It's necessary (for Lillian's convenience, in this case) that we rest now." But, of course, necessity can be expressed more simply, as is shown above, by using "to have to."

116. THE SUBJUNCTIVE USED WITH CERTAIN CONJUNCTIONS

A number of conjunctions always call for the subjunctive. The following are used often: **bien que** and **quoique**, *although*; **pour que** and **afin que**, *in order that, so that*; **sans que**, *without*; **avant que**, *before*; **de peur que**, *for fear that, or else.*

J'aime tant me promener ici, **bien que** les fortifications n'**aient** pas trop d'interêt pour moi. *I really do like walking here, though fortifications don't hold much interest for me.*
Quoique ces fortifications me **fascinent**, j'aurais pu t'y tenir compagnie. *Though these fortifications fascinate me, I could have kept you company.*
Pour que tu **te sentes** si vite fatiguée, il faut qu'il y ait une bonne raison. *For you to be feeling tired so fast, there must be a good reason.*
Mais nous sommes venus ici **afin que** tu **puisses** voir ce tombeau-là! *But we came here so you could see that tomb!*
Nous pouvons marcher quelque temps encore, **sans que** j'**aie** vraiment besoin de me reposer. *We can still keep walking for some time without my really needing to rest.*
Je ne voudrais pas m'arrêter **avant qu'**on **voie** le tombeau de Chateaubriand. *I wouldn't want to stop before we see Chateaubriand's tomb.*

Ne vous promenez pas du côté de l'eau, **de peur que** Surcouf **vienne** vous prendre! *Don't go near the water, or else (for fear that) Surcouf will come and get you!*

117. *Savoir* and *Pouvoir*

Je ne **saurais dire** pourquoi, mais je me sens déjà un peu fatiguée. *I couldn't (wouldn't know how to) say why, but I feel a bit tired already.*
Voilà un homme qui **savait** bien **capturer** des navires anglais! *There's a man who could (knew how to) capture British ships!*
Chérie, tu **aurais pu rester** à la maison. *Darling, you could have stayed home.*
Nous **pouvons marcher** quelque temps encore. *We can still keep walking for some time.*

Generally, one is not likely to confuse **pouvoir** (*to be able*) with **savoir** (*to know*). But this could happen where the French wish to express "know-how"—talent, ability, training, skill to do something. They do this by combining **savoir** + an infinitive, as the examples show. Further examples:

Charles **sait nager**. *Charles can (knows how to) swim.*
Chateaubriand **savait** bien **écrire** des romans. *Chateaubriand could (knew how to) write novels well.*

Savoir + an infinitive expresses the ability or "know-how" to do something through training or skill. **Pouvoir** means the ability to do something because conditions permit it.

Let us contrast the two:

Charles **sait** bien **nager**, mail il ne **peut** pas **aller nager** aujourd'hui; il a un gros rhume. *Charles can swim well, but today he can't go swimming; he has a bad cold.*
Chateaubriand **savait** bien **écrire** des romans, mais il ne **pouvait** pas toujours les **vendre**. *Chateaubriand could write novels well, but he couldn't always sell them.*

Exercices

Transformation Drills

Les fortifications ont beaucoup d'intérêt pour toi.
Il faut que les fortifications aient beaucoup d'intérêt pour toi.

Le tombeau de Chateaubriand a beaucoup d'intérêt pour Maman!

Je sais pourquoi je suis si fatigué.
On aime tant se promener!
Il y a une bonne raison.
Nous nous reposons un peu.
Victor déteste le médecin.
Charles prend un maillot neuf.
Tu vends ta maison?
Vous êtes une promeneuse infatigable!
Elle se sent très fatiguée.
Tu es bien gentil.
Nous pouvons marcher encore.
Liliane a besoin de se reposer.
On voit le tombeau de Chateaubriand.

Nous travaillons. Il a de l'argent.
Nous travaillons pour qu'il ait de l'argent.

Liliane lui donne des médicaments. Il n'est pas malade.
J'apporte tes cachets. Tu les prends.
Ecrivons-lui une lettre. Elle sait la nouvelle.
Mais je t'invite. Tu vas avec moi.
Repose-toi, chérie. Tu te sens mieux.
Victor se dépêche. On l'attend.
Liliane applaudit l'orchestre. Victor ne bâille pas.
Charles va faire les courses. Janine fait une bouillabaisse.

Nous vous grondons. Vous nagez trop.
Nous vous grondons de peur que vous nagiez trop.

Je t'achète ce maillot-ci. Tu veux prendre ce maillot-là.
Tu me donnes toute ces sucreries. Je ne maigris pas trop?
Janine gronde Charles. Il attrapera un gros rhume.
Je prends le métro à midi. Nous serons en retard.
Dînons maintenant. Victor et Liliane ont trop faim.
Nous nous arrêtons. Vous vous sentez très fatiguée.

Descendons dans la rue. Le taxi vient.
Descendons dans la rue avant que le taxi vienne.

Allons à la gare. Toinette vient.
Nageons un peu. Janine dira que je vais m'éreinter.
Lis un peu. Tu est fatigué.

Sors donc! Je m'éreinte!
Ecris cette lettre. Je fais des courses.
Prenez donc ce maillot, monsieur. Nous la vendrons!

Liliane va à l'hôpital, mais elle se maquille!
Bien que Liliane aille à l'hôpital, elle se maquille!

Il se lève de table sans trop manger, mais il ne maigrit pas.
Je dis à Victor de prendre une pilule, mais il refuse!
Vous n'avez pas votre taille svelte d'autrefois, mais vous nagez bien.
Tu es malade, mais tu veux aller à la Sorbonne?
Charles veut acheter ce maillot-ci, mais Victor a d'autres idées.
Charles fait du ski nautique; il ne se fatiguera pas trop.

Dites en Français

1. Eva can make bouillabaisse. (knows how)
2. Lillian can knit. (knows how)
3. Victor is sick; he can't eat.
4. I know how to swim, but I can't swim today. I'm too tired.
5. She won't be able to come today.
6. Although we can't swim, we'll go to the Côte d'Emeraude. (we're not well)
7. They can't stay long.
8. Marivaux could write fine comedies.

Questions sur le Dialogue

1. Qui aime tant se promener à St-Malo?
2. Qu'est-ce qui est très impressionnant?
3. Liliane saurait-elle dire pourquoi elle se sent fatiguée?
4. Pour qu'elle se sente déjà fatiguée, que faut-il?
5. Qui a mal dormi cette nuit?
6. Les fortifications de St-Malo ont-elles de l'intérêt pour Victor?
7. Peut-on marcher encore sans que Liliane ait besoin de se reposer?
8. Liliane voudrait-elle s'arrêter tout de suite?
9. Pourquoi est-on venu à St-Malo?
10. Qui est Robert Surcouf?
11. Où est-il né et mort?
12. Que faisait-il?
13. Les mères anglaises avaient-elles peur de lui?
14. Que disaient-elles à leurs enfants?

Prononciation [t] [d]

ta	thé	soit
ton	thèse	zut!
Paulette	Thérèse	concept
timide	Berthe	contact
arrêté	Marthe	strict
tien	Thibaut	direct
digestion	thym	ouest
volontiers	Thomas	Brest
huitième	gothique	
garantie	méthode	
Sébastien	théâtre	

dîner	Didon	David
endroit	Didot	Alfred
décider	deux	Madrid
donner	dindon	Le Cid
conduire	dandiner	Bagdad
malade		

Est-il en contact avec Sébastien Tati?
Thérèse t'apporte-t-elle une tasse de thé?
La digestion de ta tante Toinette est complètement gâtée.
Ta cousine Paulette est tellement petite!
Thomas a acheté du thym, du thé, et des betteraves.

J'ai décidé de lui donner un dindon.
Dînons chez Dédé Didot!
Didon fut malade d'amour.
Conduisez M. Dandin dans le jardin du Malade Imaginaire.
David, Alfred, et Dorette sont à Madrid.

Dialogue Review

A. Class reads Dialogue 28 in unison or in groups.
B. Several students give Dialogue 27 by heart.
C. *Dictée* based on Dialogue 26.

Oraison

PART III

FIDIO: Est-ce que tu ne te rends pas compte[1] de ce qu'il faut faire pour être bon?

LILBE: Non. (*Un temps.*) Et toi?

FIDIO: Pas très bien. (*Un temps.*) Mais j'ai le livre, comme ça je saurai.

LILBE: Toujours le livre.

FIDIO: Toujours.

LILBE: Et qu'est-ce qu'il arrivera ensuite?

FIDIO: On ira au ciel.

LILBE: Tous les deux?

FIDIO: Si nous avons une bonne conduite,[2] tous les deux, oui.

LILBE: Et qu'est-ce qu'on y fera au ciel?

FIDIO: On s'amusera.

LILBE: Toujours?

FIDIO: Oui, toujours.

LILBE: (*Incrédule.*) Ce n'est pas possible.

FIDIO: Si, si, c'est possible.

LILBE: Pourquoi?

FIDIO: Parce que Dieu est tout puissant,[3] Dieu fait des choses impossibles. Des miracles.

LILBE: Ça alors![4]

FIDIO: Et de la façon la plus simple.

LILBE: Moi, à sa place, j'en ferais autant.[5]

FIDIO: Ecoute ce que dit la Bible: "On amena[6] vers Jésus un aveugle[7] qu'on le pria[8] de toucher. Il prit l'aveugle par la main et le conduisit[9] hors[10] du village; puis il lui mit de la salive sur les yeux, lui imposa[11] les mains, et lui demanda s'il voyait quelque chose. Il regarda et dit: j'aperçois[12] les hommes, mais je vois comme des arbres[13] et qui marchent. Jésus lui mit de nouveau[14] les mains sur les yeux, et quand l'aveugle le regarda fixement,[15] il fut guéri[16] et vit tout distinctement."

LILBE: Comme c'est joli.

FIDIO: Il disait qu'il faillait être bon.

LILBE: Alors nous serons bons.

FIDIO: Et qu'il faudrait être semblable[17] aux enfants.

LILBE: Comme des enfants?

FIDIO: Oui, purs comme des enfants.

[1] Don't you realize [2] behavior [3] almighty [4] Really, now! [5] I'd do as much [6] brought [7] a blind man [8] begged [9] led [10] outside of [11] laid, placed [12] perceive [13] trees [14] again [15] stared [16] cured [17] like, similar to

LILBE: C'est difficile.
FIDIO: On essaiera.
LILBE: Pourquoi as-tu pris cette manie[18] maintenant?
FIDIO: J'en avais assez.
LILBE: Seulement pour ça?
FIDIO: Et puis c'était très laid[19] ce que nous avons fait jusqu'à maintenant. Ça c'est plus joli.

[18] developed this mania [19] ugly

Saint-Germain-des-Près.

Château de Combourg, Chateaubriand's birthplace.

VINGT-NEUVIEME LEÇON

A Combourg

MME PARRY: Enfin! Me voilà à Combourg! Comme je suis ravie que nous puissions rester ici quelques jours! Tu me fais beaucoup de plaisir en m'accompagnant ici, je voudrais que tu le saches. Je ne suis pas étonnée que Charles et Janine ne fassent pas cette excursion; mais je suis désolée que Liliane ne soit pas là.

MRS. PARRY: Finally! Here I am in Combourg! How delighted I am that we can stay here a few days! I'd like you to know that you're giving me such pleasure by coming with me. I'm not surprised that Charles and Janine aren't on this trip, but I feel bad that Lillian isn't here.

VICTOR: Ne t'en fais pas, Maman. Elle est très satisfaite que nous prenions notre temps ici. Elle veut même que nous voyagions jusqu'à Croisset pour visiter le pays de Flaubert.

VICTOR: Don't be upset, Mother. She's quite satisfied to have us take our time here. She'd even like us to travel as far as Croisset to see Flaubert country.

MME PARRY: Oh, que c'est gentil! J'ai vraiment une belle-fille exceptionnelle. Mais n'aime-t-elle pas voyager, elle aussi?

MRS. PARRY: Oh, how good of her! I really have an exceptional daughter-in-law. But doesn't she like traveling, too?

VICTOR: Oh, si! Janine voulait bien garder la petite, mais Liliane ne veut pas venir avec nous sans que Catherine vienne aussi. Je suppose que toi aussi, tu étais contente, autrefois, qu'on te laisse tranquille avec tes enfants!

VICTOR: Oh, yes! Janine wanted to take care of the baby, but Lillian doesn't want to come with us without Catherine's coming too. I suppose that you too were once glad to have people let you alone with your kids!

MME PARRY: C'est vrai. J'avais oublié tout cela! . . . Que dis-tu de Combourg?

MRS. PARRY: That's true. I'd forgotten all that! . . . What's your opinion of Combourg?

VICTOR: Je suis très heureux que nous voyions cet endroit célèbre, bien que—ne t'en déplaise—Chateau-

VICTOR: I'm very glad we're seeing this famous spot, although—no offense meant—Chateaubriand holds

briand tienne, dans mon estime, moins de place que Marivaux!

MME PARRY: Je suis si navrée que tu dises cela!

VICTOR: Voyons, Maman, à chacun ses goûts, n'est-ce pas? Naturellement, tu aimerais que tout le monde ait les mêmes sentiments que toi à ce sujet. Mais tu ne peux pas, après tout, ordonner qu'on les ait! Mais ne nous disputons pas. Regardons plutôt ce château. Quelle imposante silhouette! Mais aussi, que ce paysage est austère! Cet étang, ces bois, ces cultures pauvres . . . Tout cela a eu beaucoup d'influence sur le jeune Chateaubriand.

MME PARRY: Et n'oublie pas son père froid et sévère, qui connaissait mieux son valet que ses enfants! Peut-on s'étonner que son fils soit l'auteur d'un roman triste comme *René*?

a lesser place in my esteem than Marivaux!

MRS. PARRY: I'm so upset to have you say that!

VICTOR: Look, Mother, to each his own, O.K.? Naturally, you'd like to have everyone have the same feelings as you on this subject. But after all, you can't order people to have them! But let's not argue. Let's look at this château instead. What an imposing outline! But also, how austere the setting is! This pond, these woods, these poorly cultivated fields . . . All that had a great influence on the young Chateaubriand.

MRS. PARRY: And don't forget his cold, strict father, who knew his valet better than his children! Is there any wonder his son is the author of a sad novel like *René*?

Substitution Drills

Comme je suis ravie que
- nous puissions rester ici quelques jours!
- Victor m'accompagne à Combourg!
- Janine veuille garder la petite!
- nous fassions cette excursion!
- Charles et Janine viennent à la Côte d'Emeraude!
- Pauline soit si généreuse, cette fois!
- on aille visiter le tombeau de Chateaubriand!
- vous me donniez de ce gâteau-là!

Victor est malade. Il veut que
- la maison reste tranquille.
- le médecin ne vienne pas.
- Liliane ne lui donne pas de pilules.
- le médecin ne lui fasse pas de piqûres.
- M. Musy lui apporte des livres.

le médecin parte tout de suite.
Janine lui donne un croissant bien chaud.
tout le monde lui obéisse.

Charles est étonné que
nous voulions visiter le tombeau de Chateaubriand.
vous ne connaissiez pas l'histoire de Surcouf.
les maillots de bain coûtent si cher.
Janine le gronde.
Janine s'inquiète de sa santé.
son ancien maillot soit trop petit pour lui.
sa taille ne soit pas aussi svelte qu'autrefois.
vous vouliez acheter le maillot vert.

Janine est très satisfaite que
nous montions chez elle.
Maman vienne passer quelques mois chez nous.
tu veuilles manger un croissant.
je sois en bonne santé.
vous n'alliez pas vous éreinter.
nous n'ayons pas l'intention de trop nager.
vous preniez de l'exercice.
vous vous leviez de table plus tôt.
vous vouliez maigrir.
vous maigrissiez enfin.

Grammaire

118. Subjunctives with Verbs Expressing Wanting and Wishing

Je **voudrais** bien que tu le **saches**. *I'd like you to know it.*
Tu **aimerais** que tout le monde **ait** les mêmes sentiments que toi. *You'd like everyone to have the same feelings as you.*
Mais tu ne peux pas **ordonner** qu'on les **ait**! *But you can't order people to have them!*

When the French express a wish that someone else do or be something, they generally say it in the subjunctive and use verbs like the following:

vouloir	*to want, to wish*
désirer	*to desire, to want*
demander	*to demand, to insist*
ordonner	*to order, to command*

commander	*to command, to order*
aimer	*to like (someone to do something)*

119. The Subjunctive Used with Expressions of Emotion

Comme je **suis ravie** que nous **puissions** rester ici quelques jours! *How delighted I am that we can stay here a few days!*
Elle est **satisfaite** que nous **prenions** notre temps ici. *She's satisfied to have us take our time here.*
Je **suis** tellement **navrée** que tu **dises** cela! *I'm so upset to have you say that!*
Peut-on **s'étonner** que son fils **soit** l'auteur de *René*? *Is there any wonder (can one be surprised) that his son is the author of* René?
Je **suis désolée** que Liliane ne **soit** pas là. *I feel upset that Lillian isn't here.*

Another situation calling for the use of the subjunctive is a verb or expression conveying emotion or personal reaction (delight, satisfaction, surprise, regret, distress, etc.) about a situation concerning others:

être content	*to be happy*
être heureux	*to be happy*
être ravi	*to be delighted*
être étonné	*to be astonished*
être surpris	*to be surprised*
être satisfait	*to be satisfied*
être désolé	*to be upset*
être navré	*to be upset*

Exercices

Transformation Drills

Je suis si contente. Victor peut enfin manger quelque chose.
Je suis si contente que Victor puisse enfin manger quelque chose.

Victor est content. Cette ballerine a la taille si gracieuse.
Je suis étonné. Tu te maquilles maintenant!
Mme Parry est désolée. Victor dit cela!
Liliane est ravie. On va voir *Coppélia.*
Janine est surprise. Nous aimons les petites boutiques françaises.
Mme Parry n'est pas satisfaite. Le chauffeur de taxi va trop vite.
Liliane et Victor sont sidérés. Paulette et l'oncle Ambroise sont si généreux!
Liliane n'est pas contente. Il y a une grande foule dans la rue.
Victor est désolé. Liliane se sent fatiguée.

Nous sommes très contents. Tu es enfin père!
Maman est désolée. Je n'adore pas Chateaubriand comme elle!
Je suis fort content. Tu sais nager sans fatigue.
Charles est ravi. Victor lui donne le maillot qu'il préfère.

Nous restons ici quelques jours.
On veut que nous restions ici quelques jours.

Tu me fais ce plaisir.
Nous venons demain.
Nous savons la nouvelle.
Liliane vient avec nous.
Mme Parry prend sont temps à Combourg.
Je vais toute seule visiter ce tombeau!
Tu es heureuse.
Vous connaissez mieux vos enfants.
Tout le monde a ses sentiments.
Nous ne nous disputons pas.
Nous nous reposons un peu.
Tu te sens mieux.
Catherine dormira mieux.
Je ne dis pas cela.

Questions sur le Dialogue

1. Qui se trouve enfin à Combourg?
2. Pourquoi Mme Parry est-elle ravie?
3. Qui l'accompagne?
4. Qu'est-ce qui ne l'étonne pas?
5. Pourquoi est-elle désolée?
6. Liliane est-elle satisfaite que Victor et Mme Parry soient à Combourg?
7. Que veut-elle qu'ils fassent?
8. Liliane n'aime-t-elle pas voyager?
9. Pourquoi n'est-elle pas venue à Combourg?
10. Qui allait garder Catherine?
11. Qu'est-ce que Mme Parry avait oublié?
12. Chateaubriand tient-il plus de place que Marivaux dans l'estime de Victor?
13. Mme Parry adore Chateaubriand. Qu'aimerait-elle?
14. Qu'est-ce qu'elle ne peut pas faire?
15. Qu'est-ce qui a une silhouette imposante?
16. Qu'est-ce qui a eu beaucoup d'influence sur le jeune Chateaubriand?
17. Qui a eu une influence triste sur Chateaubriand?

Prononciation [k] [g]

carte	lac	quatre	équation
courte	bec	inquiet	quadruple
connaître	chic	liquide	adéquat
curieux	cognac	Pâques	équateur
Claude	parc	cinq	aquarium
crayon	Bergerac	coq	quaker
	Bellac	Lecocq	quartz

excuser	index	orchestre	kilogramme
expliquer	sphinx	lichen	koran
excursion	lynx	archange	yak
expansif	larynx	écho	kimono
exhorter	borax	chœur	képi
extraordinaire		archaïque	
excellent		Michel-Ange	
exciter		Machiavel	
exception			
excepté			
exsangue			

garçon	Gustave	guère	aiguille
globe	Goncourt	distingué	linguistique
grand	guise	langue	arguer
gobelet	longue	Péguy	ambiguïté
gourmet	anguille	Guillaume	Guyane

Jacques connaît ces quatre quakers.
Claude Lecocq est un choriste extraordinaire.
L'excellent M. Bergerac lit le Koran dans le parc de Bellac.
Voilà un orchestre excellent et exceptionnel.
Claudette Colbert est une actrice adéquate.

Ce gringalet n'est guère distingué.
Le Gascon gourmet a gobé cette longue anguille!
Gustave a gagné un gros lot en Guyane.
Marguerite regarde ce gros tigre.
Voilà la gargote dégoûtante de M. Gigord!

Dialogue Review

A. Class reads Dialogue 29 in unison or in groups.

B. Several students give Dialogue 28 by heart.
C. *Dictée* based on Dialogue 27.

Oraison

PART IV

LILBE: Et qu'est-ce que c'est cette histoire du ciel?
FIDIO: C'est là que nous irons après notre mort.
LILBE: Si tard?
FIDIO: Oui.
LILBE: On ne peut pas y aller plus tôt?
FIDIO: Non.
LILBE: Ce n'est pas drôle.[1]
FIDIO: Oui, c'est le plus ennuyeux.[2]
LILBE: Et qu'est-ce qu'on fera au ciel?
FIDIO: Je te l'ai déjà dit: on s'amusera.
LILBE: Je voudrais te l'entendre dire encore une fois. (*Un temps.*) Ça semble impossible.
FIDIO: On sera comme les anges.
LILBE: Comme les bons ou comme les autres?
FIDIO: Les autres ne vont pas au ciel, les autres ce sont les démons et ils vont en enfer.[3]
LILBE: Et qu'est-ce qu'ils y font?
FIDIO: Ils souffrent beaucoup: ils brûlent.[4]
LILBE: En voilà un changement!
FIDIO: Ces anges-là étaient très mauvais et ils se sont révoltés contre Dieu.
LILBE: Pourquoi?
FIDIO: Par orgueil.[5] Ils voulaient être plus que Dieu.
LILBE: Ils exagèrent![6]
FIDIO: Oui, beaucoup.
LILBE: Nous, nous nous contentons de beaucoup moins.
FIDIO: Oui, de beaucoup moins.
LILBE: Dis, je veux commencer tout de suite à être bonne.

[1] funny [2] annoying [3] hell [4] burn [5] pride [6] That's going too far!

FIDIO: On commence à l'instant même.[7]
LILBE: Comme ça, sans plus?
FIDIO: Oui.
LILBE: Personne ne va s'en apercevoir.[8]
FIDIO: Si, Dieu s'en apercevra.
LILBE: C'est sûr?
FIDIO: Oui, Dieu voit tout.
LILBE: Il voit même quand je fais pipi?
FIDIO: Oui, même ça.
LILBE: Je vais avoir honte[9] maintenant.
FIDIO: Dieu marque avec des lettres d'or[10] dans un très beau livre tout ce que tu fais de bien et dans un livre très laid avec une écriture[11] très laide tous tes péchés.[12]
LILBE: Je serai bonne. Je veux qu'il écrive toujours avec des lettres d'or.
FIDIO: Tu ne dois pas être bonne seulement pour ça.
LILBE: Pour quoi d'autre?
FIDIO: Pour ton bonheur.
LILBE: Quel bonheur?
FIDIO: Pour être heureuse.
LILBE: Je pourrai être heureuse aussi en étant bonne?
FIDIO: Oui, aussi.

[7] at this very moment [8] notice it [9] be ashamed [10] golden [11] handwriting [12] sins

One of many intimate shopping arcades.

RELIURE
Au Troubadour Tapis

Bust of Flaubert.

TRENTIEME LEÇON

Mme Parry a une âme sensible

VICTOR: Il est vraiment dommage que Liliane n'ait pas pu voir Croisset! Il est certain que Flaubert était un génie littéraire de tout premier ordre. Liliane ne croit pas qu'il y ait de roman plus beau, plus profond, enfin plus passionnant que *Madame Bovary.* Il lui semble que Flaubert y a mis toute son âme. Dis donc, Maman, penses-tu que Chateaubriand soit plus grand que Flaubert?

MME PARRY: Tu veux que je choisisse entre ces deux génies, hein? Je doute qu'on puisse faire une telle chose. Je ne nie pas que *Madame Bovary* est un chef-d'œuvre. Mais . . . mais . . . Flaubert est si froid, si impersonnel!

VICTOR: Froid! Impersonnel! Est-il possible que tu le croies? Flaubert n'a-t-il pas dit, "*Madame Bovary*, c'est moi?"

MME PARRY: Il semble, mon cher Victor, que nous ne puissions pas tomber d'accord sur certaines questions littéraires. Comme tu le dis, "A chacun ses goûts!" Cependant, il est probable que je préfère, moi, des écrivains comme Chateaubriand, Balzac, et Hugo, dont la présence est *sentie* dans leurs œuvres.

VICTOR: Oh! Maman, tu es une âme

VICTOR: It's really too bad that Lillian couldn't see Croisset! It's certain that Flaubert was a first-rate literary genius. Lillian doesn't think there's a finer, deeper, more thrilling novel than *Madame Bovary.* To her it seems that Flaubert put his entire soul into it. Tell me, Mother, do you think Chateaubriand is greater than Flaubert?

MRS. PARRY: You want me to make a choice between those two geniuses, eh? I doubt if such a thing can be done. I don't deny that *Madame Bovary* is a masterpiece. But . . . but . . . Flaubert is so cold, so impersonal!

VICTOR: Cold! Impersonal! You can't possibly believe that? Didn't Flaubert say, "I myself am Madame Bovary?"

MRS. PARRY: It seems, my dear Victor, that we can't agree on certain literary questions. As you say, "To each his own tastes!" Still, it's probable that I prefer writers like Chateaubriand, Balzac, and Hugo, whose presence is *felt* in their works.

VICTOR: Oh! Mother, you have a truly

vraiment romantique, une âme sensible. Il est temps que tu le saches! Et es-tu certaine que Flaubert, avec son esprit analytique, n'ait pas eu, lui aussi, une âme romantique?

MME PARRY: C'est bien possible.

VICTOR: Mais bien sûr, il en avait une! C'est justement pour cela que, afin de produire un roman analytique et réaliste comme *Madame Bovary*, il était essentiel que Flaubert évite la sentimentalité. Autrement, il aurait été impossible que cet ouvrage soit devenu une satire contre les excès du mouvement romantique!

romantic soul, a sensitive soul. It's time you knew it! And are you sure that Flaubert, with his analytical mind, didn't have a romantic soul himself?

MRS. PARRY: It's quite possible.

VICTOR: Why of course he had one! And that's just why, to produce an analytic and realistic novel like *Madame Bovary*, it was necessary for Flaubert to avoid sentimentality. Otherwise, it would have been impossible for the work to have become a satire against the excesses of the Romantic Movement!

About the Dialogue

The symbolic quotation attributed to Flaubert, "I myself am Madame Bovary" has been explained in various ways. The most commonly accepted one is that, despite the detached approach apparent in his analysis of the heroine who comes to grief through her inability to adjust to everyday realities, Flaubert's heart and inclinations were basically just as romantic—and capable of illusions—as Emma Bovary's. He thus emerges as a romantic soul holding himself in check while creating his masterpiece, but infusing his heroine with many of his own traits.

Substitution Drills

Il est dommage que

- Liliane ne puisse pas voir Croisset avec nous.
- Victor soit malade.
- tu n'adores pas Chateaubriand comme moi.
- je n'aie pas ma taille svelte d'autrefois.
- ces maillots-là coûtent si cher.
- le chauffeur aille si vite.

Il est temps que

- tu le saches.
- nous partions pour Croisset.
- j'écrive une lettre à l'oncle Ambroise.
- Liliane aille à l'hôpital.
- vous montiez chez moi pour le dîner.
- tu te lèves de table!

Response Drills

Il est certain que Chateaubriand est aussi grand que Flaubert.
Mais non! Il n'est pas certain que Chateaubriand soit aussi grand que Flaubert.
Il est certain qu'on peut faire une telle chose.
Mais non! Il n'est pas certain qu'on puisse faire une telle chose.
Il est certain que Liliane viendra avec nous.
Mais non! Il n'est pas certain que Liliane vienne avec nous.
Il est certain que nous préférons les écrivains réalistes.
Mais non! Il n'est pas certain que nous préférions les écrivains réalistes.
Il est certain que Charles veut maigrir!
Mais non! Il n'est pas certain que Charles veuille maigrir!

Il est vrai que je crois cela.
Tiens! Est-il vrai que tu croies cela?
Il est vrai qu'il n'y a pas de roman plus profond.
Tiens! Est-il vrai qu'il n'y ait pas de roman plus profond?
Il est vrai que Flaubert y met toute son âme.
Tiens! Est-il vrai que Flaubert y mette toute son âme?
Il est vrai que nous nous amusons énormément.
Tiens! Est-il vrai que vous vous amusiez énormément?
Il est vrai que j'ai besoin d'exercice.
Tiens! Est-il vrai que tu aies besoin d'exercice?
Il est vrai que Charles voudrait faire du ski nautique.
Tiens! Est-il vrai que Charles veuille faire du ski nautique?

Il est possible que je croie cela.
Oui. Il est même probable que tu crois cela.
Il est possible que Charles ait besoin de maigrir.
Oui. Il est même probable que Charles a besoin de maigrir.
Il est possible que Liliane vienne avec nous.
Oui. Il est même probable que Liliane viendra avec nous.
Il est possible que Maman préfère les écrivains romantiques.
Oui. Il est même probable que Maman préfère les écrivains romantiques.
Il est possible que ce roman soit un vrai chef-d'œuvre.
Oui. Il est même probable que ce roman est un vrai chef-d'œuvre.

Il semble, Victor, que nous ne puissions pas tomber d'accord.
Vraiment? Il me semble que nous pouvons tomber d'accord!
Il semble que Flaubert mette toute son âme dans *Madame Bovary*.

C'est vrai. Il nous semble aussi que Flaubert met toute son âme dans *Madame Bovary*.

Il semble que je maigrisse!

C'est vrai. Il me semble aussi que tu maigris!

Il semble que tu sois une promeneuse infatigable.

C'est vrai. Il me semble aussi que je suis une promeneuse infatigable.

Il semble que Flaubert soit trop froid dans ce roman.

C'est vrai. Il me semble aussi que Flaubert est trop froid dans ce roman.

Il semble que tu tiennes les billets du spectacle!

C'est vrai. Il me semble aussi que je tiens les billets du spectacle!

Moi, je crois qu'il y a des romans plus beaux que *Madame Bovary*.

Mais Liliane ne croit pas qu'il y ait de roman plus beau que celui-là.

Moi, je crois que Flaubert y est trop froid.

Ne crois-tu pas qu'il soit plutôt écrivain romantique?

Moi, je pense que Chateaubriand est plus grand que Flaubert.

Vraiment? Tu ne penses pas qu'il soit moins grand que Flaubert?

Tu penses, Victor, que j'ai une âme romantique.

Ne penses-tu pas, Maman, que Flaubert aussi ait une âme romantique?

Moi, je ne doute pas qu'on peut vraiment choisir entre deux génies littéraires.

Mais moi, Victor, je doute qu'on puisse choisir entre eux!

Je ne nie pas, Maman, que Chateaubriand est un génie littéraire.

Mais tu nies qu'il soit plus grand que Flaubert!

Il est dommage que Liliane ne puisse pas voir Croisset.

Ou plutôt, il est dommage qu'elle n'ait pas pu y venir.

Liliane ne croit pas qu'il y ait de roman plus beau que celui-là.

Ou plutôt, elle ne croit pas qu'il y ait eu de roman plus passionnant.

Janine doute que Charles maigrisse.

Ou plutôt, elle doute qu'il ait maigri.

Il semble que nous tombions d'accord!

Ou plutôt, il semble que nous soyons tombés d'accord!

Je ne crois pas que Liliane monte au sommet de la Tour Eiffel!

Ou plutôt, je ne crois pas qu'elle y soit montée!

Il aurait été impossible que *Madame Bovary* devienne une satire contre la romantisme.

Ou plutôt, il aurait été impossible que cet ouvrage soit devenu une telle satire.

Crois-tu que j'aille faire du ski nautique?

Ou plutôt, crois-tu vraiment que je sois allé faire du ski nautique?

Tu penses que je m'amuse énormément?

Ou plutôt, tu penses que je me sois amusé énormément?

Il est dommage que Liliane se sente fatiguée.
Ou plutôt, il est dommage qu'elle se soit sentie fatiguée.

Grammaire

120. The Past Subjunctive (Le passé du subjonctif)

Il **est** vraiment **dommage** que Liliane n'**ait** pas **pu** voir Croisset. *It's really too bad Lillian couldn't see Croisset with us.*
Il **aurait été impossible** que cet ouvrage **soit devenu** une satire. *It would have been impossible for this work to have become a satire.*
N'est-il pas vrai que Flaubert y **soit** trop impersonnel? *Isn't it true that Flaubert is too impersonal in it?*

These examples use the past subjunctive tense, which is called for by the same principal clauses as the present subjunctive, except that it expresses a completed action. Here is how it is conjugated:

parler (**avoir** verb)

Maman est désolée que . . . *Mother's upset that . . .*

j'aie parlé	*I talked*	nous ayons parlé	*we talked*
tu aies parlé	*you talked*	vous ayez parlé	*you talked*
il ait parlé	*he talked*	ils aient parlé	*they talked*

arriver (**être** verb)

Tout le monde est content que . . . *Everybody's happy that . . .*

je sois arrivé	*I arrived*	nous soyons arrivés	*we arrived*
je sois arrivée	*I arrived*	nous soyons arrivées	*we arrived*
tu sois arrivé	*you arrived*	vous soyez arrivé	*you arrived*
tu sois arrivée	*you arrived*	vous soyez arrivés	*you arrived*
		vous soyez arrivée	*you arrived*
		vous soyez arrivées	*you arrived*
il soit arrivé	*he arrived*	ils soient arrivés	*they arrived*
elle soit arrivée	*she arrived*	elles soient arrivées	*they arrived*

s'amuser (reflexive verb with **être**)

Ma famille s'étonne que . . . *My family's surprised that . . .*

je me sois amusé	*I enjoyed myself*
je me sois amusée	*I enjoyed myself*
tu te sois amusé	*you enjoyed yourself*
tu te sois amusée	*you enjoyed yourself*
il se soit amusé	*he enjoyed himself*

elle se soit amusée	*she enjoyed herself*
nous nous soyons amusés	*we enjoyed ourselves*
nous nous soyons amusées	*we enjoyed ourselves*
vous vous soyez amusé	*you enjoyed youself*
vous vous soyez amusés	*you enjoyed yourselves*
vous vous soyez amusée	*you enjoyed yourself*
vous vous soyez amusées	*you enjoyed yourselves*
ils se soient amusés	*they enjoyed themselves*
elles se soient amusées	*they enjoyed themselves*

The past subjunctive joins the company of the other compound tenses, with the helping verb (**avoir** or **être**) used in the present subjunctive. Here is a quick rundown of the compound tenses:

PASSÉ COMPOSÉ	FUTURE PERFECT	PAST SUBJUNCTIVE
je me suis amusé, etc.	je me serai amusé, etc.	[que] je me sois amusé, etc.
j'ai parlé, etc.	j'aurai parlé, etc.	[que] j'aie parlé, etc.
je suis arrivé, etc.	je serai arrivé, etc.	[que] je sois arrivé, etc.

PLUS-QUE-PARFAIT	PAST CONDITIONAL
j'avais parlé, etc.	j'aurais parlé, etc.
j'étais arrivé, etc.	je serais arrivé, etc.
je m'étais amusé, etc.	je me serais amusé, etc.

The past subjunctive completes the list of tenses used in everyday French speech, leaving a few purely literary ones. Here are the tenses you have learned:

SIMPLE TENSES (no helping verb)	COMPOUND TENSES (using helping verb)
Présent	Passé composé
Imparfait	Plus-que-parfait
Futur	Futur antérieur
Conditionnel	Conditionnel antérieur
Présent du subjonctif	Passé du subjonctif

121. The Subjunctive Used with Impersonal Verb Constructions

Il est vraiment **dommage** que Liliane n'ait pas pu voir Croisset. *It's really too bad Lillian couldn't see Croisset.*

Il est temps que tu le saches! *It's time you knew it!*

Il aurait été impossible que cet ouvrage soit devenu une satire. *It would have been impossible for this work to have become a satire.*

Generally, the French use the subjunctive after numerous impersonal verb constructions:

Il est bon que je sache la vérité. *It's good (that) I know the truth.*
Il est désirable que je sache la vérité. *It's desirable (that) I know the truth.*
Il est dommage que je sache la vérité. *It's too bad (that) I know the truth.*
Il est essentiel que je sache la vérité. *It's essential (that) I know the truth.*
Il est étonnant que vous ne soyez pas malade! *It's amazing (that) you're not sick!*
Il est heureux que je n'aie pas été malade. *It's lucky (that) I haven't been sick.*
Il est important que vous y alliez. *It's important that you go there (for you to go there).*
Il est impossible que j'y aille! *It's impossible for me to go there (that I go there)!*
Il est naturel qu'elle dise cela. *It's natural that she should say that (for her to say that).*
Il est regrettable qu'elle ait dit cela. *It's regrettable (it's to be regretted) that she said that.*
Il est temps que je sache la vérité. *It's time (that) I knew the truth.*

122. CERTAINTY, BELIEF, OPINION: THE ROLE OF THE SUBJUNCTIVE

Notice the following pairs of sentences:

Liliane **ne croit pas qu'il y ait** de roman plus beau. *Lillian doesn't think there's a finer novel.*
Mais Mme Parry **croit qu'il y a** des romans plus beaux. *But Mrs. Parry thinks there are finer novels.*

Je doute **qu'on puisse** faire une telle chose. *I doubt if such a thing can be done.*
Tu **ne doutes pas qu'on peut** faire une telle chose? *You don't doubt such a thing can be done?*

Es-tu **certain que Flaubert** n'**ait** pas **eu** une âme romantique? *Are you certain Flaubert didn't have a romantic soul?*
Au contraire, je suis **certain qu'il** en **avait** une! *On the contrary, I'm certain he had one!*

Il semble que nous ne **puissions** pas tomber d'accord. *It seems we can't agree.*
Vraiment? **Il me semble que nous pouvons** tomber d'accord! *Really? It seems to me we can agree!*

Il est possible que ce roman soit un vrai chef-d'œuvre. *It's possible this novel may be a real masterpiece.*
Il est même probable que ce roman est un vrai chef-d'œuvre. *It's even probable that this novel is a real masterpiece.*

Until now, the situations where the subjunctive has been shown in action are those where you have no choice but to use it; that is, they automatically call for the subjunctive:

Il faut qu'il y ait une meilleure raison. (After **il faut**)
Nous sommes venus **pour que** tu voies ce tombeau-là! (With certain conjunctions)
Je suis ravie que nous puissions rester ici quelques jours! (After an expression of personal reaction)
Je voudrais bien que tu le saches. (After an expression of wishing or wanting)

However, where it is a question of a Frenchman's belief, opinion, certainty, or uncertainty about a situation, the closer he gets to certainty, the more likely he is to use the indicative; the closer he gets to uncertainty, the more likely he is to use the subjunctive. Study these examples:

Il est certain que Victor est malade.
Il n'est pas certain que Victor soit malade.
Est-il certain que Victor soit malade?

Il est vrai que Victor est malade.
Il n'est pas vrai que Victor soit malade.
Est-il vrai que Victor soit malade?

Nous croyons que Victor est malade.
Nous ne croyons pas que Victor soit malade.
Croyons-nous que Victor soit malade?

Vous pensez que Victor est malade!
Vous ne pensez pas que Victor soit malade!
Pensez-vous que Victor soit malade?

You notice that these sentences are used in the indicative when they affirm certainty or belief; but when belief or certainty is negated or questioned, you use the subjunctive. Here are some important verbs and expressions that follow this rule:

il est certain	*it's certain*
il est clair	*it's clear*
il est incontestable	*it's undeniable*
il est vrai	*it's true*
il est évident	*it's evident*
croire	*to believe*
penser	*to think*

espérer	*to hope*
être certain	*to be certain*

Study the following:

Il est possible que Victor soit malade.
Il n'est pas possible que Victor soit malade.
Est-il possible que Victor soit malade?

Il est probable que Victor est malade.
Il n'est pas probable que Victor soit malade.
Est-il probable que Victor soit malade?

When we think something is probable, we feel surer of it than if we think it is only possible. So when a Frenchman affirms that something is probable, he uses the indicative; when he questions or denies it, he uses the subjunctive.

By contrast, with mere possibility he uses the subjunctive form always, even when he believes in it; and all the more so when he questions or denies possibility. To a Frenchman's way of thinking, possibility, even a strong one, is not close enough to certainty for the indicative.

Now study the following:

Il semble que Victor **soit** malade.
Il ne semble pas que Victor **soit** malade.
Semble-t-il que Victor **soit** malade?

Il me semble que Victor **est** malade.
Il ne me semble pas que Victor **soit** malade.
Me semble-t-il que Victor **soit** malade?

The use of the subjunctive with **il semble** (or **il te semble, il lui semble**, etc.) is not as fixed or predictable as with other constructions that express the speaker's impressions about a given situation. In general, the subjunctive is called for after **il semble**; the indicative is used with **il me semble**, etc. when it is affirmed, and the subjunctive when it is negated or questioned. But ultimately, the use of subjunctive or indicative in these cases depends on the degree of certainty in the speaker's mind about the truth or actuality of the situation concerned.

Finally, study these expressions:

Je **doute** que Victor **soit** malade. *I doubt that Victor's sick.*
Je **ne doute pas** que Victor est malade. *I don't doubt that Victor's sick.*

Je **nie** que Victor **soit** malade. *I deny that Victor's sick.*

Je **ne nie pas** que Victor **est** malade. *I don't deny that Victor's sick.*

Here we are dealing with doubt and denial in the speaker's mind; if he affirms these feelings, he uses the subjunctive; if he does not deny or doubt a certain fact, he is almost saying it is true as far as he is concerned, so he uses the indicative.

Exercices

Transformation Drills

Nous vous grondons de peur que vous nagiez trop.
Nous vous grondons de peur que vous ayez trop nagé.

Descendons dans la rue avant que le taxi vienne.
Bien que Liliane aille à l'hôpital, je reste à la maison.
Je suis contente que Victor puisse manger quelque chose.
Comme je suis ravie que Victor m'accompagne!
Victor est désolé que Liliane ne soit pas à Croisset.
Victor veut que le médècin parte.
Charles est étonné que nous voulions visiter ce tombeau.
Il est certain que Flaubert est un génie littéraire.
Liliane ne croit pas qu'il y ait d'écrivain plus passionnant.
Penses-tu que Chateaubriand soit plus grand que Flaubert?
Je nie que Flaubert soit trop froid.
Il n'est pas possible que tu les croies!
Je suis désolée que nous nous disputions.
Il est temps que nous partions.
Es-tu certain que Flaubert ait une âme sensible?
Je ne crois pas que Flaubert évite la sentimentalité!

Il est certain que j'ai une âme sensible.
Est-il certain que j'aie une âme sensible?

Il est clair que Chateaubriand est plus grand que Flaubert.
Il est incontestable que Flaubert a une âme romantique.
Il est vrai que Liliane adore *Madame Bovary*.
Il est évident que vous adorez Chateaubriand.
Il est probable que ce maillot-là coûte cher.
Il lui semble que je suis sentimental.

Je crois que tu veux maigrir!
Je ne crois pas que tu veuilles maigrir!

Nous pensons que Camus est un très grand écrivain.
Je suis certaine qu'on me taquine!
J'espère que vous viendrez.
Elle croit que vous arrivez demain.
Je crois que Chateaubriand est un génie du premier ordre.

Ajoutez l'expression *Il est important que* à chaque phrase et faites le changement nécessaire (Add *Il est important que* to each sentence and make the necessary changes):

EXEMPLE: Je maigris. *Il est important que je maigrisse.*

Tu perds dix kilos.
Ton rhume ne cause pas d'ennuis à Toinette.
Je ne suis pas si bête!
Vous ne vous rendez pas malade.
Nous gâtons Victor.
Je connais les dangers de ce sport.
Vous faites du ski nautique.
Il y a une bonne raison pour cela.
Liliane se repose un peu.
Nous pouvons remettre notre visite.
Vous vous arrêtez.
On a les mêmes goûts.
Je sais nager.

Questions sur le Dialogue

1. Liliane a-t-elle vu Croisset?
2. Que dit Victor de cela?
3. Est-il certain que Flaubert soit un grand génie littéraire?
4. Que dit Liliane de *Madame Bovary*?
5. Qu'est-ce qu'il lui semble?
6. Mme Parry peut-elle choisir entre Chateaubriand et Flaubert?
7. Nie-t-elle que *Madame Bovary* soit un chef-d'œuvre?
8. Que dit-elle de Flaubert?
9. Mme Parry et Victor peuvent-ils tomber d'accord sur les questions littéraires?
10. Quels écrivains Mme Parry préfère-t-elle?
11. Flaubert avait-il une âme romantique?
12. Comment le savez-vous?
13. Afin de produire un roman réaliste comme *Madame Bovary*, qu'est-ce qui était essentiel?

Prononciation [l]

Liliane	ville
Charles	mille
lui	tranquille
la	vaudeville
lettre	bacille
Louis	capillaire
Lucie	Achille
Lili	Lille
voilà	Villemain

Liliane lit la lettre de Lucie.
Pauline a lu le livre d'Achille.
Laisse-le tranquille! Il est malade.
Lili a vu mille vaudevilles.
Les lumières de Lille luisent.

Dialogue Review

A. Class reads Dialogue 30 in unison or in groups.
B. Several students give Dialogue 29 by heart.
C. *Dictée* based on Dialogue 28.

Oraison

PART V

LILBE: Est-ce que le bonheur existe?
FIDIO: Oui. (*Un temps.*) On le dit.
LILBE: (*Triste.*) Et ce que nous avons fait avant?
FIDIO: Il faudra le confesser.
LILBE: Tout?
FIDIO: Oui, tout.
LILBE: Et aussi que tu me déshabilles[1] pour que tes amis couchent avec moi?

[1] undress

FIDIO: Oui, ça aussi.

LILBE: (*Triste*) Et aussi . . . que nous avons tué? (Elle montre le cercueil).

FIDIO: Oui, aussi. (*Un temps. Triste.*) Nous n'aurions pas dû le tuer. (*Un temps.*) Nous sommes mauvais. Il faut être bon.

LILBE: (*Triste.*) On l'a tué pour la même raison.

FIDIO: La même raison.

LILBE: Oui, on l'a tué pour s'amuser.

FIDIO: Oui.

LILBE: Et on ne s'est amusé qu'un instant.

FIDIO: Oui.

LILBE: Si on essaie d'être bon, ça ne sera pas la même chose?

FIDIO: Non, ça c'est plus complet.

LILBE: Plus complet?

FIDIO: Et plus joli.

LILBE: Et plus joli?

FIDIO: Oui, tu sais comment est né le fils de Dieu? (*Un temps.*) C'est arrivé il y a très longtemps. Il est né dans une crèche[2] très pauvre de Bethléem et comme il n'avait pas d'argent pour se chauffer,[3] une vache[4] et un âne[5] le réchauffaient[6] de leur haleine.[7] Et comme la vache était toute contente de servir Dieu elle faisait meuh-meuh. Et l'âne brayait.[8] Et la maman du bébé qui était la mère de Dieu pleurait et son mari la consolait.

LILBE: Ça me plaît beaucoup.

FIDIO: A moi aussi.

LILBE: Et qu'est-ce qui lui est arrivé, à l'enfant?

FIDIO: Il ne disait rien, bien qu'il fût[9] Dieu. Et comme les hommes étaient méchants ils ne lui ont presque rien donné à manger.

LILBE: En voilà des gens.[10]

FIDIO: Mais un jour dans un royaume[11] très lointain[12] des rois[13] ont vu une étoile qui glissait,[14] accrochée[15] au ciel. Ils l'ont suivie.

LILBE: Qui étaient ces rois?

FIDIO: C'étaient Melchoir, Gaspard et Balthazar.

LILBE: Ceux qui mettent les jouets[16] dans les souliers?[17]

FIDIO: Oui. (*Un temps.*) Et les voilà qui suivaient l'étoile et qui la suivaient: enfin, ils sont arrivés un jour à la crèche de Bethléem. Alors ils ont offert à l'enfant tout ce qu'ils portaient sur leurs chameaux[18]: beaucoup de jouets et de bonbons et aussi du chocolat. (*Un temps. Ils sourient avec enthousiasme.*) Ah, j'oublais, ils lui ont offert aussi de l'or, de la myrrhe et de l'encens.[19]

LILBE: Que de choses!

FIDIO: Alors l'enfant a été très content et ses parents aussi et la vache et l'âne.

[2] manger [3] keep warm [4] cow [5] donkey [6] warmed [7] breath [8] brayed [9] was [10] Such people! [11] kingdom [12] distant [13] kings [14] shooting star [15] hanging [16] toys [17] shoes [18] camels [19] incense

TRENTE ET UNIEME LEÇON

Les goûts littéraires de Mme Parry

VICTOR: Donc, Maman, tu n'as jamais vraiment apprécié ni Flaubert ni Maupassant? Et pourtant tu m'as dit plusieurs fois que personne ne pouvait rivaliser avec Maupassant comme écrivain de contes . . . que rien ne pouvait ni t'amuser ni te rendre pensive comme la lecture d'un de ses contes!

MME PARRY: C'est vrai. Mais depuis longtemps je ne lis plus Maupassant. Ni lui, ni Flaubert, ni Zola ne répondent à mes goûts actuels.

VICTOR: Pourquoi pas?

MME PARRY: Parce qu'ils sont si . . . attristants, au fond! J'ai lu quelque part qu'on considère *L'Education sentimentale* de Flaubert, avec son héros et sa philosophie pessimistes, comme une des sources de l'existentialisme. Moi, je déteste les existentialistes! Il y a quelque chose dans leurs écrits que m'agace—tous ces auteurs modernes qui n'aiment personne ni ne respectent rien!

VICTOR: Je ne dirais pas, moi, que Sartre et Camus n'aiment personne ni ne respectent rien, tout au contraire! Ils ont un grand respect pour l'humanité.

MME PARRY: Tu trouves? Eh bien, je voudrais que quelqu'un m'explique

VICTOR: So, Mother, you've never really thought highly of either Flaubert or Maupassant? And yet you told me several times that no one could compete with Maupassant as a short story writer . . . that nothing could amuse you nor set you thinking like reading one of his tales!

MRS. PARRY: That's true. But I haven't read Maupassant for quite some time. Neither he, nor Flaubert, nor Zola satisfies my present tastes.

VICTOR: Why not?

MRS. PARRY: Because they're so . . . depressing, basically! I read somewhere that they consider Flaubert's *Sentimental Education*, with its pessimistic hero and outlook, as one of the sources of existentialism. I can't stand existentialists! There's something in their writings that gets on my nerves—all those modern authors who care for no one, who respect nothing!

VICTOR: I wouldn't say that Sartre and Camus neither care for anyone nor respect anything, quite the contrary! They have a great deal of respect for humanity.

MRS. PARRY: You think so? Well, I'd like someone to explain it to me

Mementos of Flaubert in Croisset.

cela un jour. Actuellement, quand je lis, je cherche quelque auteur qui puisse me distraire, quelque roman qui me fasse rire, frémir, ou pleurer.

VICTOR: (Riant) Il se peut que tu ne veuilles plus lire Maupassant, mais tu viens quand même de citer la préface de son roman, *Pierre et Jean*! Tu aimes donc les auteurs qui te font pleurer! Mais si Flaubert et Maupassant sont attristants, ne te font-ils pas pleurer?

MME PARRY: Oh, si! Mais il y a plusieurs genres de tristesse! Quand je pleure en lisant ces deux écrivains, il y a toujours quelque amertume qui reste; je n'y trouve ni plaisir ni soulagement. Mais pleurer en lisant Hugo et Chateaubriand—ah! quel délice!

some day. Nowadays when I read, I look for some author who can distract me, some novel that'll make me laugh, shiver, or weep.

VICTOR: (Laughing) It may be that you don't care to read Maupassant any more, but all the same you've just quoted the preface of his novel, *Pierre and Jean*! So you like authors who make you weep! But if Flaubert and Maupassant are depressing, don't they make you weep?

MRS. PARRY: Oh, yes! But there are several kinds of sadness! When I weep while reading Flaubert or Maupassant, some bitterness always remains; I find neither pleasure nor solace in it. But to weep while reading Hugo and Chateaubriand—Ah! What a joy!

About the Dialogue

Guy de Maupassant (1850–93), very probably the world's greatest short-story writer, is known for his realistic, precise, sober style. In addition to approximately 280 short stories, he wrote half a dozen novels of which *Pierre et Jean* is considered the best. It is a poignant story of sibling rivalry between two brothers. Its preface is Maupassant's manifesto regarding a writer's inalienable right to freedom of style and theme. In trying to show that it is worse than pointless to try to fix the form of the novel into a static mold, he points out that the reading public demands different things of its novelists: some wish to be made to laugh, others read novels in order to weep, others wish to tremble and shiver.

Emile Zola (1840–1902), chief of the naturalistic novelists and author of *Nana*, *Germinal*, and over twenty other powerful novels, tried to apply scientific measurements and rules to human and social behavior and in some cases carried the process to exaggerated lengths. His special talent consisted in his portrayals of masses and groups in action.

L'Education sentimentale (1869) tells of the aimless existence of a young bourgeois, Frédéric Moreau, whose fundamental weakness and lack of direction bring about failure in love, politics, and business. Some critics have, with considerable basis, seen in him the forerunner of Camus' Meursault, chief character of *L'Etranger*.

Response Drills

Quel auteur cherchez-vous?
    Je cherche quelque auteur qui puisse me distraire.
Quel ouvrage Mme Parry cherche-t-elle?
    Mme Parry cherche quelque ouvrage qui la fasse rire.
Quels écrivains cherche-t-elle?
    Elle cherche des écrivains qui la fassent pleurer.
Quel roman demandez-vous?
    Oui, je demande un roman qui me fasse frémir.
Quel écrivain Mme Parry désire-t-elle?
    Mme Parry désire un écrivain qui ne soit pas impersonnel.
Quels ouvrages veut-elle lire?
    Elle veut lire des ouvrages qui soient romantiques.
Maman, quel roman veux-tu?
    Victor, connais-tu un bon roman qui puisse me faire rire?
Victor, connais-tu une pièce qui puisse me faire frémir?
    Non, Maman. Mais voudrais-tu lire une pièce qui te fasse penser?

Avez-vous toujours apprécié Maupassant?
    Je n'ai jamais apprécié Maupassant.
M. Musy lit souvent les romans de Camus?
    M. Musy ne lit jamais les romans de Camus.
T'es-tu souvent habillé si vite?
    Je ne me suis jamais habillé si vite!
Je mange souvent des croissants.
    Ne mangez-vous jamais de gâteau?
Lisez-vous souvent Maupassant?
    Je ne lis plus Maupassant.
Actuellement, je préfère lire Hugo.
    C'est que tu n'aimes plus les écrivains realistes!
Ces étudiants sont-ils souvent arrivés en retard?
    Ces étudiants ne sont plus arrivés en retard.
Mais Maman, les existentialistes ont un grand respect pour l'humanité!
    Moi, je dis que les existentialistes ne respectent rien.
Victor a-t-il mangé quelque chose?
    Victor n'a rien mangé.
Veux-tu quelque chose?
    Moi, je ne désire rien.
Ces auteurs aiment-ils tout le monde?
    Tous ces auteurs n'aiment personne.
Y a-t-il quelqu'un dans la rue?
    Il n'y a personne dans la rue.

Avez-vous vu quelqu'un?
    Vraiment, je n'ai vu personne.

Apprécies-tu Flaubert et Maupassant?
    Je n'apprécie ni Flaubert ni Maupassant.
Lis-tu leurs romans et leurs contes?
    Je ne lis ni leurs romans ni leurs contes.
Y trouves-tu du plaisir et du soulagement?
    Je n'y trouve ni plaisir ni soulagement.
Peuvent-ils t'amuser et te distraire?
    Ils ne peuvent ni m'amuser ni me distraire.
Charles prend-il ce maillot-ci ou celui-là?
    Charles ne prend ni ce maillot-ci ni celui-là.
Victor boit-il son café et son thé?
    Victor ne boit ni son café ni son thé.

Est-ce que Flaubert, Maupassant et Zola répondent à vos goûts actuels?
    Ni Flaubert, ni Maupassant, ni Zola ne répondent à mes goûts actuels.
Est-ce que lui, Charles et Liliane sont venus à Croisset?
    Ni lui, ni Charles, ni Liliane ne sont venus à Croisset.
Est-ce que Sartre et Camus vous font pleurer?
    Ni Sartre ni Camus ne me font pleurer.
Est-ce que Chateaubriand et Hugo sont existentialistes?
    Ni Chateaubriand ni Hugo ne sont existentialistes.
Est-ce qu'Ambroise et Paulette sont souvent généreux?
    Ni Ambroise ni la cousine Paulette ne sont souvent généreux.

Que dis-tu de Sartre et de Camus?
    Je dis que Sartre et Camus n'aiment personne ni ne respectent rien.
Victor mange-t-il quelque chose?
    Victor ne mange rien ni ne prend ses pilules!
Janine nage-t-elle?
    Janine ne nage ni ne maigrit!
Charles mange-t-il moins?
    Charles ne mange moins ni ne maigrit!

Quelqu'un est arrivé?
    Personne n'est arrivé!
Quelqu'un peut-il rivaliser avec Maupassant comme écrivain de contes?
    Personne ne peut rivaliser avec Maupassant comme écrivain de contes.
Quelqu'un est venu avec vous?
    Personne n'est venu avec nous!

Quelqu'un te fait-il pleurer comme Chateaubriand?
  Personne ne me fait pleurer comme Chateaubriand!
Quelqu'un sait cela?
  Personne ne sait cela.
Quelqu'un te fait frémir comme Hugo?
  Personne ne me fait frémir comme Hugo.
Quelqu'un te fait rire comme moi?
  Personne ne me fait rire comme vous!
Quelqu'un t'intéresse moins que les existentialistes?
  Personne ne m'intéresse moins que les existentialistes!

Quelque chose t'amuse comme cet ouvrage?
  Rien ne m'amuse comme cet ouvrage.
Qu'est-ce qui vous fait maigrir?
  Rien ne me fait maigrir!
Quelque chose est-il aussi délicieux que ce gâteau-là?
  Rien n'est aussi délicieux que ce gâteau-là.
Qu'est-ce qui est aussi beau que ce maillot-là?
  Rien n'est aussi beau que ce maillot-là!
Quelque chose vous agace comme les existentialistes?
  Rien ne m'agace comme les existentialistes.
Qu'est-ce qui vous semble plus passionnant que *Madame Bovary*?
  Rien ne me semble plus passionnant que *Madame Bovary*.

J'aime seulement Chateaubriand et Hugo.
  Tu n'aimes donc que les écrivans romantiques?
Victor a pris un croissant, voilà tout.
  Il n'a pris qu'un seul croissant?
Vous êtes montés une fois seulement à la Tour Eiffel?
  Nous ne sommes montés à la Tour Eiffel qu'une fois.
Votre cousine a visité cet endroit avec son fils seulement?
  Mme Parry n'a visité cet endroit qu'avec Victor.
Paulette a envoyé seulement des vêtements usés?
  C'est cela. Elle n'a envoyé que des vêtements usés!
C'est seulement le génie des écrivains romantiques que tu admires?
  Vous avez raison. Je n'admire que le génie des écrivains romantiques.
Vous avez seulement une fille?
  Oui. Nous n'avons qu'une fille.
C'est seulement l'amertume qui reste?
  Il n'y a que l'amertume qui reste.

Que cherchez-vous?
  Je cherche quelque ouvrage qui me fasse rire.

Que voudriez-vous?
    Je voudrais que tu m'expliques quelque chose.
Qu'est-ce que Mme Parry désire?
    Mme Parry désire quelque roman que puisse l'amuser.
Qu'est-ce que Paulette voudrait envoyer?
    Paulette voudrait envoyer quelque cadeau pour l'enfant.
Qu'est-ce que tu cherches, Liliane?
    Moi, je cherche quelque gâteau, quelque croissant, quelque vin pour Victor.

Est-ce que je t'ai dit cela?
    Tu m'as dit cela plusieurs fois.
Lisais-tu des écrivains réalistes?
    Les écrivains réalistes? j'en lisais plusieurs autrefois.
Ces cadeaux sont-ils beaux?
    Plusieurs de ces cadeaux sont très beaux!
Ces ballerines sont-elles vraiment jolies?
    Il y a plusieurs ballerines que j'ai trouvées très jolies!
Quels endroits voudriez-vous visiter?
    Je voudrais visiter plusieurs endroits.
Charles va-t-il vraiment maigrir?
    Charles va perdre plusieurs kilos en nageant.

Mme Parry ne veut pas qu'on lui explique cela?
    Mme Parry voudrait que quelqu'un lui explique cela, au contraire.
Personne ne vous a invités à dîner?
    Si, quelqu'un nous a invités à dîner.
Vous ne préférez voyager avec personne?
    Au contraire, je préfère voyager avec qulqu'un.
N'allez-vous pas en parler à personne?
    Mais si, nous allons en parler à quelqu'un.
Faut-il que personne ne fasse cela?
    Au contraire, il faut que quelqu'un fasse cela.
Vous n'avez besoin de personne?
    Si, j'ai besoin de quelqu'un.
Mais je ne parle pas anglais!
    Veux-tu quelqu'un qui parle français?

Liliane, je ne veux rien manger!
    Victor, mange quelque chose!
Je ne veux rien prendre!
    Victor, il faut que tu prennes quelque chose!
N'y a-t-il rien dans ces romans qui t'agace?
    Si! Il y a quelque chose dans ces romans qui m'agace.

Rien ne t'amuse, chérie?
Si, quelque chose m'amuse.
Et Paulette n'a rien envoyé pour le bébé?
Si! Paulette a envoyé quelque chose.

Grammaire

123. Indefinite Adjectives

Je cherche **quelque** auteur qui puisse me distraire. *I'm looking for some author who can distract me.*
Tu m'as dit **plusieurs** fois que personne ne pouvait rivaliser avec Maupassant! *You told me several times that no one could compete with Maupassant!*

Quelque is an adjective that modifies nouns, both masculine and feminine, in a vague and indefinite way.

Plusieurs simply means several. Like **quelque**, it has only one spelling for both masculine and feminine.

124. The Unattained Goal: Role of the Subjunctive

Je **cherche** quelque auteur qui **puisse** me distraire. *I'm looking for some author who can distract me.*
Je **désire** quelque roman qui me **fasse** rire. *I want some novel that'll make me laugh.*
Elle **veut lire** des ouvrages qui **soient** romantiques. *She wishes to read works that are romantic.*

These sentences show the subjunctive being used in what could be called situations of unattained goals. Mrs. Parry is *looking for* a certain kind of author; she *wants* a certain kind of novel; she *wishes* to read certain kinds of works. But it is implied she is not achieving her goal at present. Here are some verbs that usually call for this use of the subjunctive:

chercher	**désirer**
demander	**connaître**
vouloir	**préférer**

It is also important to notice that this kind of subjunctive comes in a relative clause: . . . quelque auteur **qui puisse me distraire**; . . . quelque roman **qui me fasse rire**; . . . des ouvrages **qui soient romantiques**.

The relative pronouns in these clauses usually have as antecedents an indefinite adjective (**quelque** auteur qui) or pronoun (**quelqu'un** qui) or a noun introduced by either an indefinite article (**un** livre qui) or a partitive (**des** ouvrages qui), etc. By contrast, if Mme Parry had said, for example, "C'est **cet** auteur qui **a pu** me distraire" or "Voilà **le** roman qui m'**avait fait** rire", she would use the indicative, because she would be referring to an author or book that had accomplished certain goals for her—distracted her or made her laugh; these goals are no longer unattained.

125. Negatives Other Than *Ne . . . Pas*

Tu **n**'as **jamais** apprécié Flaubert? *Haven't you ever thought highly of Flaubert?*
Je **ne** lis **plus** Maupassant. *I don't read Maupassant any longer.*
Les existentialistes **ne** respectent **rien**! *The existentialists respect nothing!*
Rien ne pouvait t'amuser! *Nothing could amuse you!*
Sartre et Camus **n**'aiment **personne**! *Sartre and Camus care for nobody!*
Personne ne pouvait rivaliser avec lui. *No one could compete with him.*

The commonest negative expression in French is **ne . . . pas** (*not*). Other such expressions are: **ne . . . jamais,** *never*; **ne . . . plus,** *no more, no longer*; **ne . . . rien,** *nothing*; **ne . . . personne,** *no one, nobody.* Notice the following:

a. In simple tenses (*présent, imparfait,* etc.) they surround the verb just as **ne . . . pas** does.
b. In compound tenses (*passé composé,* etc.) **jamais, plus,** and **rien** follow the helping verb (Tu **n**'as **jamais** apprécié . . .).
c. **Rien** and **personne** can be used as subject pronouns (*nothing, no one*). In such cases, start with **rien ne** or **personne ne.** A hint for avoiding mistakes with these two expressions: do not add **pas** to the sentence. This caution may be necessary because much of the time you will be saying **pas** after verbs wherever there is a **ne (Je ne sais pas, il n'y a pas,** etc.). With **rien ne** and **personne ne** your two negative words have been uttered right at the start of the sentence, so that adding **pas** would be like using double negatives in English. Again, note the correct usage:

Rien ne pouvait l'amuser!
Personne ne pouvait rivaliser avec lui!

126. *Ni . . . Ni*

Tu n'as jamais vraiment apprécié **ni** Flaubert **ni** Maupassant? *You've never really thought highly of either Flaubert or Maupassant?*
Je **n**'y trouve **ni** soulagement **ni** plaisir. *I find neither pleasure nor relief in it.*
Ni Flaubert, **ni** Maupassant, **ni** Zola **ne** répondent à mes goûts actuels. *Neither Flaubert, nor Maupassant, nor Zola satisfies my present tastes.*

Tous ces auteurs modernes **n**'aiment personne **ni ne** respectent rien! *All these modern authors don't care for anyone nor do they respect anything!*

The position of **ni . . . ni** in a sentence changes with its function:

a. When **ni . . . ni** modifies the direct object of the verb, **ne** goes before the verb and **ni** comes after. Each **ni** stands before its object (**ni** soulagement, **ni** plaisir). The series can be built up indefinitely in this way.
b. When **ni . . . ni** modifies the subject of the verb, it comes first in the sentence. **Ne** comes after them and stands before the verb, which is always in the plural (**Ni** Flaubert, **ni** Maupassant, **ni** Zola **ne** répondent . . .).
c. When **ni . . . ni** modifies the verbs, **ne** stands before the first verb in the series (**ne** croient . . .); then **ni ne** stands before each additional verb (**n**'aiment personne, **ni ne** respectent rien).

More useful points:

a. **Ni . . . ni**, in all its patterns, can be used in an indefinite series, as *neither . . . nor . . . nor* can be used in English.
b. The partitive is left out with **ni . . . ni**.

Je n'y trouve ni soulagement ni plaisir.

c. Never use **pas** in connection with **ni . . . ni.**

127. Indefinite Pronouns

Je voudrais que **quelqu'un** m'explique cela un jour. *I'd like someone to explain that to me some day.*

Nous allons en parler à **quelqu'un**. *We're going to speak to someone about it.*

Veux-tu **quelqu'un** qui parle français? *Do you want someone who speaks French?*

Il y a **quelque chose** dans leurs écrits qui m'énerve. *There's something in their writings that gets on my nerves.*

Quelqu'un means *someone* (man or woman), some indefinite person. The form **quelqu'une** is almost never used. **Quelque chose**, of course, refers only to things.

An important point:

On means *someone* and so does **quelqu'un**, but they are not quite the same:

Je voudrais qu'on m'explique cela. *I'd like someone to explain that = I'd like that to be explained to me (by anyone).*

Je voudrais que quelqu'un m'explique cela = *I'd like someone (some person) to explain that to me.*

Exercices

Transformation Drills

Quelque auteur me distrait.
Je cherche quelque auteur qui puisse me distraire.

Quelque roman me fait rire.
Quelqu'un me fait penser.
Quelque chose peut m'amuser.
Quelque pièce peut te faire pleurer.
Quelqu'un comprend cette musique.
Quelque sport te fera maigrir!
Quelqu'un sait où se trouve ce tombeau!
Quelque chose nous amuse.
Quelque écrivain la fait frémir!

Response Drills

Je lis toujours Flaubert.
Et moi, je ne lis jamais Flaubert.

J'apprécie toujours Maupassant.
J'aime toujours les existentialistes.
Je fais toujours mes achats aux Galeries Lafayette.
Je suis souvent monté au sommet de la Tour Eiffel.
J'ai souvent voyagé en France.
J'ai souvent mangé de la bouillabaisse.

Je lis encore Flaubert.
Et moi, je ne lis plus Flaubert!

J'apprécie toujours Maupassant.
J'aime encore les existentialistes.
Je fais encore mes achats aux Galeries Lafayette.
J'aime encore monter au sommet de la Tour Eiffel.
J'ai encore voyagé en France.
J'ai encore mangé de la bouillabaisse.

J'écris à quelqu'un.
Et moi, je n'écris à personne.

Je vois quelqu'un.
Tu as parlé à quelqu'un.
Il aime quelqu'un.
J'ai donné mon adresse à quelqu'un.

Janine invite quelqu'un à dîner.
Je voudrais y aller avec quelqu'un.
Nous en écrirons à quelqu'un.

Liliane mangera quelque chose.
Mais moi, je ne mangerai rien!

Maman dit quelque chose.
Tu liras quelque chose.
Charles regarde quelque chose.
Liliane cherche quelque chose.
Catherine désire quelque chose.

Liliane a mangé quelque chose.
Moi, je n'ai rien mangé.

Maman a dit quelque chose.
Tu as lu quelque chose.
Charles a regardé quelque chose.
Liliane a cherché quelque chose.
Catherine a désiré quelque chose.

Quelque chose me distrait.
Rien ne me distrait.

Quelque chose m'amuse.
Quelque chose me fait pleurer.
Quelque chose peut me faire rire.
Quelque chose m'intéresse.
Quelque chose te fait rire?
Quelque chose peut te faire frémir?

Quelqu'un pourrait m'expliquer cela!
Personne ne pourrait m'expliquer cela!

Quelqu'un nous invite à dîner.
Quelqu'un t'a accompagné.
Quelqu'un vous amuse!
Quelqu'un te fait pleurer!
Quelqu'un m'aime!
Quelqu'un les connaît.
Quelqu'un voudrait savoir cela!

Charles prend des oranges et des gâteaux.
Mais moi, je ne prends ni oranges ni gâteaux.

Maman adore Hugo et Chateaubriand.
Vous lisez leurs romans et leurs contes.
Tu vas acheter ce maillot-ci et cette robe-là.
Liliane va manger un œuf et une orange.
Victor admire Camus et Sartre.

Des œufs et des oranges sont sur la table.
Ni œufs ni oranges ne sont sur la table.

Des maillots et des robes de plage se trouvent ici.
Flaubert et Maupassant répondent à mes goûts actuels.
Elle et Charles voudraient maigrir.
Ma mère et mon mari visitent Combourg.
Des pilules et des cachets se trouvent près de ton lit.
Ce maillot et cette robe coûtent cher.

J'aime et j'écoute cette musique.
Je n'aime ni n'écoute cette musique.

Elle adore et elle lit Flaubert.
Victor aime et mange la bouillabaisse.
M. Musy préfère et relit Camus.
Nous aimons et nous visitons les tombeaux des grands écrivains.
Janine nage souvent et elle fait du ski nautique.
Paulette nous écrira et elle enverra de beaux cadeaux.

Expansion Drill

Mme Parry va lire des contes romantiques (quelque).
Mme Parry va lire quelque conte romantique.

Il faut que Victor prenne des médicaments (plusieurs).
Liliane voudrait voir des ballets (quelque).
Maman désire visiter des tombeaux (plusieurs)!
Charles voudrait manger des quiches (quelque).
J'ai besoin d'écrire des lettres (plusieurs).
Liliane va faire des achats (quelque).

Response Drills

Qui est arrivé?
Quelqu'un!

Qui aimez-vous?
Qui parle?

Qui invite-t-on?
Qui t'a dit cela?
Qui m'expliquera cela?
Qui voudrais-tu chercher?

Avec qui voudrait-elle voyager?
Elle voudrait voyager avec quelqu'un.

Avec qui vas-tu faire des achats?
Pour qui ces cadeaux sont-ils?
A qui est-ce qu'il faut parler?
De qui vient cette lettre?
Chez qui allons-nous?

Qu'est-ce que vous mangez?
Je mange quelque chose.

Qu'a-t-on dit?
Qu'est-ce que Paulette a envoyé?
Que veux-tu faire?
Mais qu'est-ce que tu vas lire?
Qu'as-tu donc fait?
Qu'est-ce qui t'amuse?
Qu'est-ce qui te fait pleurer?
Qu'est-ce qui te distrait?
Qu'est-ce qui t'énerve?
Qu'est-ce qui te fait rire?

Questions sur le Dialogue

1. Mme Parry a-t-elle jamais apprécié Flaubert et Maupassant?
2. Qu'est-ce qu'elle a dit plusieurs fois?
3. Qu'est-ce qui pouvait l'amuser?
4. Qu'est-ce qui pouvait la rendre pensive?
5. Lit-elle ces écrivains actuellement?
6. Quels écrivains ne répondent pas à ses goûts actuels?
7. Pourquoi pas?
8. Où a-t-elle lu qu'on considère *L'Education sentimentale* comme une source de l'existentialisme?
9. Mme Parry aime-t-elle les existentialistes?
10. Pourquoi pas?
11. A son avis, les existentialistes aiment-ils et respectent-ils tout le monde?
12. Qu'en dit Victor?

13. Quand Mme Parry lit, que cherche-t-elle?
14. Que vient-elle de citer?
15. Flaubert et Maupassant font-ils pleurer Mme Parry?
16. Qu'est-ce qui reste quand elle pleure en les lisant?
17. Que ne trouve-t-elle pas quand elle pleure en les lisant?
18. Hugo et Chateaubriand font-ils pleurer Mme Parry?

Prononciation [r]

cher	parler	rira
revolver	garçon	murmurer
hier	border	ronronner
fier	torpeur	rural
hiver	cordeau	regarder
mer	fermer	rose
tiers	nerveux	rouge
Jupiter	mercredi	
Esther		
Auber		

Pierre regarde nerveusement le revolver.
René, mecredi dernier, parla d'Esther Auber.
Robert est très fier de ses roses rouges.
Rira bien qui rira le dernier.
Richard reviendra à Paris en hiver.

Dialogue Review

A. Class reads Dialogue 31 in unison or in groups.
B. Several students give Dialogue 30 by heart.
C. *Dictée* based on Dialogue 29.

Oraison

PART VI

LILBE: Et ensuite qu'est-il arrivé?

FIDIO: Ensuite l'enfant a aidé son père qui était charpentier[1] à faire des tables et des chaises. Comme il était très sage[2] sa maman l'embrassait souvent.

LILBE: Un enfant pas comme les autres.

FIDIO: Il était Dieu.

LILBE: Oui, c'est vrai . . .

FIDIO: Ce qui était bien c'est qu'alors il ne faisait aucun miracle pour manger mieux ou s'acheter des habits[3] chers.

LILBE: Et qu'est-il arrivé?[4]

FIDIO: Ensuite il s'est fait homme,[5] mais comme les juifs[6] étaient méchants ils l'ont tué: ils l'ont crucifié, avec des clous[7] aux mains et aux pieds. Tu te rends compte?

LILBE: Ça devait faire très mal?[8]

FIDIO: Oui, beaucoup.

LILBE: Il devait beaucoup pleurer?

FIDIO: Non, pas du tout. Il se retenait.[9] D'ailleurs pour mieux se moquer de lui[10] ils l'ont mis entre deux larrons.[11]

LILBE: Des larrons mauvais ou sympathiques?[12]

FIDIO: Des mauvais, des pires,[13] les deux plus mauvais qu'ils ont pu trouver.

LILBE: Ça c'est mal!

FIDIO: Ah! et puis ne voilà-t-il pas qu'un des deux larrons était plutôt un imposteur! Un type qui trompait son monde.[14]

LILBE: Qui trompait son monde?

FIDIO: Oui, il avait fait croire[15] qu'il était mauvais et tout à coup[16] on s'aperçoit qu'il était bon.

LILBE: Et que s'est-il passé?[17]

FIDIO: Eh bien que Dieu est mort sur la croix.[18]

LILBE: Oui?

FIDIO: Oui. Mais il a ressuscité le troisième jour.

LILBE: (*Contente.*) Ah!

FIDIO: Et tous se sont rendu compte alors qu'il disait vrai.

LILBE: (*Enthousiaste.*) Je veux être bonne.

FIDIO: Moi aussi.

[1] carpenter [2] good, well-behaved [3] clothes [4] what happened [5] became man [6] Jews [7] nails [8] hurt a lot [9] controlled himself [10] mock him [11] thieves [12] nice, good [13] worst [14] a guy who was fooling everyone [15] pretended [16] suddenly [17] happened [18] cross

LILBE: Tout de suite.
FIDIO: Oui, tout de suite.
LILBE: Je veux être comme l'enfant qui est né dans la crèche.
FIDIO: Moi aussi. (*Fidio prend les mains de Lilbé dans les siennes.*)
LILBE: Et comment passerons-nous le temps?
FIDIO: A faire des bonnes actions.
LILBE: Tout le temps?
FIDIO: Enfin, presque tout le temps.
LILBE: Et le reste du temps?
FIDIO: On peut aller au zoo.
LILBE: Pour voir les choses du singe?
FIDIO: Non. (*Un temps.*) Pour voir les poules[19] et les pigeons.

[19] chickens

The Arc de Triomphe.

Another baby is on the way for the Parrys.

TRENTE-DEUXIEME LEÇON

Une surprise

JANINE: Tu es là, Liliane? Ah! nous avons dû te déranger—

JANINE: Are you there, Lillian? Oh! we must have disturbed you—

LILIANE: Mais non! Je dormais un peu, voilà tout.

LILLIAN: Oh, no! I was having a bit of a nap, that's all.

CHARLES: Qu'est-ce que je sens? L'arôme du café . . . et puis il y a de la cannelle . . .

CHARLES: What do I smell? The aroma of coffee . . . and there's cinnamon . . .

LILIANE: C'est ça. Dans dix minutes, je sers le café préféré de Victor. On l'appelle *cappuccino*.

LILLIAN: Right. In ten minutes I'm serving Victor's favorite coffee. They call it *cappuccino*.

JANINE: Nos touristes sont donc revenus de Croisset?

JANINE: So our tourists are back from Croisset?

MME PARRY: (Elle entre) Oui, Toinette, nous voilà! Viens, embrasse-moi . . . Vraiment, tu devrais t'excuser auprès de nous!

MRS. PARRY: (Entering) Yes, Toinette, here we are! Come, kiss me . . . Really, you ought to apologize to us!

JANINE: M'excuser? Pourquoi donc?

JANINE: Apologize? But why?

MME PARRY: Tout d'abord, je dois te faire remarquer que je n'aime pas du tout qu'on m'appelle une "touriste"! Nous sommes des *voyageurs*! Les "touristes" ne vont presque jamais ni à Combourg, ni à Croisset.

MRS. PARRY: First of all, I must inform you that I don't like to be called a "tourist!" We're *travelers*! "Tourists" almost never go to either Combourg or Croisset.

VICTOR: Ni à Tourville-sur-Arques!

VICTOR: Or to Tourville-sur-Arques!

JANINE: Tourville-sur-Arques? Je n'en ai jamais entendu parler. Qu'est-ce qu'on y trouve?

JANINE: Tourville-sur-Arques? I've never heard of it. What's there?

VICTOR: Le château de Miromesnil. Guy de Maupassant y est né en 1840. Nous revenons du pays de Caux, en pleine Normandie.

VICTOR: The château of Miromesnil. Guy de Maupassant was born there in 1840. We're back from the Caux, right in the heart of Normandy.

JANINE: Vous avez dû vous y amuser, hein?

JANINE: You must have enjoyed yourselves, eh?

MME PARRY: Je mentirais si je disais que non. Mais vous auriez dû, vous tous, nous accompagner! Après tout, il faut que je parte bientôt pour les Etats-Unis. Ma famille m'y attend! Et toi, Liliane, tu devais venir avec nous, et tout d'un coup, tu as changé d'avis!

MRS. PARRY: I'd be lying if I said no. But you should have come along with us, all of you! After all, I've got to leave for America soon. My family's waiting for me! And Lillian, you were supposed to come with us, and suddenly you changed your mind!

LILIANE: Justement. C'est le privilège des femmes, n'est-ce pas? Allons donc, ne nous disputons pas à ce sujet. Entrons tous dans la salle à manger, pour que je vous serve du café et un morceau de mon gâteau au chocolat. Et Maman, si, l'année prochaine, tu veux aller en Suisse, en Italie, au Danemark, au Portugal, enfin n'importe où, nous irons avec toi, moi, Victor, et nos enfants.

LILLIAN: Exactly. It's a woman's privilege, isn't it? Come on, let's not argue about it. Let's go into the dining room, so I can serve you coffee and a piece of my chocolate cake. And Mother, if, next year, you want to go to Switzerland, Italy, Denmark, Portugal, anywhere actually, we'll go with you—Victor, our children, and I.

VICTOR: *Nos* enfants? Pourquoi le pluriel?

VICTOR: Our *children*? Why the plural?

LILIANE: Je suis enceinte, voilà pourquoi!

LILLIAN: I'm expecting, that's why!

About the Dialogue

Cappuccino is strongly brewed Italian coffee in which a stick of cinnamon is inserted to add flavor. It is served with a topping of whipped cream—a white "cap" or "hood." *Cappuccino*, in Italian, means "hood." The friars of the order of St. Francis (of Assisi) adopted hooded robes as their distinctive garb, and acquired thus the nickname of *cappuccini*. Establishments serving special brews of coffee (espresso, etc.) call this preparation *cappuccino Lorenzo*—literally, "Friar Lawrence."

Caux is that part of the province of Normandy which is north of the Seine and borders the English Channel. It is a country rich in cattle and crops.

Response Drills

Qu'est-ce que je sens?

Ce que tu sens? Mais, c'est l'arôme du café!

En effet, nous la sentons.
    Sentez-vous aussi de la cannelle?
En effet, on sent de la cannelle.
    Janine et Charles sentent du café et de la cannelle.

Dors-tu, Liliane?
    Oui, je dormais un peu.
Catherine dort-elle?
    Oh! non, elle a déjà dormi.
Je dors le matin parce que je me sens fatigué.
    Dormiras-tu jusqu'à midi?
Non, nous dormons jusqu'à sept heures.
    Les Vallin dorment-ils jusqu'à midi?

Dans dix minutes, je sers du café.
    Serviras-tu du gâteau aussi?
Nous en servons toujours avec le café!
    Servez-vous du gâteau au chocolat, madame?
Oui, Mme Casiez, ma femme en sert souvent.
    En a-t-elle servi aujourd'hui?
Les Parry servent toujours du bon café.

Sais-tu que je pars pour les Etats-Unis?
    Mais quand est-ce que tu pars?
Maman part le 30 août.
    Partez-vous avec elle, Victor?
Non, nous ne partons que le 15 septembre.
    Liliane et Victor partent-ils dans deux semaines?

Repetition Drills

Je dois t'avertir que je n'aime pas ce mot-là!
Nous devons partir bientôt!
Dois-tu retourner aux Etats-Unis?
Liliane doit se coucher maintenant.
Vous devez m'accompagner, Victor.
Liliane et l'enfant doivent-elles dormir?

Tu devais venir avec nous!
Je sais bien que je devais vous accompagner à Combourg.
Nous devions tous y aller.
Même Chateaubriand devait aimer cet endroit.
Janine et Charles devaient-ils se rendre à Croisset?
Vous deviez tous partir avec nous!

Substitution Drills

Il devrait s'excuser auprès de Victor.
Elle devrait . . .
Elles devraient . . .
Je devrais . . .
Nous devrions . . .
Tu devrais . . .
Vous devriez . . .
Ils devraient . . .

Tu as dû maigrir, hein!
Il a dû. . . .
Elle a dû . . .
Nous avons dû . . .
Elles ont dû . . .
Vous avez dû . . .
J'ai dû . . .
Ils ont dû . . .

Liliane aurait dû l'accompagner.
J'aurais dû . . .
Il aurait dû . . .
Ils auraient dû . . .
Tu aurais dû . . .
Nous aurions dû . . .
Vous auriez dû . . .
Elles auraient dû . . .

Response Drills

Nos touristes sont donc revenus de Croisset?
    Oui, Janine, nous en sommes revenus.
Revenez-vous de Combourg aussi?
    Oui, nous en revenons aussi.
D'où vient cette lettre?
    Elle vient d'Italie.
D'où vient ce cadeau?
    Il vient du Danemark.
D'où arrive votre frère, Janine?
    Il arrive de Strasbourg.
D'où arrivez-vous, madame?
    J'arrive des Etats-Unis.

Nos touristes sont donc allés à Combourg?
Oui, Janine, ils y sont allés.
Vont-ils à Croisset aussi?
Oui, ils y vont aussi.
Où va cette lettre?
Elle va en Italie.
Où va ce cadeau?
Il va au Danemark.
Où se trouve votre frère, Janine?
Il se trouve à Strasbourg.
Où allez-vous, madame?
Je vais aux Etats-Unis.

Grammaire

128. A SPECIAL GROUP OF *-IR* VERBS

Je **dormais** un peu, voilà tout. *I was taking a bit of a nap, that's all.*
Qu'est-ce que je **sens**? *What do I smell?*
Dans dix minutes, je **sers** le café favori de Victor. *In ten minutes I'm serving Victor's favorite coffee.*
Je **mentirais** si je disais que non. *I'd be lying if I said no.*

A special group of verbs ending in **-ir**, and therefore easily confused with the regular 2nd conjugation verbs (**finir, choisir**, etc.), should be noted and learned, especially since several are very commonly used. Here are the main ones:

	PAST PARTICIPLE:
sortir, *to go out*	sorti
servir, *to serve*	servi
sentir, *to smell (something)*	senti
partir, *to leave*	parti
dormir, *to sleep*	dormi
mentir, *to tell lies*	menti

PRESENT TENSE: **sortir**

je sors	nous sortons
tu sors	vous sortez
il sort	ils sortent

PRESENT TENSE: **partir**

je pars	nous partons
tu pars	vous partez
il part	ils partent

IMPERFECT TENSE: **sortir**

je sortais	nous sortions
tu sortais	vous sortiez
il sortait	ils sortaient

IMPERFECT TENSE: **partir**

je partais	nous partions
tu partais	vous partiez
il partait	ils partaient

The rest of the verbs are based on these models. The main differences between these **-ir** verbs and the regular 2nd conjugation occur in the present and imperfect:

a. The present tense stem of these special verbs is not based on the infinitive with the **ir** removed, as is the case with **fin(ir), chois(ir), obé(ir)**, etc.
b. The regular **-ir** verbs have **-iss** added to the stem in the plural of the present tense (**nous finissons, nous choisissons, nous obéissons**) and all through the imperfect (**je finissais, je choisissais, j'obéissais**). This special group has no **-iss** at all.

However, the past participle of these verbs ends in **-i**, as do those of the 2nd conjugation; the stem of their future and conditional tenses is the entire infinitive, just like those of the 2nd conjugation:

je sortir**ai**	nous sortir**ons**	je sortir**ais**	nous sortir**ions**
tu sortir**as**	vous sortir**ez**	tu sortir**ais**	vous sortir**iez**
il sortir**a**	ils sortir**ont**	il sortir**ait**	ils sortir**aient**

129. *Devoir*

Je **dois** te faire remarquer que je n'aime pas du tout cela! *I must warn you that I don't like that at all!*
Tu **devais** venir avec nous. *You were supposed to come with us.*
Tu **devrais** t'excuser auprès de moi! *You ought to apologize to me!*
Vous **avez dû** vous y amuser, hein? *You must have enjoyed yourselves there, eh?*
Mais vous **auriez dû** nous accompagner! *But you should have come along with us!*

The verb **devoir** in its simplest sense means *to owe* (as in, **Je lui dois de l'argent**, *I owe him money*). But most often it occurs in French with the meaning *to have to, to be obliged to* (do something). It is followed by an infinitive telling *what* someone has to do, had to do, was supposed to do, should do, should have done, etc. In fact, **devoir** changes meaning with just about every tense.

a. The present tense expresses present obligation:

Je dois
Tu dois
Il doit
Nous devons
Vous devez
Ils doivent

} étudier en France.

This means, "I must (have to) study in France," etc.

b. The imperfect tense of **devoir** expresses an action that was expected to happen but probably did not happen:

Je devais
Tu devais
Il devait
Nous devions
Vous deviez
Ils devaient } étudier en France.

This means, "I was (supposed) to study in France," etc.

c. The conditional of **devoir** is the same as the English *should* or *ought to*:

Je devrais
Tu devrais
Il devrait
Nous devrions
Vous devriez
Ils devraient } voyager en France.

This means, "I should travel in France," or "I ought to travel in France," etc.

d. The past conditional of **devoir** expresses an obligation that was not carried out:

J'aurais dû
Tu aurais dû
Il aurait dû
Nous aurions dû
Vous auriez dû
Ils auraient dû } voyager en France.

This means, "I should have traveled in France," etc.

e. The *passé composé* of **devoir** expresses either a past obligation or past probability:

J'ai dû
Tu as dû
Il a dû
Nous avons dû
Vous avez dû
Ils ont dû } étudier en France.

This means, "I had to study in France," etc. or "I must have studied in France," etc.

It is important to remember that the circumflex accent in the past participle (**dû**) is the only thing that helps you tell the difference between it and the **du** which is a combination of **de+le.**

130. GEOGRAPHY AND FRENCH GRAMMAR

Les touristes ne vont presque jamais **à** Combourg. *Tourists almost never go to Combourg.*
Nos touristes sont donc revenus **de** Croisset? *So our tourists are back from Croisset?*
Si tu veux aller **en** Suisse, je t'accompagnerai. *If you want to go to Switzerland, I'll go along with you.*
Vous revenez donc **de** Normandie! *So you're back from Normandy!*
Il faut que je retourne **aux** Etats-Unis. *I have to get back to America.*
Si tu veux aller **au** Danemark, nous t'accompagnerons. *If you want to go to Denmark, we'll go along with you.*

The French use three different prepositions when they talk about going to, being in, or coming from different places. First of all, they assign a gender to all continents, countries, and provinces. Except for **le Mexique** (*Mexico*), all countries spelled with a final **-e** are feminine:

la France	*France*	la Turquie	*Turkey*
la Suisse	*Switzerland*	la Chine	*China*
l'Italie	*Italy*	la Nouvelle-Zélande	*New Zealand*
la Belgique	*Belgium*	la Tunisie	*Tunisia*
l'Angleterre	*England*	la Rhodésie	*Rhodesia*
la Russie	*Russia*	l'Ethiopie	*Ethiopia*
la Suède	*Sweden*	la Roumanie	*Rumania*
la Grèce	*Greece*		

These belong to the "masculine" countries:

le Danemark	*Denmark*	le Canada	*Canada*
le Japon	*Japan*	le Monaco	*Monaco*
le Portugal	*Portugal*	le Panama	*Panama*
le Maroc	*Morocco*	le Honduras	*Honduras*
le Pérou	*Peru*	l'Israël	*Israel*
le Brésil	*Brazil*	les Etats-Unis	*United States*

To, *in*, and *into* with "feminine" countries is expressed by **en**:

Il est allé **en** France, **en** Suisse, **en** Italie, et **en** Belgique. *He went to France, Switzerland, Italy, and Belgium.*

With "masculine" countries you use **à** and the definite article (**au, aux**):

Il est allé **au** Danemark, **au** Japon, **au** Maroc, **aux** Etats-Unis. *He went to Denmark, Japan, Morocco, the United States.*

When someone is *from* or comes *from* a "feminine" country, you use **de** alone:

Maman arrive **de** France. *Mother's arriving from France.*
Cette lettre vient **d'**Italie. *This letter comes from Italy.*
Je suis **de** Belgique. *I'm from Belgium.*

But with "masculine" countries you use **de** and the definite article:

Cette lettre m'arrive **du** Danemark. *This letter comes to me from Denmark.*
Maman vient **du** Japon. *Mother comes from Japan.*

If you are in a city or going to a city, you use **à**:

Victor est **à** Paris. *Victor's in Paris.*
Victor se rend **à** Croisset. *Victor's going to Croisset.*

When someone or something is *from* a city, use **de**:

Mon frère vient **de** Paris. *My brother's coming from Paris.*
Cette femme est **de** Strasbourg. *This woman is from Strasbourg.*

Exercices

Response Drills

Where indicated, use the suggested pronoun:

Servez-vous du gâteau, madame?
Oui, je sers du gâteau.

Servez-vous du thé? (nous)
Liliane sert-elle du café?
Servons-nous le dîner maintenant?
Chérie, sers-tu bientôt la soupe?
Nos amis servent-ils de la bouillabaisse?
Est-ce que je sers ce gâteau trop souvent? (tu)

Liliane dort-elle, Victor?
Non, elle ne dort pas.

Catherine dort-elle donc?
Dormons-nous dans cette maison?

Dormez-vous jusqu'à midi? (nous)
Est-ce que je dors trop? (tu)
Dors-tu jusqu'à dix heures du matin?
Victor et Liliane dorment-ils, Toinette?

Pars-tu bientôt, Maman?
Oui, je pars bientôt.

Pars-tu en avion?
Partons-nous pour Combourg?
Partez-vous pour la Normandie? (nous)
Lui et Charles partent-ils pour la Côte d'Emeraude?
Est-ce que je pars aujourd'hui? (tu)
Maman part-elle demain?

Est-ce que je sens l'arôme du café?
Oui, tu sens l'arôme du café.

Est-ce que je sens l'arôme de la cannelle? (tu)
Sens-tu cette arôme délicieuse?
Sentez-vous une arôme agréable? (nous)
Sentons-nous de la bouillabaisse?
Victor sent-il la quiche?
Les voisins sentent-ils ma bouillabaisse?

Sortez-vous du ballet?
Oui, nous sortons du ballet.

Sortez-vous de la Tour Eiffel? (nous)
Liliane sort-elle des Galeries Lafayette?
Chérie, sors-tu aujourd'hui?
Sortons-nous à midi?
Est-ce que je sors trop souvent? (tu)
Victor et Liliane sortent-ils souvent?

Transformation Drills

Je sers du thé maintenant.
Je servirai du thé maintenant.

Liliane sert du café.
Nous servons souvent du gâteau.
Je sers le café préféré de Victor.
Dors-tu jusqu'à onze heures?

Est-ce que je dors trop?
Dormons-nous dans cette chambre?
Je pars bientôt.
Tu pars en avion?
Vous partez pour Croisset?
Il sent l'arôme du café.
Nous sentons de la cannelle.
Victor et Liliane sentent la quiche.
Je sors souvent.
Nous sortons du ballet.
Sortez-vous avec moi?

Sers-tu du gâteau?
Servais-tu du gâteau?

Sers-tu de la bouillabaisse?
Est-ce que je sers trop de soupe?
Servons-nous de la bonne soupe?
Liliane dort-elle?
Nous dormons jusqu'à sept heures.
Je dors souvent jusqu'à midi.
Liliane part déjà.
Nous partons pour Neuilly.
Victor part pour la bibliothèque.
Je sens une arôme délicieuse.
Sens-tu de la cannelle?
Charles sent du café.
Tu sors avec moi souvent.
Je sors faire mes courses.
Nous sortons du métro.

Il est probable que Maman partira bientôt.
Maman doit partir bientôt.

Il est probable que tu es malade.
Il est probable que Liliane et Maman font leurs courses en ce moment.
Il est probable que Maman arrivera demain.
Il est probable que nous avons le temps d'y aller.
Il est probable que je sortirai à midi.
Il est probable que vous m'accompagnerez.

Vous vous êtes probablement amusé à Croisset.
Vous avez dû vous amuser à Croisset.

J'ai probablement dormi jusqu'à midi!
Vous vous êtes probablement réveillé à minuit!
Nous sommes probablement arrivés de bonne heure.
Tu as probablement oublié le nom du compositeur.
Liliane s'est probablement endormie.
Liliane et Toinette ont probablement servi du gâteau.

On croit que Liliane doit se reposer.
Liliane devrait se reposer.

On croit que vous devez dîner chez nous.
On croit que tu dois nous accompagner.
On croit que Victor doit manger quelque chose.
On croit que je dois prendre des pilules!
On croit que nous devons partir sans Liliane.
On croit que Paulette et Ambroise doivent envoyer de beaux cadeaux.

Liliane doit se reposer.
Hier, Liliane devait se reposer.

Vous devez dîner chez nous.
Tu dois nous accompagner.
Victor doit manger quelque chose.
Je dois prendre des pilules.
Nous devons partir sans Liliane.
Paulette et Ambroise doivent envoyer de beaux cadeaux.

Ils devraient dîner chez nous aujourd'hui.
Ils auraient dû dîner chez nous hier.

Vous devriez nous accompagner aujourd'hui.
Liliane devrait se reposer aujourd'hui.
Tu devrais nous accompagner aujourd'hui.
Je devrais prendre des pilules aujourd'hui.
Paulette et Ambroise devrait envoyer des cadeaux aujourd'hui.

Response Drills

Cet homme aime-t-il la France?
Oui, et il va souvent en France.

Cet homme aime-t-il la Grèce?
Cet homme aime-t-il la Suède?
Cet homme aime-t-il le Danemark?

Cet homme aime-t-il le Brésil?
Cet homme aime-t-il le Monaco?
Cet homme aime-t-il l'Angleterre?
Cet homme aime-t-il l'Italie?
Cet homme aime-t-il le Japon?
Cet homme aime-t-il le Portugal?
Cet homme aime-t-il la Russie?
Cet homme aime-t-il la Belgique?
Cet homme aime-t-il l'Israël?

Visites-tu Marseille?
Oui, je vais souvent à Marseille.

Visites-tu Paris?
Visites-tu Londres?
Visites-tu Moscou?
Visites-tu Bruxelles?
Visites-tu Hollywood?
Visites-tu Lisbonne?
Visites-tu Jérusalem?
Visites-tu Alger?
Visites-tu Copenhague?
Visites-tu Casablanca?

Avez-vous visité la France?
Oui, je viens de France.

Avez-vous visité la Grèce?
Avez-vous visité la Suède?
Avez-vous visité le Danemark?
Avez-vous visité le Brésil?
Avez-vous visité le Monaco?
Avez-vous visité l'Angleterre?
Avez-vous visité l'Italie?
Avez-vous visité le Japon?
Avez-vous visité le Portugal?
Avez-vous visité la Russie?
Avez-vous visité le Belgique?

Avez-vous visité Marseille?
Oui, j'arrive de Marseille.

Avez-vous visité Paris?
Avez-vous visité l'Israël?

Avez-vous visité Londres?
Avez-vous visité Moscou?
Avez-vous visité Bruxelles?
Avez-vous visité Hollywood?
Avez-vous visité Lisbonne?
Avez-vous visité Jérusalem?
Avez-vous visité Alger?
Avez-vous visité Copenhague?
Avez-vous visité Casablanca?

Questions sur le Dialogue

1. Qui dormait un peu?
2. Que sent Charles?
3. Qu'est-ce que Liliane sert dans dix minutes?
4. Quel est le café préféré de Victor?
5. Mme Parry et Victor sont-ils de retour de Croisset?
6. Qui devrait s'excuser auprès de Mme Parry?
7. Où les "touristes" ne vont-ils presque jamais?
8. Qu'est-ce qu'on trouve à Tourville-sur-Arques?
9. Qui est né au château de Miromesnil?
10. Qu'est-ce qui se trouve en pleine Normandie?
11. Pourquoi faut-il que Mme Parry parte pour les Etats-Unis?
12. Qu'est-ce que Liliane va servir à tout le monde?
13. Qui ira avec Mme Parry en Suisse, en Italie, au Danemark, ou au Portugal, l'année prochaine?
14. Pourquoi Liliane n'a-t-elle pas accompagné Victor et Mme Parry à Croisset?

Prononciation: The letter *h*

Although the letter *h* is not pronounced in French, there remain, as indicated in a previous chapter, two varieties of it: the so-called *mute h* and *aspirate h*. Actually, these names are misleading: "aspirate" (breathed) can imply that *h* is sometimes pronounced. Possibly it would be more accurate to call them something like *conjunctive h* (*h* permitting joining or linking) and *disjunctive h* (not permitting joining or linking), since the only difference between the two is that *mute h* is treated as if it were nonexistent and therefore permits elision and linking, while *aspirate h* is treated as a regular consonant and, though not pronounced, prevents elision and linking. For example: the *h* is not sounded in either **homme** or **héros**, but since the first is mute, we say **l'homme** [lɔm], **les hommes** [lezɔm] as well as **à l'homme**. Since the *h* in the latter is aspirate, we say **le héros** [lə ero] and **les héros** [le ero], as well as **au héros**.

Except to those specializing in the study of French, there is no guide to knowing when an *h* is "aspirate." Words which begin with this kind of *h* are generally indicated in dictionaries and glossaries by an asterisk or some other sign to distinguish them from those beginning with mute *h*. This list of words with aspirate *h* may be helpful; many resemble their English meaning. Their derivatives, and most foreign names beginning with *h*, are in the "aspirate" group likewise:

hagard	hangar	haricot	hein	honte
haine	hanter	harpe	Henri	hors
Halles	harangue	hasard	héron	hourra
halte	harasser	hâte	héros	huguenot
hamac	hardi	haut	hiérarchie	huit
hanche	harem	(Le) Havre	ho!	hurler
handicap	hareng	(La) Haye	holà!	

Henri hurle trop haut.
Les hérons s'envolent à la hâte.
Harold mange des harengs à La Haye.
Ce Huguenot me harasse, avec ses harangues!
Le sultan Halali a huit femmes dans son harem.

Dialogue Review

A. Class reads Dialogue 32 in unison or in groups.
B. Several students give Dialogue 31 by heart.
C. *Dictée* based on Dialogue 30.

Oraison

PART VII

LILBE: Et qu'est-ce qu'on peut faire d'autre?
FIDIO: On jouera de l'ocarina.[1]
LILBE: De l'ocarina?
FIDIO: Oui.

[1] ocarina, a musical instrument

LILBE: Bon. (*Un temps.*) Ce n'est pas mal?
FIDIO: (*Réfléchit.*) Non, je ne crois pas.
LILBE: Et comment ferons-nous pour être vraiment bons?
FIDIO: Tu vas comprendre. Si on voit que quelque chose gêne[2] quelqu'un, on ne la fera pas. Si on voit que quelque chose ferait plaisir à quelqu'un, on la fait. Si on voit qu'un pauvre vieux[3] paralysé n'a personne, eh bien on va lui rendre visite.
LILBE: On ne le tue pas?
FIDIO: Non.
LILBE: Pauvre vieux!
FIDIO: Mais tu ne comprends pas qu'on ne peut plus tuer.
LILBE: Ah! Continue.
FIDIO: Si on voit qu'une femme porte une lourde charge,[4] on l'aide. (*Voix de juge.*)[5] Si on voit que quelqu'un commet une injustice, on la répare.[6]
LILBE: Les injustices aussi?
FIDIO: Oui, aussi.
LILBE: (*Inquiète.*) Et comment saurons-nous si c'est une injustice?
FIDIO: On verra ça au jugé.[7] (*Silence.*)
LILBE: Ça va être ennuyeux. (*Silence. Fidio est découragé.*)
LILBE: Ça va être comme le reste. (*Silence.*)
LILBE: On va s'en lasser[8] aussi. (*Silence.*)
FIDIO: On essaiera.

Au loin on entend "Black and Blue" *de Louis Armstrong.*

RIDEAU

[2] bothers [3] old man [4] heavy load [5] judge's voice [6] redress [7] by guesswork [8] get tired of it

Waiting for the "métro."

Mont St-Michel.

TRENTE-TROISIEME LEÇON

Grammaire

131. THE PAST TENSE, LITERARY FORM (Le passé simple)

Elle **eut**, dans ce temps-là, le culte de Marie Stuart. (Literary style)
Elle **a eu**, dans ce temps-là, le culte de Marie Stuart. (Conversation) *She felt, at that time, a sense of worship for Mary Stuart.*
Elle **s'éprit** de choses historiques. (Literary style)
Elle **s'est éprise** de choses historiques. (Conversation) *She fell in love with historical objects.*
Mme Roland **se réveilla**. (Literary style)
Mme Roland **s'est réveillée**. (Conversation) *Mme Roland woke up.*
M. Roland **répondit**: "Depuis midi je n'ai rien pris." (Literary style)
M. Roland **a répondu**: "Depuis midi je n'ai rien pris." (Conversation) *M. Roland replied, "Since noon I've caught nothing."*

The preceding verbs represent, on the one hand, the *passé composé*, used in ordinary conversation, and *le passé simple*, a special tense reserved for literary texts or—on occasion—very formal speech. Both express simple action in the past. Here are some typical conjugation patterns:

parler	**finir**	**vendre**
je parl**ai**	je fin**is**	je vend**is**
tu parl**as**	tu fin**is**	tu vend**is**
il parl**a**	il fin**it**	il vend**it**
nous parl**âmes**	nous fin**îmes**	nous vend**îmes**
vous parl**âtes**	vous fin**îtes**	vous vend**îtes**
ils parl**èrent**	ils fin**irent**	ils vend**irent**

avoir	**lire**	**vivre**	**prendre**
j'eu**s**	je lu**s**	je vécu**s**	je pri**s**
tu eu**s**	tu lu**s**	tu vécu**s**	tu pri**s**
il eu**t**	il lu**t**	il vécu**t**	il pri**t**

nous eû**mes**	nous lû**mes**	nous vécû**mes**	nous prî**mes**
vous eû**tes**	vous lû**tes**	vous vécû**tes**	vous prî**tes**
ils eu**rent**	ils lu**rent**	ils vécu**rent**	ils pri**rent**

These patterns are arrived at as follows:

REGULAR VERBS	INFINITIVE	STEM	ENDINGS
1st conj.	parler	Drop **-er**	ai, as, a, âmes, âtes, èrent
2nd conj.	finir	Drop **-ir**	is, is, it, îmes, îtes, irent
Other **-ir** verbs	dormer	Drop **-ir**	is, is, it, îmes, îtes, irent
3rd conj.	vendre	Drop **-re**	is, is, it, îmes, îtes, irent

Irregular verbs usually base the stem for the *passé simple* on the past participle (avoir, **eu**; lire, **lu**; vivre, **vécu**; prendre, **pris**). The following endings are added: **s, s, t, âmes, âtes, rent.**

There are some important exceptions to this last rule:

INFINITIVE	PAST PARTICIPLE	PASSE SIMPLE
craindre	craint	je craignis
dire	dit	je dis
écrire	écrit	j'écrivis
être	été	je fus
faire	fait	je fis
mourir	mort	je mourus
naître	né	je naquis
venir	venu	je vins

Here are a few more passages, taken from dialogues in this text, in which the *passé composé* is contrasted with the *passé simple*:

Robert Surcouf **est né** et **mort** à St-Malo.	Robert Surcouf **naquit** et **mourut** à St-Malo.
J'ai eu une journée fatigante!	**J'eus** une journée fatigante!
As-tu donc **oublié** la saison?	**Oublias-tu** la saison?
Tu as fait beaucoup d'achats?	**Tu fis** beaucoup d'achats?
J'ai déjà beaucoup **tricoté** . . .	**Je tricotai** beaucoup . . .
N'**as-tu** pas **remarqué**?	Ne **remarquas-tu** pas?
Mme Casiez m'**a donné** une lettre de maman.	**Mme Casiez** me **donna** une lettre de maman.
Je n'**ai** pas **pensé** à Paulette.	**Je** ne **pensai** pas à Paulette.
Elle a toujours **été** très économe, n'est-ce pas?	**Elle fut** toujours très économe, n'est-ce pas?

Exercices

Ecrivez en Anglais

1. Vous eûtes.
2. Elle finit.
3. Ils donnèrent.
4. Je compris.
5. Tu n'allas pas.
6. Nous pûmes.
7. Il dit.
8. Je craignis.
9. Elle ne sut pas.
10. Elles connurent.
11. Il dut.
12. Tu dormis.
13. Ne vint-elle pas?
14. Je vendis.
15. Vous fûtes.
16. Elle fit.
17. Victor arriva.
18. Prit-elle la robe?
19. Marivaux écrivit *Pharsamon.*
20. Je me réveillai.
21. Elle se maquilla.
22. Il se dépêcha.
23. Liliane alla.
24. Victor et Liliane jouèrent ensemble.
25. Nous applaudîmes.
26. Le bébé naquit en mai.
27. Delibes mourut en 1891.

Transformation Drill

Flaubert est né à Rouen en 1821.
Flaubert naquit à Rouen en 1812.

Maupassant est né en 1840.
Il est mort en 1893.
Flaubert a écrit *Madame Bovary* vers 1856.
Robert Surcouf était un corsaire célèbre.
Chateaubriand a vécu à Sceaux de 1807 à 1817.
Delibes a composé *Coppélia.*
Marivaux n'avait qu'une fille.
Mme Casiez est devenu notre concierge en 1950.
Camus a publié (*published*) *L'Etranger* en 1942.
Hugo a perdu sa fille Léopoldine en 1843.
Georges Sand est née en 1804.
Elle est morte en 1876.
John Kennedy a été assassiné le 22 novembre 1963.
Napoléon a fait la guerre (*made war*) à la Russie en 1812.

Dialogue Review

A. Several students give Dialogue 32 by heart.
B. *Dictée* based on Dialogues 31 and 32.

APPENDIX

Regular Verbs

The spelling of all forms of regular verbs is based on:

a. the infinitive
b. the present indicative
c. the past participle

A. Forms based on the infinitive
1. For the future tense, add the following endings to the infinitive: **-ai, -as, -a, -ons, -ez, -ont.** For example:

entrer	j'entrer**ai**, etc.
finir	finir**ai**, etc.
attendre	j'attendr**ai**, etc.

Note that the **-e** of the **-re** ending is dropped from the third conjugation infinitives.

2. For the conditional tense, add the following endings to the infinitive: **-ais, -ais, -ait, -ions, -iez, -aient**. For example:

entrer	j'entrer**ais**, etc.
finir	je finir**ais**, etc.
entendre	j'entendr**ais**, etc.

B. Forms based on the present indicative
1. For the present participle, drop **-ons** from the first person plural of the present indicative, then add **-ant**. For example:

nous visit**ons**	visit**ant**
nous applaudiss**ons**	applaudiss**ant**
nous vend**ons**	vend**ant**

2. For the imperative, drop the pronoun subject from the second person singular, the first person plural, or the second person plural of the present indicative:

tu visites	visite(s)*
tu finis	finis
tu attends	attends

* The **-s** of the second person singular is dropped in the first conjugation except where **y** or **en** follows the imperative: **marches-y, parles-en.**

nous visitons	visitons
nous finissons	finissons
nous attendons	attendons
vous visitez	visitez
vous finissez	finissez
vous entendez	entendez

3. For the imperfect, drop the **-ons** from the first person plural of the present indicative, and then add the following endings: **-ais, -ais, -ait, -ions, -iez, -aient**:

nous visit**ons**	je visit**ais**, etc.
nous finiss**ons**	je finiss**ais**, etc.
nous attend**ons**	j'attend**ais**, etc.

4. For the present subjunctive, drop the **-ons** from the first person plural of the present indicative, then add the following endings: **-e, -es, -e, -ions, -iez, -ent**:

nous visit**ons**	[que] je visit**e**, etc.
nous finiss**ons**	[que] je finiss**e**, etc.
nous attend**ons**	[que] j'attend**e**, etc.

C. Forms based on the past participle.
The past participle combines with the different tenses of **avoir** or **être** (the helping verbs to form the compound tenses of verbs).

1. For the *passé composé*, combine the present tense of **avoir** or **être** and the past participle of the verb. For example:

   j'ai visité, etc.
   je suis entré, etc.

2. For the pluperfect, combine the imperfect tense of **avoir** or **être** and the past participle of the verb. For example:

   j'avais visité, etc.
   j'étais entré, etc.

3. For the future perfect, combine the future tense of **avoir** or **être** and the past participle of the verb. For example:

   j'aurai visité, etc.
   je serai entré, etc.

4. For the past conditional, combine the conditional tense of **avoir** or **être** and the past participle of the verb. For example:

   j'aurais visité, etc.
   je serais entré, etc.

5. For the past subjunctive, combine the present subjunctive of **avoir** or **être** and the past participle of the verb. For example:

   [que] j'aie visité, etc.
   [que] je sois entré, etc.

Verbs with Regular Patterns

Infinitive	**parler**	**finir**	**vendre**
	to speak	to finish	to sell
Present participle	parlant	finissant	vendant
Past participle	parlé	fini	vendu
Present	je parle	je finis	je vends
	tu parles	tu finis	tu vends
	il parle	il finit	il vend
	nous parlons	nous finissons	nous vendons
	vous parlez	vous finissez	vous vendez
	ils parlent	ils finissent	ils vendent
Present subjunctive	[que] je parle	[que] je finisse	[que] je vende
	[que] tu parles	[que] tu finisses	[que] tu vendes
	[qu'] il parle	[qu'] il finisse	[qu'] il vende
	[que] nous parlions	[que] nous finissions	[que] nous vendions
	[que] vous parliez	[que] vous finissiez	[que] vous vendiez
	[qu'] ils parlent	[qu'] ils finissent	[qu'] ils vendent
Imperfect	je parlais	je finissais	je vendais
	tu parlais	tu finissais	tu vendais
	il parlait	il finissait	il vendait
	nous parlions	nous finissions	nous vendions
	vous parliez	vous finissiez	vous vendiez
	ils parlaient	ils finissaient	ils vendaient
Future	je parlerai	je finirai	je vendrai
	tu parleras	tu finiras	tu vendras
	il parlera	il finira	il vendra
	nous parlerons	nous finirons	nous vendrons
	nous parlerez	vous finirez	vous vendrez
	ils parleront	ils finiront	ils vendront
Conditional	je parlerais	je finirais	je vendrais
	tu parlerais	tu finirais	tu vendrais
	il parlerait	il finirait	il vendrait
	nous parlerions	nous finirions	nous vendrions
	vous parleriez	vous finiriez	vous vendriez
	ils parleraient	ils finiraient	ils vendraient
Passé simple	je parlai	je finis	je vendis
	tu parlas	tu finis	tu vendis
	il parla	il finit	il vendit

	nous parlâmes	nous finîmes	nous vendîmes
	vous parlâtes	vous finîtes	vous vendîtes
	ils parlèrent	ils finirent	ils vendirent
Imperative	parle	finis	vends
	parlons	finissons	vendons
	parlez	finissez	vendez
Passé composé	j'ai parlé	j'ai fini	j'ai vendu
	tu as parlé	tu as fini	tu as vendu
	il a parlé	il a fini	il a vendu
	nous avons parlé	nous avons fini	nous avons vendu
	vous avez parlé	vous avez fini	vous avez vendu
	ils ont parlé	ils ont fini	ils ont vendu
Pluperfect	j'avais parlé	j'avais fini	j'avais vendu
	tu avais parlé	tu avais fini	tu avais vendu
	il avait parlé	il avait fini	il avait vendu
	nous avions parlé	nous avions fini	nous avions vendu
	vous aviez parlé	vous aviez fini	vous aviez vendu
	ils avaient parlé	ils avaient fini	ils avaient vendu
Future perfect	j'aurai parlé	j'aurai fini	j'aurai vendu
	tu auras parlé	tu auras fini	tu auras vendu
	il aura parlé	il aura fini	il aura vendu
	nous aurons parlé	nous aurons fini	nous aurons vendu
	vous aurez parlé	vous aurez fini	vous aurez vendu
	ils auront parlé	ils auront fini	ils auront vendu
Past conditional	j'aurais parlé	j'aurais fini	j'aurais vendu
	tu aurais parlé	tu aurais fini	tu aurais vendu
	il aurait parlé	il aurait fini	il aurait vendu
	nous aurions parlé	nous aurions fini	nous aurions vendu
	vous auriez parlé	vous auriez fini	vous auriez vendu
	ils auraient parlé	ils auraient fini	ils auraient vendu
Past subjunctive	[que] j'aie parlé	[que] j'aie fini	[que] j'aie vendu
	[que] tu aies parlé	[que] tu aies fini	[que] tu aies vendu
	[qu'] il ait parlé	[qu'] il ait fini	[qu'] il ait vendu
	[que] nous ayons parlé	[que] nous ayons fini	[que] nous ayons vendu
	[que] vous ayez parlé	[que] vous ayez fini	[que] vous ayez vendu
	[qu'] ils aient parlé	[qu'] ils aient fini	[qu'] ils aient vendu

-ER Verbs with Spelling Changes

Infinitive	**appeler**	**payer***	**espérer***
	to call	*to pay*	*to hope*

---

* **Essayer** is conjugated like **payer; préférer** is conjugated like **espérer.**

Present participle	appelant	payant	espérant
Past participle	appelé	payé	espéré
Present	j'appelle tu appelles il appelle nous appelons vous appelez ils appellent	je paie tu paies il paie nous payons vous payez ils paient	j'espère tu espères il espère nous espérons vous espérez ils espèrent
Present subjunctive	[que] j'appelle [que] tu appelles [qu'] il appelle [que] nous appelions [que] vous appeliez [qu'] ils appellent	[que] je paie [que] tu paies [qu'] il paie [que] nous payions [que] vous payiez [qu'] ils paient	[que] j'espère [que] tu espères [qu'] il espère [que] nous espérions [que] vous espériez [qu'] ils espèrent
Imperfect	j'appelais tu appelais il appelait nous appelions vous appeliez ils appelaient	je payais tu payais il payait nous payions vous payiez ils payaient	j'espérais tu espérais il espérait nous espérions vous espériez ils espéraient
Future	j'appellerai tu appelleras il appellera nous appellerons vous appellerez ils appelleront	je paierai* tu paieras il paiera nous paierons vous paierez ils paieront	j'espérerai tu espéreras il espérera nous espérerons vous espérerez ils espéreront
Conditional	j'appellerais tu appellerais il appellerait nous appellerions vous appelleriez ils appelleraient	je paierais† tu paierais il paierait nous paierions vous paieriez ils paieraient	j'espérerais tu espérerais il espérerait nous espérerions vous espéreriez ils espéreraient
Passé simple	j'appelai tu appelas il appela	je payai tu payas il paya	j'espérai tu espéras il espéra

* Or **payerai**.
† Or **payerais**.

	nous appelâmes	nous payâmes	nous espérâmes
	vous appelâtes	vous payâtes	vous espérâtes
	ils appelèrent	ils payèrent	ils espérèrent
Imperative	appelle	paie	espère
	appelons	payons	espérons
	appelez	payez	espérez
Passé composé	j'ai appelé	j'ai payé	j'ai espéré
	tu as appelé	tu as payé	tu as espéré
	il a appelé	il a payé	il a espéré
	nous avons appelé	nous avons payé	nous avons espéré
	vous avez appelé	vous avez payé	vous avez espéré
	ils ont appelé	ils ont payé	ils ont espéré
Pluperfect	j'avais appelé	j'avais payé	j'avais espéré
	tu avais appelé	tu avais payé	tu avais espéré
	il avait appelé	il avait payé	il avait espéré
	nous avions appelé	nous avions payé	nous avions espéré
	vous aviez appelé	vous aviez payé	vous aviez espéré
	ils avaient appelé	ils avaient payé	ils avaient espéré
Future perfect	j'aurai appelé	j'aurai payé	j'aurai espéré
	tu auras appelé	tu auras payé	tu auras espéré
	il aura appelé	il aura payé	il aura espéré
	nous aurons appelé	nous aurons payé	nous aurons espéré
	vous aurez appelé	vous aurez payé	vous aurez espéré
	ils auront appelé	ils auront payé	ils auront espéré
Past conditional	j'aurais appelé	j'aurais payé	j'aurais espéré
	tu aurais appelé	tu aurais payé	tu aurais espéré
	il aurait appelé	il aurait payé	il aurait espéré
	nous aurions appelé	nous aurions payé	nous aurions espéré
	vous auriez appelé	vous auriez payé	vous auriez espéré
	ils auraient appelé	ils auraient payé	ils auraient espéré
Past subjunctive	[que] j'aie appelé	[que] j'aie payé	[que] j'aie espéré
	[que] tu aies appelé	[que] tu aies payé	[que] tu aies espéré
	[qu'] il ait appelé	[qu'] il ait payé	[qu'] il ait espéré
	[que] nous ayons appelé	[que] nous ayons payé	[que] nous ayons espéré
	[que] vous ayez appelé	[que] vous ayez payé	[que] vous ayez espéré
	[qu'] ils aient appelé	[qu'] ils aient payé	[qu'] ils aient espéré

Irregular Verbs

The number given at the right of each verb refers to the number of the verb, or of a similarly conjugated verb, in the following list. Where **être** is the helping verb in the compound tenses, the verb is followed by an asterisk (*). **Avoir** is the helping verb for all others.

aller* *to go*	1	naître* *to be born*	17
avoir *to have*	2	partir* *to depart*	8
connaître *to know*	3	plaire *to please*	18
craindre *to fear*	4	pleuvoir *to rain*	19
croire *to believe*	5	pouvoir *to be able*	20
dépeindre *to describe*	4	prendre *to take*	21
déplaire *to displease*	18	rejoindre *to join*	4
devoir *to have to*	6	revenir* *to come back*	26
dire *to say, to tell*	7	rire *to laugh*	22
dormir *to sleep*	8	satisfaire *to satisfy*	12
écrire *to write*	9	savoir *to know*	23
envoyer *to send*	10	sentir *to feel, to smell*	8
être *to be*	11	servir *to serve*	8
faire *to do, to make*	12	suivre *to follow*	24
falloir *to be necessary*	13	tenir *to hold*	25
lire *to read*	14	venir* *to come*	26
mentir *to tell lies*	8	vivre *to live*	27
mettre *to put*	15	voir *to see*	28
mourir* *to die*	16	vouloir *to want*	29

Infinitive	1. **aller** *to go*	2. **avoir** *to have*	3. **connaitre** *to know*
Present participle	allant	ayant	connaissant
Past participle	allé	eu	connu
Present	je vais tu vas il va nous allons vous allez ils vont	j'ai tu as il a nous avons vous avez ils ont	je connais tu connais il connaît nous connaissons vous connaissez ils connaissent
Present subjunctive	[que] j'aille [que] tu ailles [qu'] il aille [que] nous allions [que] vous alliez [qu'] ils aillent	[que] j'aie [que] tu aies [qu'] il ait [que] nous ayons [que] vous ayez [qu'] ils aient	[que] je connaisse [que] tu connaisses [qu'] il connaisse [que] nous connaissions [que] vous connaissiez [qu'] ils connaissent
Imperfect	j'allais tu allais il allait nous allions vous alliez ils allaient	j'avais tu avais il avait nous avions vous aviez ils avaient	je connaissais tu connaissais il connaissait nous connaissions vous connaissiez ils connaissaient

Future	j'irai	j'aurai	je connaîtrai
	tu iras	tu auras	tu connaîtras
	il ira	il aura	il connaîtra
	nous irons	nous aurons	nous connaîtrons
	vous irez	vous aurez	vous connaîtrez
	ils iront	ils auront	ils connaîtront
Conditional	j'irais	j'aurais	je connaîtrais
	tu irais	tu aurais	tu connaîtrais
	il irait	il aurait	il connaîtrait
	nous irions	nous aurions	nous connaîtrions
	vous iriez	vous auriez	vous connaîtriez
	ils iraient	ils auraient	ils connaîtraient
Passé	j'allai	j'eus	je connus
simple	tu allas	tu eus	tu connus
	il alla	il eut	il connut
	nous allâmes	nous eûmes	nous connûmes
	vous allâtes	vous eûtes	vous connûtes
	ils allèrent	ils eurent	ils connurent
Imperative	va	aie	connais
	allons	ayons	connaissons
	allez	ayez	connaissez
Passé	je suis allé	j'ai eu	j'ai connu
composé	je suis allée		
	tu es allé	tu as eu	tu as connu
	tu es allée		
	il est allé	il a eu	il a connu
	elle est allée		
	nous sommes allés	nous avons eu	nous avons connu
	nous sommes allées		
	vous êtes allé	vous avez eu	vous avez connu
	vous êtes allés		
	vous êtes allée		
	vous êtes allées		
	ils sont allés	ils ont eu	ils ont connu
	elles sont allées		
Pluperfect	j'étais allé	j'avais eu	j'avais connu
	j'étais allée		
	tu étais allé	tu avais eu	tu avais connu
	tu étais allée		
	il était allé	il avait eu	il avait connu
	elle était allée		

	nous étions allés	nous avions eu	nous avions connu
	nous étions allées		
	vous étiez allé	vous aviez eu	vous aviez connu
	vous étiez allés		
	vous étiez allée		
	vous étiez allées		
	ils étaient allés	ils avaient eu	ils avaient connu
	elles étaient allées		
Future perfect	je serai allé	j'aurai eu	j'aurai connu
	je serai allée		
	tu seras allé	tu auras eu	tu auras connu
	tu seras allée		
	il sera allé	il aura eu	il aura connu
	elle sera allée		
	nous serons allés	nous aurons eu	nous aurons connu
	nous serons allées		
	vous serez allé	vous aurez eu	vous aurez connu
	vous serez allés		
	vous serez allée		
	vous serez allées		
	ils seront allés	ils auront eu	ils auront connu
	elles seront allées		
Past conditional	je serais allé	j'aurais eu	j'aurais connu
	je serais allée		
	tu serais allé	tu aurais eu	tu aurais connu
	tu serais allée		
	il serait allé	il aurait eu	il aurait connu
	elle serait allée		
	nous serions allés	nous aurions eu	nous aurions connu
	nous serions allées		
	vous seriez allé	vous auriez eu	vous auriez connu
	vous seriez allés		
	vous seriez allée		
	vous seriez allées		
	ils seraient allés	ils auraient eu	ils auraient connu
	elles seraient allées		
Past subjunctive	[que] je sois allé	[que] j'aie eu	[que] j'aie connu
	[que] je sois allée		
	[que] tu sois allé	[que] tu aies eu	[que] tu aies connu
	[que] tu sois allée		
	[qu'] il soit allé	[qu'] il ait eu	[qu'] il ait connu
	[qu'] elle soit allée		
	[que] nous soyons allés	[que] nous ayons eu	[que] nous ayons connu
	[que] nous soyons allées		
	[que] vous soyez allé	[que] vous ayez eu	[que] vous ayez connu

	[que] vous soyez allés [que] vous soyez allée [que] vous soyez allées [qu'] ils soient allés [qu'] elles soient allées	[qu'] ils aient eu	[qu'] ils aient connu
	4. **craindre** *to fear*	5. **croire** *to believe*	6. **devoir** *to have to*
Present participle	craignant	croyant	devant
Past participle	craint	cru	dû
Present	je crains tu crains il craint nous craignons vous craignez ils craignent	je crois tu crois il croit nous croyons vous croyez ils croient	je dois tu dois il doit nous devons vous devez ils doivent
Present subjunctive	[que] je craigne [que] tu craignes [qu'] il craigne [que] nous craignions [que] vous craigniez [qu'] ils craignent	[que] je croie [que] tu croies [qu'] il croie [que] nous croyions [que] vous croyiez [qu'] ils croient	[que] je doive [que] tu doives [qu'] il doive [que] nous devions [que] vous deviez [qu'] ils doivent
Imperfect	je craignais tu craignais il craignait nous craignions vous craigniez ils craignaient	je croyais tu croyais il croyait nous croyions vous croyiez ils croyaient	je devais tu devais il devait nous devions vous deviez ils devaient
Future	je craindrai tu craindras il craindra nous craindrons vous craindrez ils craindront	je croirai tu croiras il croira nous croirons vous croirez ils croiront	je devrai tu devras il devra nous devrons vous devrez ils devront
Conditional	je craindrais tu craindrais il craindrait nous craindrions vous craindriez ils craindraient	je croirais tu croirais il croirait nous croirions vous croiriez ils croiraient	je devrais tu devrais il devrait nous devrions vous devriez ils devraient

Passé simple	je craignis	je crus	je dus
	tu craignis	tu crus	tu dus
	il craignit	il crut	il dut
	nous craignîmes	nous crûmes	nous dûmes
	vous craignîtes	vous crûtes	vous dûtes
	ils craignirent	ils crurent	ils durent
Imperative	crains	crois	dois
	craignons	croyons	devons
	craignez	croyez	devez
Passé composé	j'ai craint	j'ai cru	j'ai dû
	tu as craint	tu as cru	tu as dû
	il a craint	il a cru	il a dû
	nous avons craint	nous avons cru	nous avons dû
	vous avez craint	vous avez cru	vous avez dû
	ils ont craint	ils ont cru	ils ont dû
Pluperfect	j'avais craint	j'avais cru	j'avais dû
	tu avais craint	tu avais cru	tu avais dû
	il avait craint	il avait cru	il avait dû
	nous avions craint	nous avions cru	nous avions dû
	vous aviez craint	vous aviez cru	vous aviez dû
	ils avaient craint	ils avaient cru	ils avaient dû
Future perfect	j'aurai craint	j'aurai cru	j'aurai dû
	tu auras craint	tu auras cru	tu auras dû
	il aura craint	il aura cru	il aura dû
	nous aurons craint	nous aurons cru	nous aurons dû
	vous aurez craint	vous aurez cru	vous aurez dû
	ils auront craint	ils auront cru	ils auront dû
Past conditional	j'aurais craint	j'aurais cru	j'aurais dû
	tu aurais craint	tu aurais cru	tu aurais dû
	il aurait craint	il aurait cru	il aurait dû
	nous aurions craint	nous aurions cru	nous aurions dû
	vous auriez craint	vous auriez cru	vous auriez dû
	ils auraient craint	ils auraient cru	ils auraient dû
Past subjunctive	[que] j'aie craint	[que] j'aie cru	[que] j'aie dû
	[que] tu aies craint	[que] tu aies cru	[que] tu aies dû
	[qu'] il ait craint	[qu'] il ait cru	[qu'] il ait dû
	[que] nous ayons craint	[que] nous ayons cru	[que] nous ayons dû
	[que] vous ayez craint	[que] vous ayez cru	[que] vous ayez dû
	[qu'] ils aient craint	[qu'] ils aient cru	[qu'] ils aient dû

Infinitive	7. **dire** *to say*	8. **dormir** *to sleep*	9. **écrire** *to write*
Present participle	disant	dormant	écrivant
Past participle	dit	dormi	écrit
Present	je dis tu dis il dit nous disons vous dites ils disent	je dors tu dors il dort nous dormons vous dormez ils dorment	j'écris tu écris il écrit nous écrivons vous écrivez ils écrivent
Present subjunctive	[que] je dise [que] tu dises [qu'] il dise [que] nous disions [que] vous disiez [qu'] ils disent	[que] je dorme [que] tu dormes [qu'] il dorme [que] nous dormions [que] vous dormiez [qu'] ils dorment	[que] j'écrive [que] tu écrives [qu'] il écrive [que] nous écrivions [que] vous écriviez [qu'] ils écrivent
Imperfect	je disais tu disais il disait nous disions vous disiez ils disaient	je dormais tu dormais il dormait nous dormions vous dormiez ils dormaient	j'écrivais tu écrivais il écrivait nous écrivions vous écriviez ils écrivaient
Future	je dirai tu diras il dira nous dirons vous direz ils diront	je dormirai tu dormiras il dormira nous dormirons vous dormirez ils dormiront	j'écrirai tu écriras il écrira nous écrirons vous écrirez ils écriront
Conditional	je dirais tu dirais il dirait nous dirions vous diriez ils diraient	je dormirais tu dormirais il dormirait nous dormirions vous dormiriez ils dormiraient	j'écrirais tu écrirais il écrirait nous écririons vous écririez ils écriraient
Passé simple	je dis tu dis il dit nous dîmes vous dîtes ils dirent	je dormis tu dormis il dormit nous dormîmes vous dormîtes ils dormirent	j'écrivis tu écrivis il écrivit nous écrivîmes vous écrivîtes ils écrivirent

Imperative	dis disons dites	dors dormons dormez	écris écrivons écrivez
Passé composé	j'ai dit tu as dit il a dit nous avons dit vous avez dit ils ont dit	j'ai dormi tu as dormi il a dormi nous avons dormi vous avez dormi ils ont dormi	j'ai écrit tu as écrit il a écrit nous avons écrit vous avez écrit ils ont écrit
Pluperfect	j'avais dit tu avais dit il avait dit nous avions dit vous aviez dit ils avaient dit	j'avais dormi tu avais dormi il avait dormi nous avions dormi vous aviez dormi ils avaient dormi	j'avais écrit tu avais écrit il avait écrit nous avions écrit vous aviez écrit ils avaient écrit
Future perfect	j'aurai dit tu auras dit il aura dit nous aurons dit vous aurez dit ils auront dit	j'aurai dormi tu auras dormi il aura dormi nous aurons dormi vous aurez dormi ils auront dormi	j'aurai écrit tu auras écrit il aura écrit nous aurons écrit vous aurez écrit ils auront écrit
Past conditional	j'aurais dit tu aurais dit il aurait dit nous aurions dit vous auriez dit ils auraient dit	j'aurais dormi tu aurais dormi il aurait dormi nous aurions dormi vous auriez dormi ils auraient dormi	j'aurais écrit tu aurais écrit il aurait écrit nous aurions écrit vous auriez écrit ils auraient écrit
Past subjunctive	[que] j'aie dit [que] tu aies dit [qu'] il ait dit [que] nous ayons dit [que] vous ayez dit [qu'] ils aient dit	[que] j'aie dormi [que] tu aies dormi [qu'] il ait dormi [que] nous ayons dormi [que] vous ayez dormi [qu'] ils aient dormi	[que] j'aie écrit [que] tu aies écrit [qu'] il ait écrit [que] nous ayons écrit [que] vous ayez écrit [qu'] ils aient écrit

	10. **envoyer** *to send*	11. **être** *to be*	12. **faire** *to do, to make*
Present participle	envoyant	étant	faisant
Past participle	envoyé	été	fait

Present	j'envoie tu envoies il envoie nous envoyons vous envoyez ils envoient	je suis tu es il est nous sommes vous êtes ils sont	je fais tu fais il fait nous faisons vous faites ils font
Present subjunctive	[que] j'envoie [que] tu envoies [qu'] il envoie [que] nous envoyions [que] vous envoyiez [qu'] ils envoient	[que] je sois [que] tu sois [qu'] il soit [que] nous soyons [que] vous soyez [qu'] ils soient	[que] je fasse [que] tu fasses [qu'] il fasse [que] nous fassions [que] vous fassiez [qu'] ils fassent
Imperfect	j'envoyais tu envoyais il envoyait nous envoyions vous envoyiez ils envoyaient	j'étais tu étais il était nous étions vous étiez ils étaient	je faisais tu faisais il faisait nous faisions vous faisiez ils faisaient
Future	j'enverrai tu enverras il enverra nous enverrons vous enverrez ils enverront	je serai tu seras il sera nous serons vous serez ils seront	je ferai tu feras il fera nous ferons vous ferez ils feront
Conditional	j'enverrais tu enverrais il enverrait nous enverrions vous enverriez ils enverraient	je serais tu serais il serait nous serions vous seriez ils seraient	je ferais tu ferais ils ferait nous ferions vous feriez ils feraient
Passé simple	j'envoyai tu envoyas il envoya nous envoyâmes vous envoyâtes ils envoyèrent	je fus tu fus il fut nous fûmes vous fûtes ils furent	je fis tu fis il fit nous fîmes vous fîtes ils firent
Imperative	envoie envoyons envoyez	sois soyons soyez	fais faisons faites
Passé composé	j'ai envoyé tu as envoyé	j'ai été tu as été	j'ai fait tu as fait

	il a envoyé	il a été	il a fait
	nous avons envoyé	nous avons été	nous avons fait
	vous avez envoyé	vous avez été	vous avez fait
	ils ont envoyé	ils ont été	ils ont fait
Pluperfect	j'avais envoyé	j'avais été	j'avais fait
	tu avais envoyé	tu avais été	tu avais fait
	il avait envoyé	il avait été	il avait fait
	nous avions envoyé	nous avions été	nous avions fait
	vous aviez envoyé	vous aviez été	vous aviez fait
	ils avaient envoyé	ils avaient été	ils avaient fait
Future perfect	j'aurai envoyé	j'aurai été	j'aurai fait
	tu auras envoyé	tu auras été	tu auras fait
	il aura envoyé	il aura été	il aura fait
	nous aurons envoyé	nous aurons été	nous aurons fait
	vous aurez envoyé	vous aurez été	vous aurez fait
	ils auront envoyé	ils auront été	ils auront fait
Past conditional	j'aurais envoyé	j'aurais été	j'aurais fait
	tu aurais envoyé	tu aurais été	tu aurais fait
	il aurait envoyé	il aurait été	il aurait fait
	nous aurions envoyé	nous aurions été	nous aurions fait
	vous auriez envoyé	vous auriez été	vous auriez fait
	ils auraient envoyé	ils auraient été	ils auraient fait
Past subjunctive	[que] j'aie envoyé	[que] j'aie été	[que] j'aie fait
	[que] tu aies envoyé	[que] tu aies été	[que] tu aies fait
	[qu'] il ait envoyé	[qu'] il ait été	[qu'] il ait fait
	[que] nous ayons envoyé	[que] nous ayons été	[que] nous ayons fait
	[que] vous ayez envoyé	[que] vous ayez été	[que] vous ayez fait
	[qu'] ils aient envoyé	[qu'] ils aient été	[qu'] ils aient fait

Infinitive	13. **falloir** *to be necessary*	14. **lire** *to read*	15. **mettre** *to put*
Present participle	——	lisant	mettant
Past participle	fallu	lu	mis
Present	il faut	je lis	je mets
		tu lis	tu mets
		il lit	il met
		nous lisons	nous mettons
		vous lisez	vous mettez
		ils lisent	ils mettent

Present subjunctive	[qu'] il faille	[que] je lise [que] tu lises [qu'] il lise [que] nous lisions [que] vous lisiez [qu'] ils lisent	[que] je mette [que] tu mettes [qu'] il mette [que] nous mettions [que] vous mettiez [qu'] ils mettent
Imperfect	il fallait	je lisais tu lisais il lisait nous lisions vous lisiez ils lisaient	je mettais tu mettais il mettait nous mettions vous mettiez ils mettaient
Future	il faudra	je lirai tu liras il lira nous lirons vous lirez ils liront	je mettrai tu mettras il mettra nous mettrons vous mettrez ils mettront
Conditional	il faudrait	je lirais tu lirais il lirait nous lirions vous liriez ils liraient	je mettrais tu mettrais il mettrait nous mettrions vous mettriez ils mettraient
Passé simple	il fallut	je lus tu lus il lut nous lûmes vous lûtes ils lurent	je mis tu mis il mit nous mîmes vous mîtes ils mirent
Imperative	——	lis lisons lisez	mets mettons mettez
Passé composé	il a fallu	j'ai lu tu as lu il a lu nous avons lu vous avez lu ils ont lu	j'ai mis tu as mis il a mis nous avons mis vous avez mis ils ont mis
Pluperfect	il avait fallu	j'avais lu tu avais lu	j'avais mis tu avais mis

		il avait lu nous avions lu vous aviez lu ils avaient lu	il avait mis nous avions mis vous aviez mis ils avaient mis
Future perfect	il aura fallu	j'aurai lu tu auras lu il aura lu nous aurons lu vous aurez lu ils auront lu	j'aurai mis tu auras mis il aura mis nous aurons mis vous aurez mis ils auront mis
Past conditional	il aurait fallu	j'aurais lu tu aurais lu il aurait lu nous aurions lu vous auriez lu ils auraient lu	j'aurais mis tu aurais mis il aurait mis nous aurions mis vous auriez mis ils auraient mis
Past subjunctive	[qu'] il ait fallu	[que] j'aie lu [que] tu aies lu [qu'] il ait lu [que] nous ayons lu [que] vous ayez lu [qu'] ils aient lu	[que] j'aie mis [que] tu aies mis [qu'] il ait mis [que] nous ayons mis [que] vous ayez mis [qu'] ils aient mis

Infinitive	16. **mourir** *to die*	17. **naître** *to be born*	18. **plaire** *to please*
Present participle	mourant	naissant	plaisant
Past participle	mort	né	plu
Present	je meurs tu meurs il meurt nous mourons vous mourez ils meurent	je nais tu nais il naît nous naissons vous naissez ils naissent	je plais tu plais il plaît nous plaisons vous plaisez ils plaisent
Present subjunctive	[que] je meure [que] tu meures [qu'] il meure [que] nous mourions [que] vous mouriez [qu'] ils meurent	[que] je naisse [que] tu naisses [qu'] il naisse [que] nous naissions [que] vous naissiez [qu'] ils naissent	[que] je plaise [que] tu plaises [qu'] il plaise [que] nous plaisions [que] vous plaisiez [qu'] ils plaisent

Imperfect	je mourais	je naissais	je plaisais
	tu mourais	tu naissais	tu plaisais
	il mourait	il naissait	il plaisait
	nous mourions	nous naissions	nous plaisions
	vous mouriez	vous naissiez	vous plaisiez
	ils mouraient	ils naissaient	ils plaisaient
Future	je mourrai	je naîtrai	je plairai
	tu mourras	tu naîtras	tu plairas
	il mourra	il naîtra	il plaira
	nous mourrons	nous naîtrons	nous plairons
	vous mourrez	vous naîtrez	vous plairez
	ils mourront	ils naîtront	ils plairont
Conditional	je mourrais	je naîtrais	je plairais
	tu mourrais	tu naîtrais	tu plairais
	il mourrait	il naîtrait	il plairait
	nous mourrions	nous naîtrions	nous plairions
	vous mourriez	vous naîtriez	vous plairiez
	ils mourraient	ils naîtraient	ils plairaient
Passé simple	je mourus	je naquis	je plus
	tu mourus	tu naquis	tu plus
	il mourut	il naquit	il plut
	nous mourûmes	nous naquîmes	nous plûmes
	vous mourûtes	vous naquîtes	vous plûtes
	ils moururent	ils naquirent	ils plurent
Imperative	meurs	nais	plais
	mourons	naissons	plaisons
	mourez	naissez	plaisez
Passé composé	je suis mort	je suis né	j'ai plu
	je suis morte	je suis née	
	tu es mort	tu es né	tu as plu
	tu es morte	tu es née	
	il est mort	il est né	il a plu
	elle est morte	elle est née	
	nous sommes morts	nous sommes nés	nous avons plu
	nous sommes mortes	nous sommes nées	
	vous êtes mort	vous êtes né	vous avez plu
	vous êtes morts	vous êtes nés	
	vous êtes morte	vous êtes née	
	vous êtes mortes	vous êtes nées	
	ils sont morts	ils sont nés	ils ont plu
	elles sont mortes	elles sont nées	
Pluperfect	j'étais mort	j'étais né	j'avais plu
	j'étais morte	j'étais née	

	tu étais mort	tu étais né	tu avais plu
	tu étais morte	tu étais née	
	il était mort	il était né	il avait plu
	elle était morte	elle était née	
	nous étions morts	nous étions nés	nous avions plu
	nous étions mortes	nous étions nées	
	vous étiez mort	vous étiez né	vous aviez plu
	vous étiez morts	vous étiez nés	
	vous étiez morte	vous étiez née	
	vous étiez mortes	vous étiez nées	
	ils étaient morts	ils étaient nés	ils avaient plu
	elles étaient mortes	elles étaient nées	
Future	je serai mort	je serai né	j'aurai plu
perfect	je serai morte	je serai née	
	tu seras mort	tu seras né	tu auras plu
	tu seras morte	tu seras née	
	il sera mort	il sera né	il aura plu
	elle sera morte	elle sera née	
	nous serons morts	nous serons nés	nous aurons plu
	nous serons mortes	nous serons nées	
	vous serez mort	vous serez né	vous aurez plu
	vous serez morts	vous serez nés	
	vous serez morte	vous serez née	
	vous serez mortes	vous serez nées	
	ils seront morts	ils seront nés	ils auront plu
	elles seront mortes	elles seront nées	
Past	je serais mort	je serais né	j'aurais plu
conditional	je serais morte	je serais née	
	tu serais mort	tu serais né	tu aurais plu
	tu serais morte	tu serais née	
	il serait mort	il serait né	il aurait plu
	elle serait morte	elle serait née	
	nous serions morts	nous serions nés	nous aurions plu
	nous serions mortes	nous serions nées	
	vous seriez mort	vous seriez né	vous auriez plu
	vous seriez morts	vous seriez nés	
	vous seriez morte	vous seriez née	
	vous seriez mortes	vous seriez nées	
	ils seraient morts	ils seraient nés	ils auraient plu
	elles seraient mortes	elles seraient nées	
Past	[que] je sois mort	[que] je sois né	[que] j'aie plu
subjunctive	[que] je sois morte	[que] je sois née	
	[que] tu sois mort	[que] tu sois né	[que] tu aies plu
	[que] tu sois morte	[que] tu sois née	
	[qu'] il soit mort	[qu'] il soit né	[qu'] il ait plu

	[qu'] elle soit morte [que] nous soyons morts [que] nous soyons mortes [que] vous soyez mort [que] vous soyez morts [que] vous soyez morte [que] vous soyez mortes [qu'] ils soient morts [qu'] elles soient mortes	[qu'] elle soit née [que] nous soyons nés [que] nous soyons nées [que] vous soyez né [que] vous soyez nés [que] vous soyez née [que] vous soyez nées [qu'] ils soient nés [qu'] elles soient nées	[que] nous ayons plu [que] vous ayez plu [qu'] ils aient plu
Infinitive	19. **pleuvoir** *to rain*	20. **pouvoir** *to be able*	21. **prendre** *to take*
Present participle	pleuvant	pouvant	prenant
Past participle	plu	pu	pris
Present	il pleut	je peux (puis) tu peux il peut nous pouvons vous pouvez ils peuvent	je prends tu prends il prend nous prenons vous prenez ils prennent
Present subjunctive	[qu'] il pleuve	[que] je puisse [que] tu puisses [qu'] il puisse [que] nous puissions [que] vous puissiez [qu'] ils puissent	[que] je prenne [que] tu prennes [qu'] il prenne [que] nous prenions [que] vous preniez [qu'] ils prennent
Imperfect	il pleuvait	je pouvais tu pouvais il pouvait nous pouvions vous pouviez ils pouvaient	je prenais tu prenais il prenait nous prenions vous preniez ils prenaient
Future	il pleuvra	je pourrai tu pourras il pourra nous pourrons vous pourrez ils pourront	je prendrai tu prendras il prendra nous prendrons vous prendrez ils prendront

Conditional	il pleuvrait	je pourrais tu pourrais il pourrait nous pourrions vous pourriez ils pourraient	je prendrais tu prendrais il prendrait nous prendrions vous prendriez ils prendraient
Passé simple	il plut	je pus tu pus il put nous pûmes vous pûtes ils purent	je pris tu pris il prit nous prîmes vous prîtes ils prirent
Imperative	——	——	prends prenons prenez
Passé composé	il a plu	j'ai pu tu as pu il a pu nous avons pu vous avez pu ils ont pu	j'ai pris tu as pris il a pris nous avons pris vous avez pris ils ont pris
Pluperfect	il avait plu	j'avais pu tu avais pu il avait pu nous avions pu vous aviez pu ils avaient pu	j'avais pris tu avais pris il avait pris nous avions pris vous aviez pris ils avaient pris
Future perfect	il aura plu	j'aurai pu tu auras pu il aura pu nous aurons pu vous aurez pu ils auront pu	j'aurai pris tu auras pris il aura pris nous aurons pris vous aurez pris ils auront pris
Past conditional	il aurait plu	j'aurais pu tu aurais pu il aurait pu nous aurions pu vous auriez pu ils auraient pu	j'aurais pris tu aurais pris il aurait pris nous aurions pris vous auriez pris ils auraient pris
Past subjunctive	[qu'] il ait plu	[que] j'aie pu [que] tu aies pu	[que] j'aie pris [que] tu aies pris

		[qu'] il ait pu [que] nous ayons pu [que] vous ayez pu [qu'] ils aient pu	[qu'] il ait pris [que] nous ayons pris [que] vous ayez pris [qu'] ils aient pris
Infinitive	22. **rire** *to laugh*	23. **savoir** *to know*	24. **suivre** *to follow*
Present participle	riant	sachant	suivant
Past participle	ri	su	suivi
Present	je ris tu ris il rit nous rions vous riez ils rient	je sais tu sais il sait nous savons vous savez ils savent	je suis tu suis il suit nous suivons vous suivez ils suivent
Present subjunctive	[que] je rie [que] tu ries [qu'] il rie [que] nous riions [que] vous riiez [qu'] ils rient	[que] je sache [que] tu saches [qu'] il sache [que] nous sachions [que] vous sachiez [qu'] ils sachent	[que] je suive [que] tu suives [qu'] il suive [que] nous suivions [que] vous suiviez [qu'] ils suivent
Imperfect	je riais tu riais il riait nous riions vous riiez ils riaient	je savais tu savais il savait nous savions vous saviez ils savaient	je suivais tu suivais il suivait nous suivions vous suiviez ils suivaient
Future	je rirai tu riras il rira nous rirons vous rirez ils riront	je saurai tu sauras il saura nous saurons vous saurez ils sauront	je suivrai tu suivras il suivra nous suivrons vous suivrez ils suivront
Conditional	je rirais tu rirais il rirait nous ririons vous ririez ils riraient	je saurais tu saurais il saurait nous saurions vous sauriez ils sauraient	je suivrais tu suivrais il suivrait nous suivrions vous suivriez ils suivraient

Passé simple	je ris tu ris il rit nous rîmes vous rîtes ils rirent	je sus tu sus il sut nous sûmes vous sûtes ils surent	je suivis tu suivis il suivit nous suivîmes vous suivîtes ils suivirent
Imperative	ris rions riez	sache sachons sachez	suis suivons suivez
Passé composé	j'ai ri tu as ri il a ri nous avons ri vous avez ri ils ont ri	j'ai su tu as su il a su nous avons su vous avez su ils ont su	j'ai suivi tu as suivi il a suivi nous avons suivi vous avez suivi ils ont suivi
Pluperfect	j'avais ri tu avais ri il avait ri nous avions ri vous aviez ri ils avaient ri	j'avais su tu avais su il avait su nous avions su vous aviez su ils avaient su	j'avais suivi tu avais suivi il avait suivi nous avions suivi vous aviez suivi ils avaient suivi
Future perfect	j'aurai ri tu auras ri il aura ri nous aurons ri vous aurez ri ils auront ri	j'aurai su tu auras su il aura su nous aurons su vous aurez su ils auront su	j'aurai suivi tu auras suivi il aura suivi nous aurons suivi vous aurez suivi ils auront suivi
Past conditional	j'aurais ri tu aurais ri il aurait ri nous aurions ri vous auriez ri ils auraient ri	j'aurais su tu aurais su il aurait su nous aurions su vous auriez su ils auraient su	j'aurais suivi tu aurais suivi il aurait suivi nous aurions suivi vous auriez suivi ils auraient suivi
Past subjunctive	[que] j'aie ri [que] tu aies ri [qu'] il ait ri [que] nous ayons ri [que] vous ayez ri [qu'] ils aient ri	[que] j'aie su [que] tu aies su [qu'] il ait su [que] nous ayons su [que] vous ayez su [qu'] ils aient su	[que] j'aie suivi [que] tu aies suivi [qu'] il ait suivi [que] nous ayons suivi [que] vous ayez suivi [qu'] ils aient suivi

Infinitive	25. **tenir** *to hold*	26. **venir** *to come*	27. **vivre** *to live*

Present participle	tenant	venant	vivant
Past participle	tenu	venu	vécu
Present	je tiens tu tiens il tient nous tenons vous tenez ils tiennent	je viens tu viens il vient nous venons vous venez ils viennent	je vis tu vis il vit nous vivons vous vivez ils vivent
Present subjunctive	[que] je tienne [que] tu tiennes [qu'] il tienne [que] nous tenions [que] vous teniez [qu'] ils tiennent	[que] je vienne [que] tu viennes [qu'] il vienne [que] nous venions [que] vous veniez [qu'] ils viennent	[que] je vive [que] tu vives [qu'] il vive [que] nous vivions [que] vous viviez [qu'] ils vivent
Imperfect	je tenais tu tenais il tenait nous tenions vous teniez ils tenaient	je venais tu venais il venait nous venions vous veniez ils venaient	je vivais tu vivais il vivait nous vivions vous viviez ils vivaient
Future	je tiendrai tu tiendras il tiendra nous tiendrons vous tiendrez ils tiendront	je viendrai tu viendras il viendra nous viendrons vous viendrez ils viendront	je vivrai tu vivras il vivra nous vivrons vous vivrez ils vivront
Conditional	je tiendrais tu tiendrais il tiendrait nous tiendrions vous tiendriez ils tiendraient	je viendrais tu viendrais il viendrait nous viendrions vous viendriez ils viendraient	je vivrais tu vivrais il vivrait nous vivrions vous vivriez ils vivraient
Passé simple	je tins tu tins il tint nous tînmes vous tîntes ils tinrent	je vins tu vins il vint nous vînmes vous vîntes ils vinrent	je vécus tu vécus il vécut nous vécûmes vous vécûtes ils vécurent

Imperative	tiens	viens	vis
	tenons	venons	vivons
	tenez	venez	vivez
Passé composé	j'ai tenu	je suis venu	j'ai vécu
		je suis venue	
	tu as tenu	tu es venu	tu as vécu
		tu es venue	
	il a tenu	il est venu	il a vécu
		elle est venue	
	nous avons tenu	nous sommes venus	nous avons vécu
		nous sommes venues	
	vous avez tenu	vous êtes venu	vous avez vécu
		vous êtes venus	
		vous êtes venue	
		vous êtes venues	
	ils ont tenu	ils sont venus	ils ont vécu
		elles sont venues	
Pluperfect	j'avais tenu	j'étais venu	j'avais vécu
		j'étais venue	
	tu avais tenu	tu étais venu	tu avais vécu
		tu étais venue	
	il avait tenu	il était venu	il avait vécu
		elle était venue	
	nous avions tenu	nous étions venus	nous avions vécu
		nous étions venues	
	vous aviez tenu	vous étiez venu	vous aviez vécu
		vous étiez venus	
		vous étiez venue	
		vous étiez venues	
	ils avaient tenu	ils étaient venus	ils avaient vécu
		elles étaient venues	
Future perfect	j'aurai tenu	je serai venu	j'aurai vécu
		je serai venue	
	tu auras tenu	tu seras venu	tu auras vécu
		tu seras venue	
	il aura tenu	il sera venue	il aura vécu
		elle sera venue	
	nous aurons tenu	nous serons venus	nous aurons vécu
		nous serons venues	
	vous aurez tenu	vous serez venu	vous aurez vécu
		vous serez venus	
		vous serez venue	
		vous serez venues	
	ils auront tenu	ils seront venus	ils auront vécu
		elles seront venues	

Past conditional	j'aurais tenu	je serais venu je serais venue	j'aurais vécu
	tu aurais tenu	tu serais venu tu serais venue	tu aurais vécu
	il aurait tenu	il serait venu elle serait venue	il aurait vécu
	nous aurions tenu	nous serions venus nous serions venues	nous aurions vécu
	vous auriez tenu	vous seriez venu vous seriez venus vous seriez venue vous seriez venues	vous auriez vécu
	ils auraient tenu	ils seraient venus elles seraient venues	ils auraient vécu
Past subjunctive	[que] j'aie tenu	[que] je sois venu [que] je sois venue	[que] j'aie vécu
	[que] tu aies tenu	[que] tu sois venu [que] tu sois venue	[que] tu aies vécu
	[qu'] il ait tenu	[qu'] il soit venu [qu'] elle soit venue	[qu'] il ait vécu
	[que] nous ayons tenu	[que] nous soyons venus [que] nous soyons venues	[que] nous ayons vécu
	[que] vous ayez tenu	[que] vous soyez venu [que] vous soyez venus [que] vous soyez venue [que] vous soyez venues	[que] vous ayez vécu
	[qu'] ils aient tenu	[qu'] ils soient venus [qu'] elles soient venues	[qu'] ils aient vécu

Infinitive	28. **voir** *to see*	29. **vouloir** *to want*
Present participle	voyant	voulant
Past participle	vu	voulu
Present	je vois tu vois il voit nous voyons vous voyez ils voient	je veux tu veux il veut nous voulons vous voulez ils veulent
Present subjunctsve	[que] je voie [que] tu voies	[que] je veuille [que] tu veuilles

	[qu'] il voie	[qu'] il veuille
	[que] nous voyions	[que] nous voulions
	[que] vous voyiez	[que] vous vouliez
	[qu'] ils voient	[qu'] ils veuillent
Imperfect	je voyais	je voulais
	tu voyais	tu voulais
	il voyait	il voulait
	nous voyions	nous voulions
	vous voyiez	vous vouliez
	ils voyaient	ils voulaient
Future	je verrai	je voudrai
	tu verras	tu voudras
	il verra	il voudra
	nous verrons	nous voudrons
	vous verrez	vous voudrez
	ils verront	ils voudront
Conditional	je verrais	je voudrais
	tu verrais	tu voudrais
	il verrait	il voudrait
	nous verrions	nous voudrions
	vous verriez	vous voudriez
	ils verraient	ils voudraient
Passé simple	je vis	je voulus
	tu vis	tu voulus
	il vit	il voulut
	nous vîmes	nous voulûmes
	vous vîtes	vous voulûtes
	ils virent	ils voulurent
Imperative	vois	veuille
	voyons	veuillons
	voyez	veuillez
Passé composé	j'ai vu	j'ai voulu
	tu as vu	tu as voulu
	il a vu	il a voulu
	nous avons vu	nous avons voulu
	vous avez vu	vous avez voulu
	ils ont vu	ils ont voulu
Pluperfect	j'avais vu	j'avais voulu
	tu avais vu	tu avais voulu
	il avait vu	il avait voulu
	nous avions vu	nous avions voulu

	vous aviez vu	vous aviez voulu
	ils avaient vu	ils avaient voulu
Future perfect	j'aurai vu	j'aurai voulu
	tu auras vu	tu auras voulu
	il aura vu	il aura voulu
	nous aurons vu	nous aurons voulu
	vous aurez vu	vous aurez voulu
	ils auront vu	ils auront voulu
Past conditional	j'aurais vu	j'aurais voulu
	tu aurais vu	tu aurais voulu
	il aurait vu	il aurait voulu
	nous aurions vu	nous aurions voulu
	vous auriez vu	vous auriez voulu
	ils auraient vu	ils auraient voulu
Past subjunctive	[que] j'aie vu	[que] j'aie voulu
	[que] tu aies vu	[que] tu aies voulu
	[qu'] il ait vu	[qu'] il ait voulu
	[que] nous ayons vu	[que] nous ayons voulu
	[que] vous ayez vu	[que] vous ayez voulu
	[qu'] ils aient vu	[qu'] ils aient voulu

FRENCH–ENGLISH VOCABULARY

The following abbreviations have been used in the French–English and English–French vocabularies.

adj.	adjective	*m.*	masculine
adv.	adverb	*pl.*	plural
colloq.	colloquial	*poss.*	possessive
conj.	conjunction	*prep.*	preposition
demon.	demonstrative	*pron.*	pronoun
f.	feminine	*rel.*	relative
indef.	indefinite	*str.*	stressed
interrog.	interrogative		

Note

1. The number after each word gives the lesson in which the word first appears in its literal sense. Idiomatic expressions are listed individually.
2. Included are only those words and expressions appearing in the dialogues. Occasionally a word will make an isolated appearance in an exercise only, or in a grammatical presentation. In such cases the translation immediately follows in parentheses.
3. Not included are words which appear only in lists of examples illustrating a grammatical or idiomatic point, such as the cardinal and ordinal numbers, how adjectives become corresponding adverbs, etc.
4. Starting with *Leçon 22*, each *leçon* is concluded by a short selection from French literature. Here vocabulary difficulties are dealt with in footnotes appearing on the same page.
5. Prepositions and reflexive pronouns forming part of an expression or verb are not used for alphabetizing: e.g. **d'abord** is listed under **a**, not **d**; **se dépêcher** is listed under **d**, not **s**.
6. With adjectives, only the masculine singular form is given if it is among those needing only an unaccented **e** for the feminine. All other adjectives are listed in masculine form with the feminine indicated also.
7. In the English–French Vocabulary the following words are not used for alphabetizing:
   a. The word *the*, except as part of an idiomatic expression.
   b. *To* as part of an infinitive.
8. Nouns are everywhere indicated by their gender only. Where any word is a noun and appears also as another part of speech, the gender indicated serves to distinguish its noun function from other functions.

à to, at 3
(d)' abord to begin with 3
abricot *m.* apricot 10
absolument absolutely 19
accepter to accept 15
accompagner to accompany 19
accord *m.* agreement; **tomber d'accord** to agree 30
achat *m.* purchase 11
acheter to buy 3
actuel, -lle current, present 31
actuellement currently, at present 22
admirer to admire 19
adorer to adore 14
aéroport *m.* airport 22
affreux, -se awful; **Il fait un temps affreux** The weather's awful 6
afin que so that 28
agacer to annoy, to get on someone's nerves 31
âge *m.* age 7; **Quel âge as-tu?** How old are you? 6
agréable pleasant 24
ah! ah! 3
ailleurs elsewhere 22
(d)'ailleurs besides 11
aimable friendly 5
aimer to love, to like 2; **aimer bien** to like very much 5
ainsi thus, in that way 21
ajouter to add on 25
aliment *m.* food, 22
aller to go 3; **Comment vas-tu?** How are you? 6
alors que when 16
âme *f.* soul 30
américain American (*adj.*) 8
Américain *m.* [an] American 2
amertume *f.* bitterness 31
ami *m.* friend 16
amoureux, -se in love 25; **tomber amoureux** to fall in love 25
amusé amused 11
amuser to amuse 31
(s')amuser to enjoy oneself 24
an *m.* year 4
analytique analytical 30
ancien, -nne former 22, old 29
anglais *m.* English language 13
anglais English (*adj.*) 28
animal *m.* animal; **Tais-toi, animal!** Be quiet, monster! 18
année *f.* year 8
anniversaire *m.* birthday 3
août *m.* August 24
appartement *m.* apartment 1
appeler to call 13
appétit *m.* appetite 10; **Bon appétit!** Dig in! Enjoy your food! 4
applaudir to applaud 14; to approve of 28
apporter to bring (an object) 15
apprécier to appreciate 27
approuver to approve (of) 22
après after 13
argent *m.* money 12
arome *f.* aroma 32
(s')arrêter to stop 28
arriver to arrive 9
ascenseur *m.* elevator 15
aspirine *f.* aspirin 10
(s')asseoir to sit down 13
assez enough 21
attendre to wait (for) 6
attention *f.* attention 16; **faire attention** to pay attention 16
attraper to catch 27
attristant saddening 31
au contracted form of **à le** 3
aucunement not at all 21
augmenter to increase 25
aujourd'hui today 4
auprès de; s'excuser auprès de to apologize to 32
auquel, auxquels, à laquelle, auxquelles (forms of **à**+**lequel**, etc.) to which 23
aussi also, too 3
aussi . . . que as . . . as (in comparisons) 13
austère austere 29

auteur *m.* author 26
autre other 13
autrefois formerly 22
autrement otherwise 30
aux contracted form of **à les** 3
avant before (*prep. denoting time*) 7
avant que before (*conj.*) 28
avare *m.* miser 9
avec with 9
avis *m.* opinion 32; **changer d'avis** to change one's mind 32
avoir to have 3; **avoir besoin de** to need 17
avoir l'intention de to plan 27
avoir quelque chose to have something the matter 22
avoir raison to be right 4

bagage *m.* baggage 20
bâiller to yawn 14
bain *m.*; **maillot de bain** swimsuit 25
ballerine *f.* ballerina 14
ballet *m.* ballet 74
bas; A bas . . .! Down with . . .! 22
bâtir to build 16
beau, bel, belle beautiful; **Il fait beau** The weather's beautiful 6
beaucoup much, a good deal 1
beau-frère *m.* brother-in-law 24
bébé *m.* baby, infant 9
belle-fille *f.* daughter-in-law 29
belle-mère *f.* mother-in-law 19
besoin; avoir besoin de to need 17
bien well (*adv.*) 5
bien very 10
bien que although 28
bientôt soon 32
(se) blâmer to blame oneself 17
blanc, -che white 11
bleu blue 11
blonde *f.* a blonde woman 12
blond blonde 7
bois *m.* woods, forest 29
bon, -nne good 3; **bon marché** inexpensive 25; **A la bonne heure!** That's fine! Terrific 15!
bonbon *m.* candy 14
bonheur *m.* happiness; **Quel bonheur!** How wonderful! 6
bonjour hello, good morning, good day 1
bonnement downright 21
bonté *f.* kindness 27
boucher *m.* butcher 3
bouillabaisse *f.* fish chowder 15
boulanger *m.* bread baker 3
boulangerie *f.* bread bakery 4
boutique *f.* small shop 2
bras *m.* arm 14
bravo bravo 3
breton, -nne Breton, from Brittany 26
brie *m.* Brie cheese 3
(se) brosser to brush 17
bûche *f.* log; **bûche de Noël** Christmas cake resembling a log 13

ça that (*colloq.* form of **cela**) 3; **ça m'est égal!** I don't care! 6
cachet *m.* medicated capsule 10
cadeau *m.* gift 9
café *m.* coffee 3
cake *m.* raisin cake 13
(se) calmer to calm down 17
campagne *f.* country (as opposed to city) 24
camping *m.* camping 26
cannelle *f.* cinnamon 32
cappuccino *m.* coffee with cinnamon and whipped cream 32
capturer to capture 28
cause *f.*; **à cause de** because of 22
causer to cause 27
ce it; **c'est** it's 1
ce, cet, ces, cette this, these, those (*adj.*) 8
ceci this (thing or situation) (*indef. pron.*) 25

cela that (thing or situation) (*indef. pron.*) 3
célèbre famous 29
celle *f.* the one (person or thing) 25
celui *m.* the one (person or thing) 25
cent hundred 7
centième hundredth 14
cependant however 30
certain certain 30
certainement certainly 8
ceux *m. pl.* those, the ones (persons or things) 25
chacun each one 29; **à chacun ses goûts** to each his own [tastes] 29
chaleur *f.* heat 24
changement *m.* change 22
changer; changer d'avis to change one's mind 32
chaque each 25
charcuterie *f.* pork products 4
charcutier *m.* pork butcher 4
chasser to chase 16
château *m.* castle 16
chatte *f.* female cat 20
chaud warm, hot; **Il fait chaud** It's warm outside 6
chauffeur *m.* driver 18
chaussettes *f. pl.* socks 12
chef-d'œuvre *m.* masterpiece 8
cher, -ère dear, expensive 4
chérie *f.* darling, dear 1
cheveux *m. pl.* hair 17
chez at the home of, at the shop of 3
chic, d'un chic fou high style, the "in" thing (*slang*) 12
chocolat *m.* chocolate 3
choix *m.* choice 26
choquant shocking 21
chose *f.* thing 11
cinq five 6
cinquante fifty 21
circuler to get around, to circulate 12
citer to quote 31
collège *m.* college 16
comme like, as 3
commencer to begin 23
comment how; **Comment vas-tu?** How are you? 6
compagnie *f.* company; **tenir compagnie** to keep someone company 28
complètement completely 24
comprendre to understand 18
concert *m.* concert 14
concierge *m.* or *f.* concierge, caretaker 1
confiture *f.* jam 10
confondre to confuse 14
connaître to know (people) 4
considérer to consider 31
constitution *f.* constitution 21
conte *m.* tale, short story 31
content happy, content 22
contraire *m.* the contrary; **au contraire** on the contrary 31
contrarier to upset, to go against 22
contre against 10
conversation *f.* conversation 5
copie *f.* copy 9
corsaire *m.* pirate 28
côte *f.* coast 24
côté *m.* side, direction 22; **du côté de** in the direction of 22
(se) coucher to go to bed 17
coup *m.*; **tout d'un coup** suddenly 32
courage *m.* courage 6
courant; au courant up to date 20
mettre au courant to bring up to date 20
course *f.* errand 3
court short, brief 25
cousin *m.* male cousin 6
cousine *f.* female cousin 6
coûter to cost; **coûter cher** to be expensive 12
craindre to fear 24
cravate *f.* necktie 12
crème *f.*; **crème de beurre** butter cream 13
crémerie *f.* dairy 4
crémier *m.* dairyman 3

croire to believe; **Je crois bien!** I should say so! 15
croissant m. crescent-shaped breakfast roll 10
cuillerée *f.* spoonful 20
cuisine *f.* cooking 27; **faire la cuisine** to cook 4
cuisinière *f.* cook 13
cultivé cultured 5
culture *f.* cultivation (agriculture) 29
curieux, -se curious 28
curiosité *f.* curiosity 9
cyclisme *m.* cycling 25
cycliste *m.* or *f.* bicycle rider 25

dame *f.* lady 12
dame! well! 28
danger *m.* danger 27
dans in 5
date *f.* date 9; **date de naissance** due date (of a birth) 9
de of, from 1
début *m.* beginning 28
décembre *m.* December 11
décider to decide 16
décision *f.* decision 16
dehors outside 19
déjà already 8
déjeuner to have lunch 4
délice *m.* pleasure, delight 31
délicieux, -se delicious 4
demain tomorrow 19
demander to ask 9
demi half 7; **et demie** half-past (the hour) 7
demie-heure *f.* a half hour 28
dent *f.* tooth 18
dentelle *f.* lace 21
(se) dépêcher to hurry 18
dépeindre to describe, depict 24
dépendre to depend 12
dépenser to spend 12
déplacer to transfer (something) 23
(se) déplacer to be on the move 26
déplaire; Ne t'en déplaise! No offense meant! 29
déprimant depressing 8
depuis since 14
déranger to bother, to annoy 17
(se) déranger to take pains, to go to trouble about something 17
des contracted form of **de + les**
dès que as soon as
descendre to come down 15
désirer to desire, to want 26
désolé sorry, distressed 29
détail *m.* detail 9
détester to dislike 8
deux two 6
deuxième second 14
devenir to become 30
deviner to guess 21
devoir to have to, to be obliged to (do something) 21
devoir *m.* task 9
dévouement *m.* devotion 24
Dieu *m.*; **Mon Dieu!** Goodness! 16
dimanche *m.* Sunday 9
dîner to have dinner 15
dîner *m.* dinner 3
diplomate *m.* diplomat 12
dire to tell, to say; **Dire que . . .** To think that . . . (expression of astonished indignation) 25;
Dites donc! See here! 5
disparaître to disappear 22
(se) disputer to argue 29
distraire to distract 31
distrait absent-minded 11
dix ten 6
dix-huitième eighteenth 5
docteur *m.* doctor 17
doctorat *m.* doctorate, Ph.D. 8
dollar *m.* dollar 7
dommage *m.*; **Il est dommage** It's too bad 30
donc so, thus, therefore (*conj.*) 3
donner to give 9
dont whose 27
dormir to sleep 7

douter to doubt 30
du contracted form of **de + le**

eau *f.* water 27
eau-de-toilette *f.* cologne 12
eau minérale *f.* mineral water
école *f.* school 16
écolière *f.* schoolgirl 26
économe economical 11
écrire to write 6
écrit *m.* (a piece of) writing 31
écrivain *m.* writer 8
effet *m.*; **en effet** indeed 22
effrayer to frighten 18
égal; ça m'est égal I don't care! 6
eh bien! well! 2
élevé high 5
elle she, it (when referring to an object of feminine gender) 1
elles they (referring to women or objects of feminine gender) 2
embrasser to kiss 17
en in 9
en of it, of them, some of it, some of them (*pron.*) 10
(s')en faire to get upset 27
enceinte pregnant 32
enchanté happy (used in introductions: "Happy to meet you") 1
encore still, yet 11
encourager to encourage 16
endroit *m.* place, spot 22
enfance *f.* childhood 16
enfant *m.* or *f.* child 6
enfin finally 4
ennui *m.* trouble 27
ensemble together 3
ensuite then, next 18
entendre to hear 14
entendre parler de to hear about 14
entêté stubborn 24; **grande entêtée!** you stubborn character! 24
entier, -ère whole, entire; **le monde entier** the whole world 28
(s')entr'aider to help one another 17
(s')entrainer to practice, to train oneself 27
entre between 30
entrer to enter 13
envoyer to send 11
épatant terrific (*slang*) 12
épicerie *f.* grocery 4
épicier *m.* grocer 3
époque *f.* time (of year) 11
épuisé exhausted 17
(s')éreinter to exhaust oneself, to "knock oneself out" doing something 27
escalier *m.* stairway 15
espérer to hope 7
esprit *m.* mind, brain 30
essayer to try 10
essentiel, -elle essential 30
estime *m.* esteem 29
et and 1
étalage *m.* display counter 12
étang *m.* pond 29
été *m.* summer 16
éternité *f.* a long time 26
étonnant astonishing 8
étonner to astonish 22
être to be 1; **J'y suis!** I've got it! I understand! 22
étudiant *m.* student 4
étudier to study 16
euh uh 11
eux they, them (*str. pron.*) 16
(s')évanouir to faint 21
éviter to avoid 30
exact exact 9
excellent excellent 5
exceptionnel, -elle exceptional 29
excursion *f.* excursion 23
(s')excuser; s'excuser auprès de to apologize to 32
exemple *m.* example 8
exercice *m.* exercise 27
existentialisme *m.* existentialism 31
existentialiste *m.* existentialist 31
exister to exist 22
expliquer to explain 31

explorer to explore 26
expressif, -ive expressive 14
extraordinaire extraordinary 26

(se) fâcher to get angry 18
facile easy 22
faim *f.* hunger; **avoir faim** to be hungry 4
faire to do, to make 3; **faire attention** to pay attention 16
  faire cadeau to present a gift 25
  (s')en faire to get upset 27
  faire marcher to tease, to pull someone's leg 20
  faire part to inform 9
  faire plaisir to give pleasure 15
  faire rager to infuriate 9
  faire remarquer to warn, to bring to someone's attention 32
falloir to have to 28; **il faut** it's necessary 28
familial belonging to a family; **un château familial** a family castle 23
famille *f.* family 6
fasciner to fascinate 28
fatigant tiring, exhausting 11
fatigué tired 4
(se) fatiguer to get tired 27
faute *f.* fault 27
félicitations! congratulations! 17
féliciter to congratulate 27
femme *f.* wife 1, woman 5
(se) fermer to shut 17; **Mes yeux se ferment** My eyes are closing 17
fiançailles *f. pl.* engagement 14
fichtre! I'll be darned! 25
fier, -ère proud 27
fièvre *f.* fever 10
figure *f.* face 17
(se) figurer to imagine 25
fille *f.* daughter, girl 7
fils *m.* son 7
finir to finish 14
flacon *m.* bottle, flask 12
flambant; flambant neuf brand new 21
fois *f.* time (instance, occasion) 14
foncé dark (color) 25
fond *m.*; **au fond** basically 31
formidable terrific (*colloq.*) 24
fort strong 21
fortification *f.* fortification 28
fou *m.* madman 18
fou, folle crazy; **d'un chic fou** in high style, the "in" thing 12
foule *f.* crowd 11
frais, -îche fresh, young-looking 19
français *m.* French language 1
français French (*adj.*) 2
Français *m.* Frenchman 3
frémir to shiver 31
frère *m.* brother 5
froid cold 6; **Il fait froid** It's cold outside 6
fromage *m.* cheese 3
fruit *m.* fruit 13

gâcher to spoil, to ruin (a situation through carelessness or ineptitude) 12
gagner to earn 7; to win 25
gala *m.* gala 19
garçon *m.* bachelor 9
garder to watch over 29
gare *f.* railway station 19
gâteau *m.* cake 3
gâter to spoil (a person) 15
gauche *f.* the left (side); **à gauche** on the left 25
généreux, -euse generous 12
générosité *f.* generosity 25
génie *m.* genius 30
genre *m.* kind, sort 31
gens *m. pl.* people 5
gentil, -ille kind, good 1
gentiment nicely, with good grace 21
glace *f.* ice cream 27
glace *f.* mirror 17
glacé glazed 13

glacial icy 27
goût *m.* taste 26; **à chacun ses goûts** to each his own [tastes] 26
gracieux, -euse graceful 14
grand large, big 2
grand'maman *f.* grandma 20
grippe *f.* flu 10
gronder to scold 16
gros, -sse fat 5

(s')habiller to get dressed 17
habiter to reside 1
(d')habitude usually 13
hasard *m.*; **par hasard** by chance 8
hein? eh? 20
hérité; vêtements hérités hand-me-down clothing 11
héros *m.* hero 31
heure *f.* hour, time, o'clock; **A la bonne heure!** That's wonderful! 15; **de bonne heure** early 16; **Quelle heure est-il?** What time is it? 7
heureux, -euse happy 6
histoire *f.* story 15
homme *m.* man 5
huit eight 6
humanité *f.* humanity 31

ici here 1; **par ici** this way, through here 1
idéal ideal 12
idée *f.* idea 26
il he, it (when referring to an object of masculine gender) 5
ils they (referring to men or objects of masculine gender) 5
il y a there is, there are 5; + *time expression* ago: **il y a une heure** an hour ago 25
immeuble *m.* building 5
impatience *f.* impatience 12
impersonnel, -elle impersonal 30
importer; n'importe où anywhere 32
imposant imposing 29
impossible impossible 7
impressionnant impressive 28
infatigable tireless 28
infirmière *f.* nurse 5
influence *f.* influence 29
infusion *f.*; **infusion de tilleul** linden tea 10
(s')inquiéter to be worried 17
intelligent intelligent 7
intention *f.*; **avoir l'intention** to plan 27
intéressant interesting 2
intéresser to interest 12
intérêt *m.* interest 28
inviter to invite 15

jamais never 31
jambe *f.* leg 14
jaune yellow 11
je I 1
jeune young 8
jeunesse *f.* youth 26
joie *f.* joy 20
joli handsome, pretty 1
jouer to play 16
joujou *m.* toy 21
jour *m.* day 23
journée *f.* day 11
juillet July 24
juin June 9
jumeaux *m.* twins 7
jus *m.* juice 10
jusqu'à until (*prep.*) 29
justement as it happens 2

kilogramme *m.* kilogram 27

l' the 1
la *f.* the 1
là there 10

laisser to leave (behind) 13; **laisser tranquille** to let someone alone 29
lard *m.* bacon 3
(se) laver to wash oneself 17
layette *f.* layette 11
le *m.* the 2
lecture *f.* reading 31
lentille *f.* lentil 3
lequel, laquelle, lesquels, lesquelles which (one), which (ones) (*interrog.* and *rel. pron.*) 23
les, *pl.* the 2
lettre *f.* letter 9
leur their 5; **le leur, la leur, les leurs** theirs 24
(se) lever to get up 17
libraire *m.* bookseller 5
librairie *f.* bookstore 8
libre free 13
lire to read 8
liste *f.* list 3
livre *m.* book 8
long, -gue long 9
longtemps a long time 19
lorrain; quiche lorraine meat pie with custard base 4
louer to rent 24
lui he, him, her, it 9
lundi Monday 9

ma *f.* my 1
Madame *f.* Mrs. 1
Mademoiselle *f.* Miss 12
magasin *m.* shop 2
magnifique magnificent 21
mai May 9
maigrir to lose weight 27
maillot *m.*; **maillot de bain** swimsuit 25
maintenant now 7
mais but 3
maison *f.* house 2
mal *m.*; **mal à la tête** headache 10
mal badly 28
malade sick 10
maladie *f.* sickness 27
maman *f.* Mama 11
manger to eat 15; **salle à manger** dining room 32
manquer to lack 19
maquillage *m.* makeup 14
(se) maquiller to put on makeup 18
marchand *m.* merchant 2; **marchand des quatre saisons** person who sells fruits and vegetables 2
marché *m.*; **bon marché** inexpensive 25
marcher to walk 28; **faire marcher** to pull someone's leg, to tease 20
mardi Tuesday 9
mari *m.* husband 5
mariage *m.* wedding 9
(se) marier to get married 16
matin *m.* morning 22
médecin *m.* doctor 6
médicament *m.* medicine, medication 10
meilleur better (*adj.*) 13
même same 14; **quand même** all the same, anyway 14
mémoire *f.* memory 14
mentionner to mention 23
mentir to tell lies 32
mer *f.* sea, ocean 28
merci thank you 4; **merci bien** many thanks 4
mère *f.* mother 7
merveilleux, -euse marvelous 12
mes *pl.* of **mon** and **ma** my 6
métro *m.* subway 19
mettre to put 14, to put on (clothing) 20; **mettre au courant** to bring up to date 20
(se) mettre to place oneself 20
midi noon 15
mien; le mien, la mienne, les miens, les miennes mine (*poss. pron.*) 24
mignon, -onne cute 7
mignonne *f.* cutie 22

mille thousand 17
minéral mineral (*adj.*); **eau minérale** mineral water 15
minuit *m.* midnight 7
minute *f.* minute 32
modéré reasonable 11
moderne modern 31
moi I, me 6
moins less 16
mois *m.* month 6
moment *m.* moment 13
mon *m.* my 5
monde *m.* world; **tout le monde** everyone 13; **le monde entier** the whole world 28
monsieur Mr. 1
monter to go up 15
montrer to show 22
morceau *m.* piece, slice 3
mort dead (*past participle* of **mourir** to die) 28
mouvement *m.* movement 30
musique *f.* music 14

nage *f.* swimming 25
nager to swim 27
nageur *m.* swimmer 25
naissance *f.* birth 9; **date de naissance** due date (of a birth) 9
naître to be born 17
naturellement naturally 3
navire *m.* ship 28
navré distressed, upset 29
ne . . . pas not 4
  ne . . . plus no more, no longer 31
  ne . . . que only 13
  n'est-ce pas? isn't it so? 7
né born (*past participle* of **naître** to be born) 17
nécessaire necessary 22
nettement clearly, definitely 21
neuf, -ve new; **flambant neuf** brand new 21
ni . . . ni neither . . . nor 31
nier to deny 30
Noël *m.* Christmas 11; **bûche de Noël** Christmas cake resembling a log 13
noix *f.* walnut 13
nom m. name 5
non no 3
nostalgie *f.* nostalgia 22
notre, nos our 7
nôtre; le nôtre, la nôtre, les nôtres ours (*poss. pron.*) 24
nourissant rich (used in speaking of foods) 13
nous we, us 7
nouveau, nouvel, nouvelle new 22; **de nouveau** again 28
nouvelle *f.* piece of news 9
nue *f.*; **tomber des nues** to be flabbergasted, to be speechless with surprise 25
nuit *f.* night, 7

obstiné stubborn 10
occasion *f.* opportunity 14
occupé busy 13
océan *m.* ocean 27
œil *m.* eye (*pl.* **yeux**) 14
œuf *m.* egg 10
œuvre *f.* work (of art, music, literature, etc.) 23
oh oh 2; **oh là là!** oh, boy! 6
oignon *m.* onion 22
on one, someone, we, you, they, people (*pron.*) 3
oncle *m.* uncle 6
opéra *m.* opera 14
orange *f.* orange 10
orchestre *m.* orchestra 14
ordinaire usual 26
ordinairement usually 2
ordonner to order 29
ordre *m.* order 30
oser to dare 17
ou or 7
où where 1, when 23
oublier to forget 11

ouf! whew! 4
oui yes 1
ouvrage *m.* individual work (of art, music, etc.) 26

pain *m.* bread, loaf
papa *m.* dad 17
par per 7; **par ici** this way 1
parce que because 24
parent *m.* parent 6, relative 17
parfum *m.* perfume 12
parier to bet 28
Parisien, -enne [a] Parisian 21
parler to speak 1
parmi among 25
parole *f.* word 19
part *f.*; **faire part** to inform 9
partie *f.* part 26
partir to leave, to depart 18
pas not 2; **pas mal de** quite a few 16; **pas du tout** . not at all 8
passer to spend (time) 24
passionnant thrilling, exciting 30
patelin *m.* hick town (*colloq.*) 24
pâtissier *m.* pastry man 3
patrie *f.* native region, country 28
pauvre poor 11; scanty 29
payer to pay 25
pays *m.* homeland 29
paysage *m.* scenery, setting 29
peine *f.*; **à peine** hardly 17
penser to think 11
pensif, -ive pensive, reflective 31
perdre to lose 14
père *m.* father 7
personne *f.* person 13
personne nobody 31
pessimiste pessimistic 31
petit small 2, short (person) 6
petite-fille *f.* granddaughter 20
petit-fils *m.* grandson 21
peu *m.* a little (quantity) 9
(de) peur que for fear that, or else 28
peut-être maybe 7
pharmacien *m.* pharmacist 5
philosophie *f.* philosophy 31
photo *f.* photograph 19
pilule *f.* pill 10
place *f.* place, room, space 29
plage *f.* beach 16; **robe de plage** beach robe 25
(se) plaindre to complain 24
plaire to please 1; **s'il vous plaît** please 1
plaisanter to joke 7
plaisir *m.* pleasure 15; **faire plaisir** to give pleasure 15
plein; en pleine Normandie in the middle of Normandy 32
pleurer to weep 20
pleuvoir to rain 6; **il pleut à verse** It's pouring outside 6
pluriel *m.* plural 32
plus . . . que more . . . than 13
plusieurs several 31
plutôt rather (*adv.*) 9
poids *m.* weight 25
possible possible 21
poule *f.* hen 27
poupée *f.* doll 21
pour for 3
pour que so that 28
pourquoi why 9
pousser to push 18, to incite 26
pouvoir to be able 7
préface *f.* preface 31
préférer to prefer 7
premier, -ière first 11
premièrement first of all 21
prendre to take 10
préparer to prepare 3
près near 5
présence *f.* presence 30
presque almost 17
pressé in a hurry 12
privilège *m.* privilege 24
prix *m.* price 5 prize 25
probable probable 30
prochain next (*adj.*) 32
produire to produce 30
profond deep 30

progrès *m.* progress 22
projet *m.* plan 24
promenade *f.* walk 22
(se) promener to take a walk 22
promeneuse *f.* walker 28
propos *m.*; **à propos** by the way 21
proposer to propose 23
propre own (*adj.*) 21
protester to protest 18
puis then, next 3
puisque since (*conj.*) 73

qualité *f.* quality 25
quand when 10
quart *m.* one-fourth, a quarter of something; **et quart** a quarter past (the hour) 7
moins le quart a quarter to (the hour) 7
quartier *m.* district, neighborhood 2
quatre four; **marchand des quatre saisons** produce merchant 2
que that (*conj.*) 5
que what, whom, which, that (*rel. pron.*) 22; **ce que** that which, what 22
que what (*interrog. pron.*) 6
quel, quelle which, what (*adj.*) 6
quelque some, any 6
quelque chose something 10
quelque part somewhere 6
quelqu'un someone 31
question *f.* question 26
qui which, that, who, whom (*rel. pron.*) 8; **ce qui** that which, what 22
qui who, whom (*interrog. pron.*) 5
quiche *f.* meat pie with custard base 4
quoi! what! 28
quoique although 28

radoter to speak foolishness 9
raffiné refined 8
rager; faire rager to make someone furious 9
raie *f.* stripe 25
raison *f.* reason 28; **avoir raison** to be right 4
raisonnable reasonable 10
rajeunir to rejuvenate 21
rare rare 8
rassurer to reassure 19
ravi delighted 19
rayé striped 25
réaliste realistic 30
récent recent 19
reconnaître to recognize 21
réfléchir to think over 23
refuser to refuse 15
regarder to look at 13
régime *m.* diet 5
regretter to be sorry 12
rejoindre to join, to meet together 24
relever to pick up (someone who has fallen) 25
relire to reread 23
remarquer to notice 11; **faire remarquer** to warn, to point out 32
remercier to thank 24
remettre to postpone 28
rempart *m.* rampart 28
remplacer to replace 22
remplir to fill 22
(se) rendre to go, to betake oneself 23; to make or render oneself (sick, etc.) 27
rentrer to come home 15
répartition distribution 22
répondre to answer 9
repos *m.* rest 10
(se) reposer to rest 17
reprendre to take again 5
résister to resist 27
respect *m.* respect 16
respecter to respect 31
restaurant *m.* restaurant 4
rester to stay 24
retour *m.*; **être de retour** to be back (from somewhere) 24
(se) réveiller to wake up 17

revenir to come back 32; **en revenir** to get over (a shock) 8
rêver to dream 7
revoir to see again 19
rhume *m.* [a] cold 27; **attraper un rhume** to catch cold 27
riche rich 11
rien nothing 31
rire to laugh 31; **riant** laughing 5
rivaliser to compete 31
robe *f.* robe 30; **robe de plage** beach robe 25
robuste strong 7
roman *m.* novel 5
romantique romantic 8
rose pink 11
rouge red 11
rougir to blush; **faire rougir** to embarrass, to cause someone to blush 15
roux, -sse redhaired 5
rue *f.* street 2

sa his, her (*adj.*) 5
sable *m.* sand 16
sac *m.* purse 14
sain healthy 7
saison *f.* season 11
salle *f.* room 32; **salle à manger** dining room 32
sans without (*prep.*) 16
sans que without (*conj.*) 28
santé *f.* health 27
satire *f.* satire 8
satisfaire to satisfy 22
satisfait satisfied 29
savant *m.* scholar 9
savoir to know 5
scène *f.* scene 14
se himself, herself, themselves, oneself (*reflexive pron.*) 17
second second 14
semaine *f.* week 7
sembler to seem 30
sensible sensitive 30
senti palpable, felt 30
sentiment *m.* feeling 29
sentimentalité *f.* sentimentality 30
sentir to smell (something) 32
(se) sentir to feel (referring to physical or emotional state) 28
sept seven 6
servir to serve 32
ses, *pl.* of **son** and **sa** his, her 8
seulement only (*adv.*) 6
sévère strict 29
si if 1
si so (to such an extent) (*adv.*) 2
si yes (contradicting a "no") 8
sidéré flabbergasted (*slang*) 21
siècle *m.* century 5
sien; le sien, la sienne, les siens, les siennes his, hers, its (*poss. pron.*) 24
silhouette *f.* outline, silhouette 29
six six 6
ski nautique *m.* water skiing 27
sœur *f.* sister 6
soif *f.* thirst, **avoir soif** to be thirsty 10
soigner to take care of 27
soir *m.* evening 14
soleil *m.* sun; **Il fait du soleil** It's sunny outside 6
solitaire lonely 9
solution *f.* solution 7
sommeil *m.*; **avoir sommeil** to be sleepy 14
son his, her 7
songer to dream 23
sortie *f.* exit; **attendre à la sortie** to wait for someone to come out 16
sortir to go out, to come out 15
soulagement *m.* relief 27
soupe *f.* soup 3
source *f.* source 31
(se) souvenir to remember 18
souvent often 14
spécial special 4
spécialité *f.* specialty 8

spectacle *m.* show, performance 14
spirituel, -elle witty 8
splendide lovely; **Il fait un temps splendide** The weather's lovely 6
sport *m.* sport 27
sucre *m.* sugar 10
sucrerie *f.* sweets 27
suivre to follow 27
sujet *m.* subject 29
superbe superb 27
supposer to suppose 21
sur on, on top of 4
sûr sure 11
surprise *f.* surprise 12
surtout especially 10
svelte slender 27
symphonique symphonic 14

ta *f.* your 7
table *f.* table 4
taille *f.* waist 14; **tour de taille** waist measurement 25
(se) taire to be quiet 18
tandis que while (on the other hand) 26
tant so much, so (*adv.*) 17
tante *f.* aunt 6
taquin inclined to tease, teasing 21
taquiner to tease 16
taquinerie *f.* teasing 22
tard late 14
tasse *f.* cup 9
taxi *m.* cab 18
te you 9
teint *m.* complexion 14
tel, telle such 16
tellement so, so much 13
temps *m.* weather 6, time 6
  Quel temps fait-il? What's the weather like? 6
  Il fait un temps splendide The weather's lovely 6
  Il fait un temps affreux The weather's awful 6

tenir; tenir compagnie to keep someone company 28
tes *pl.* of **ton** and **ta** your 7
tête *f.* head; **mal à la tête** headache 10
thé *m.* tea 9
théâtre *m.* theater; **théâtre de l'Odéon** the Odéon, a national theatre in Paris 4
thèse *f.* thesis 8; **thèse de doctorat** Ph.D. thesis 8
tien; le tien, la tienne, les tiens, les tiennes yours (*poss. pron.*) 24
tiens! well! 4
tilleul *m.*; **infusion de tilleul** linden tea 10
toast *m.* toast [bread] 10
toi you 16
tombeau *m.* tomb 28
tomber to fall; **tomber d'accord** to agree 30
  tomber amoureux to fall in love 25
  tomber des nues to be flabbergasted 25
ton *m.* your 4
tôt early, soon 27
toujours always 2, still 25
tour *m.*; **tour de taille** waist measurement 25
touriste *m.* or *f.* tourist 26
tous everyone (*pron.*) 21
tousser to cough 10
tout quite (*adv.*) 5; **tout de même** all the same 14; **tout d'un coup** suddenly 32
tout all (*adj.*); **tout le monde** all people, everybody 9
tout everything (*pron.*) 7
traditionnel, -elle traditional 13
train *m.* train 20
train *m.*; **en train de** in the midst of 26
tranquille quiet, unworried 24; **laisser tranquille** to let someone alone 29

tranquillement quietly 24
travail *m.* work 13
trente thirty 7
très very 1
tricoter to knit 11
triste sad 29
tristesse *f.* sadness 31
trois three 4
trop too much, too many 5
trouver to find 3
(se) trouver to be, to be found, to be located 18
tu you 4

un, une one 3
usé worn-out, worn 11

vacances *f. pl.* vacation 13
valet *m.* valet 29
vélo *m.* bike 25
vendeuse *f.* saleslady 12
vendre to sell 21
venir to come 10
vent *m.* wind; **Il fait du vent** It's windy outside 6
ventru paunchy (*slang*) 27; **un vieux ventru** a paunchy old guy 27
verre *m.* glass 9
vers toward 19
verse; Il pleut à verse It's pouring outside 6
vert green 11
vêtements *m. pl.* clothes 11
vie *f.* life 8
vieux, vieil, vieille old 9
ville *f.* city 23
vin *m.* wine 10
vingt twenty 4
visage *m.* face 14
visiter to visit 15
vite quickly 17
vivant lively 2
vivre to live 23
voici here is 1
voilà there is 7
voir to see 6
voisin *m.* neighbor 5
voiture *f.* car 2
volontiers willingly 25
votre; vos your 13
vôtre; le vôtre, la vôtre, les vôtres yours (*poss. pron.*) 24
vouloir to wish, to want 6
vouloir bien to be willing 10
vouloir dire to mean 6
vous you 1
voyager to travel 23
voyageur *m.* traveler 32
voyons! Let's see! See here! 4
vrai true 8
vraiment truly, really 2

y there; **il y a** there is, there are 5 there (*adv.*) 14; (with an expression of time) ago 25
yeux *pl.* of **œil** eye 14

ENGLISH–FRENCH VOCABULARY

a, an un, une 3; **a good deal** beaucoup 1
a long time longtemps 19, éternité *f.* 26
a quarter past (the hour) et quart 7
a quarter to (the hour) moins le quart 7
about (regarding) de 1
absent-minded distrait 11
absolutely absolument 19
accept accepter 15
accompany accompagner 19
add ajouter 25
admire admirer 19
adore adorer 14
after après 13
against contre 10
age âge *m.* 7
ago il y a (followed by expression of time: il y a une heure **an hour ago**) 25
agree tomber d'accord 30
ah ah 3
airport aéroport *m.* 22
all tout (*adj.*) 7
all (everybody) tous (*pron.*) 21
almost presque 17
already déjà 8
also aussi 3
although bien que 28, quoique 28
always toujours 2
amazing étonnant 8
American [an] Américain *m.* 2
American américain (*adj.*) 8
among parmi 25
amuse amuser 31
amused amusé 11
analytical analytique 30
and et 1
answer répondre 9
any (of it) en 10
anywhere n'importe où 32
apartment appartement *m.* 1
apologize s'excuser (auprès de) 32
appetite appétit *m.* 10
applaud applaudir 14
appreciate apprécier 27
approve approuver 22; applaudir 28
apricot abricot *m.* 10
argue se disputer 29
arm bras *m.* 14
aroma arome *f.* 32
arrive arriver 9
as (like) comme 3
as . . . as (comparison) aussi . . . que 13
as it happens justement 2
as soon as dès que
ask (for) demander 9
aspirin aspirine *f.* 10
astonish étonner 22
at the shop of chez 3
August août 24
aunt tante *f.* 6
austere austère 29
author auteur *m.* 26
avoid éviter 30
awful affreux, -euse 6; **The weather's awful** Il fait un temps affreux 6

baby enfant *m.* or *f.* 6, bébé *m.* 9
bachelor garçon *m.* 9
bacon lard *m.* 3
badly mal 28
baker (of bread) boulanger *m.* 3
bakery (of bread) boulangerie *f.* 4
ballerina ballerine *f.* 14
ballet ballet *m.* 14
basically au fond 31
be être 1
be able pouvoir 7
be back être de retour 24
be born naître 17
be expensive coûter cher 12
be flabbergasted être sidéré 21, tomber des nues 25
be found (located) se trouver 18
be hungry avoir faim 4
be necessary falloir 28
be on the move se déplacer 26
be quiet se taire 18
be right avoir raison 4
be sleepy avoir sommeil 14
be sorry regretter 12
be willing vouloir bien 10
beach plage *f.* 16; **beach robe** robe de plage 25
beautiful beau, bel, belle 9
because parce que 24
because of à cause de 22
become devenir 30
before (time) avant (*prep.*) 7
before avant que (*conj.*) 28
begin commencer 23
beginning début *m.* 28
believe croire 15
besides d'ailleurs 11
bet parier 28
better meilleur (*adj.*) 13
between entre 30
bicycle bicyclette *f.* 25
bicycle rider cycliste *m* or *f.* 25
bicycling cyclisme *m.* 25
big grand 2
birth naissance *f.*
birthday anniversaire *m.* 3
birthplace patrie *f.* 28
bitterness amertume *f.* 31
blame oneself se blâmer 17
blond (person) blond *m.* 12
blond blond 7
blue bleu 11
book livre *m.* 8
bookseller libraire *m.* 5
bookstore librairie *f.* 8
born né 17
bother déranger 17
bottle flacon *m.* 12
bravo bravo 3
bread pain *m.* 3
Breton breton, -nne 26
Brie cheese brie *m.* 3
bring (an object) apporter 15
bring up to date mettre au courant 20
brother frère *m.* 5
brother-in-law beau-frère *m.* 24
brush brosser 17
build bâtir 16
building immeuble *m.* 5
busy occupé 13
but mais 3
butcher boucher *m.* 3
butter beurre *m.* 13; **butter cream** crème de beurre 13
buy acheter 3
by chance par hasard 8
by the way à propos 21

cab taxi *m.* 18
cake gâteau *m.* 3
call appeler 13
calm down se calmer 17
camping camping *m.* 26
candy bonbon *m.* 14
cappuccino (coffee flavored with cinnamon and whipped cream) cappuccino *m.* 32
capsule (medicated) cachet *m.* 10
capture capturer 28

car voiture *f.* 2
caretaker concierge *m.* or *f.* 1
castle château *m.* 16
cat (female) chatte *f.* 20
catch attraper 27; **to catch a cold** attraper un rhume 27
cause causer 27
century siècle *m.* 5
certain certain 30
certainly certainement 8
chance hasard *m.* 8; **by chance** par hasard 8
chance (opportunity) occasion *f.* 14
change changement *m.* 22
change changer 32; **change one's mind** changer d'avis 32
chase chasser 16
cheese fromage *m.* 3
child enfant *m.* or *f.* 6
childhood enfance *f.* 16
chocolate chocolat *m.* 3
choice choix *m.* 26
Christmas Noël *m.* 11
Christmas log (Christmas cake) bûche de Noël 13
cinnamon cannelle *f.* 32
circulate (get around) circuler 12
city ville *f.* 23
clearly nettement 21
clothes vêtements *m. pl.* 11
coast côte *f.* 24
coffee café *m.* 3
cold froid 6; **It's cold** Il fait froid 6
cold (illness) rhume *m.* 27; **to catch a cold** attraper un rhume 27
college collège *m.* 16
cologne eau de toilette *f.* 12
come venir 10
come down descendre 15
come home rentrer 15
company; to keep someone company tenir compagnie 28
compete rivaliser 31
complain se plaindre 24
completely complètement 24
complexion teint *m.* 14
concert concert *m.* 14
concierge concierge *m.* or *f.* 1
confuse confondre 14
congratulate féliciter 27
congratulations félicitations 17
consider considérer 31
constitution constitution *f.* 21
content content 22
contrary contraire *m.* 31; **on the contrary** au contraire 31
conversation conversation *f.* 5
cook cuisinier *m.* 15
cook faire la cuisine 4
cooking cuisine *f.* 27
copy copie *f.* 9
cost coûter 12
cough tousser 10
counter étalage, *m.* 12
country (as opposed to city) campagne *f.* 24
country (homeland) pays *m.* 29
courage courage *m.* 6
cousin cousin *m.* 6, cousine *f.* 6
croissant (crescent-shaped roll, made with butter) croissant *m.* 10
crowd foule *f.* 11
cry pleurer 20
cultivation culture *f.* 29
cultured cultivé 5
cup tasse *f.* 10
curiosity curiosité *f.* 9
curious curieux, -se 28
current actuel, -elle 31
currently actuellement 22
cute mignon, -onne 7
cutie mignonne *f.* 22

daddy papa *m.* 17
dairy crémerie *f.* 4
dairyman crémier *m.* 3
danger danger *m.* 27
dare oser 17
dark (color) foncé 25
darling chérie *f.* 1

date date *f.* 9
daughter fille *f.* 7
daughter-in-law belle-fille *f.* 29
day jour *m.* 23
day journée *f.* 11
dear cher, -ère 4
dearest chérie *f.* 1
December décembre 11
decide décider 16
decision decision *f.* 16
deep profond 30
delicious délicieux, -se 4
delighted enchanté 1, ravi 19
deny nier 30
depend dépendre 12
depressing déprimant 8, attristant 31
describe dépeindre 24
detail détail *m.* 9
devotion dévouement *m.* 24
die mourir 28
diet régime *m.* 5
Dig in! Bon appétit! 4
dining room salle à manger *f.* 32
dinner dîner *m.* 3
diplomat diplomate *m.* 12
disappear disparaître 22
dislike détester 8
distract distraire 31
distribution répartition *f.* 22
district quartier *m.* 2
disturb déranger 17
do faire 3
doctor médecin *m.* 6
doctorate doctorat *m.* 8
doll poupée *f.* 21
dollar dollar *m.* 7
doubt douter 30
downright bonnement 21
Down with . . . ! A bas . . . 22
dream rêver 7, songer 23
dress robe *f.* 20
dress (someone) habiller 22, (oneself) s'habiller 17
driver chauffeur *m.* 18
due date (of a birth) date de naissance *f.* 9

each chaque 25
each one chacun 29; **to each his own tastes** à chacun ses goûts 29
early (soon) tôt 27
earn gagner 7
easy facile 22
eat manger 15
economical économe 11
egg œuf *m.* 10
eh hein 20
eight huit 6
eighteenth dix-huitième 5
elevator ascenseur *m.* 15
elsewhere ailleurs 22
embarrass faire rougir 15
encourage encourager 16
engagement (to be married) fiançailles *f. pl.* 14
English language anglais *m.* 13
English anglais (*adj.*) 28
enjoy oneself s'amuser 24
enough assez 21
enter entrer 13
entire entier, -ière 28
errand course *f.* 3
especially surtout 10
essential essentiel, -elle 30
esteem estime *m.* 29
evening soir *m.* 14
everybody tout le monde 9
everyone tous 21
everything tout 7
exact exact 9
example exemple *m.* 8; **for example** par exemple 8
excellent excellent 5
exceptional exceptionnel, -elle 29
excess excès *m.* 30
exercise exercice *m.* 27
exhausted épuisé 17
exist exister 22
existentialism existentialisme *m.* 31
existentialist existentialiste *m.* 31
exit sortie *f.* 16
expect attendre 6
explain expliquer 31

explore explorer 26
expressive expressif, -ive 14
eye œil *m.* (*pl.* yeux) 14

face figure *f.* 14, visage *m.* 17
faint s'évanouir 21
fall tomber 25
fall in love tomber amoureux 25
family (belonging to a family) familial (*adj.*) 23
family famille *f.* 6
famous célèbre 29
fascinate fasciner 28
fast vite 17
fat gros, -se 5
father père *m.* 7
fault faute *f.* 27
fear craindre 24
feel se sentir 28
feeling sentiment *m.* 29
felt senti (*adj.*) 30
fever fièvre *f.* 10
fifty cinquante 21
fill remplir 22
finally enfin 4
find trouver 3
fine beau 6; **The weather's fine** Il fait beau 6
finish finir 14
first premier, -ière 11
first of all d'abord 3
fish chowder bouillabaisse *f.* 15
five cinq 6
flabbergasted sidéré 21
flu grippe *f.* 10
follow suivre 27
food aliment *m.* 22
foot pied *m.* 15
for pour 3
for fear that de peur que 28
forget oublier 11
former ancien, -enne 22
formerly autrefois 22
fortification fortification *f.* 28
free libre 13
French language français *m.* 1
French français 2
Frenchman Français *m.* 3
friend ami *m.* 16
friendly aimable 5
frighten effrayer 18
fruit fruit *m.* 13

gala gala *m.* 19
generosity générosité *f.* 25
generous généreux, -euse 12
genius génie *m.* 30
get; get angry se fâcher 18
get around circuler 12
get dressed s'habiller 17
get married se marier 16
get on someone's nerves agacer 31
get over (a shock) en revenir 8
get tired se fatiguer 27
get up se lever 17
get upset s'en faire 27
gift cadeau *m.* 9
give donner 9
glass verre *m.* 9
glazed glacé 13
go aller 3, se rendre 23
go to bed se coucher 17
go out sortir 15
go to much trouble se mettre en quatre 20
go up monter 15
good bon, -ne 3
good day bonjour 1
good morning bonjour 1
graceful gracieux, -euse 14
granddaughter petite-fille *f.* 20
grandma grand'maman *f.* 20
grandson petit-fils *m.* 21
green vert 11
grocer épicier *m.* 3
grocery épicerie *f.* 4
guess deviner 71

hair cheveux *m. pl.* 17

half-hour demie-heure *f.* 28
hand-me-downs (clothing) vêtements hérités 11
half past (the hour) et demie 7
happy content 6, heureux, -euse 6, enchanté (used in introductions: "Happy to meet you") 1
hardly à peine 17
have avoir 3
have dinner dîner 15
have lunch déjeuner 4
have something the matter with one avoir quelque chose 22
have to devoir 21
he il 5
head tête *f.* 10
headache mal à la tête *m.* 10
health santé *f.* 27
healthy sain 7
hear about entendre parler 22
heat chaleur *f.* 24
hello bonjour 1
help one another s'entr'aider 17
hen poule *f.* 27
herself se 17
here ici 1; **through here** par ici 1
here is voici 1
hero héros *m.* 31
hick town patelin *m.* 24
high élevé 5
himself se, 17
his (*pron.*) le sien, la sienne, les siens, les siennes 24
his son, sa, ses (*adj.*) 5
hope espérer 7
hot chaud 10
house maison *f.* 2
How are you? Comment vas-tu? 6
How old are you? Quel âge avez-vous? 6
How wonderful! Quel bonheur! 6
humanity humanité *f.* 31
hundred cent 7
hundredth centième 14
hurried pressé (*adj.*) 12
hurry se dépêcher 18
husband mari *m.* 5

I je 1, moi 4
I should say so! Je crois bien! 15
ice cream glace *f.* 27
icy glacial 27
idea idée *f.* 26
ideal idéal 12
if si 9
I'll be darned! Fichtre! 25
illness maladie *f.* 27
imagine se figurer 25
impatience impatience *f.* 12
impersonal impersonnel, -elle 30
imposing imposant 29
impossible impossible 7
impressive impressionnant 28
in dans 5, en 9
in the direction of du côté de 22
the "in" thing d'un chic fou 12
in the midst of (doing something) en train de 26
in a little while tout à l'heure 17
in love amoureux 25, **to fall in love** tomber amoureux 25
incite pousser 26
increase augmenter 25
indeed en effet 22
inexpensive bon marché 25
influence influence *f.* 29
inform faire part 9, faire remarquer 32
intelligent intelligent 7
interest intérêt *m.* 28
interest intéresser 12
interesting intéressant 2
invite inviter 15
Isn't it so! N'est-ce pas?
it il (referring to objects of masculine gender) 5
it's c'est, ce sont 1
It's cold Il fait froid 6
It's lovely outside Il fait un temps splendide 6
It's raining Il pleut 6

It's sunny Il fait du soleil 6
It's too bad Il est dommage 30
It's warm outside Il fait chaud 6
It's windy Il fait du vent 6

jam confiture *f.* 10
join rejoindre 24
joke plaisanter 7
joy joie *f.* 20, délice *m.* 31
juice jus *m.* 10
July juillet 24
June juin 9

keep company tenir compagnie 28
kilogram kilo(gramme) *m.* 27
kind (sort) genre *m.* 31
kindness bonté *f.* 27
kiss embrasser 17
knit tricoter 11
"knock oneself out" s'éreinter 27
know connaître 4, savoir 5

lace dentelle *f.* 21
lack manquer 19
lady dame *f.* 12
large grand 2
late tard 14
laugh rire 31
laughing riant 5
layette layette *f.* 11
leave (behind) laisser 13
leave (depart) partir 18
left gauche 25
leg jambe *f.* 14
lentil lentille *f.* 3
less moins 16
let someone alone laisser tranquille 29
Let's see! voyons! 4
letter lettre *f.* 9
lie (tell lies) mentir 32
life vie *f.* 8
like (as) comme 3
like aimer 2, aimer bien 5
linden tea infusion de tilleul 10
list liste *f.* 3
literary littéraire 23
little [a] peu 9
live (reside) habiter 1
live (be alive) vivre 23
lively vivant 2
loaf pain, *m.* 3
lonely solitaire 9
long long, -gue 9
look (at) regarder 13
lose perdre 14
lose weight maigrir 27
lovely splendide 6; **It's lovely outside** Il fait un temps splendide 6
luggage bagage *m.* 20

madman fou *m.* 18
magnificent magnifique 21
make (render) oneself (ill, etc.) se rendre 27; **make younger** rajeunir 21
makeup maquillage *m.* 14
mama maman *f.* 11
man homme *m.* 5
marvelous merveilleux, -euse 12
masterpiece chef-d'œuvre *m.* 8
May mai 9
maybe peut-être 7
me moi 6; me 15
mean vouloir dire 6
medicine (medication) médicament *m.* 10
memory mémoire *f.* 14
mention mentionner 23
merchant marchand *m.* 2; **produce merchant** marchand des quatre saisons 2
midnight minuit *m.* 7
mind (brain) esprit *m.* 30
mine le mien, la mienne, les miens, les miennes, (*pron.*) 24
mineral minéral (*adj.*) 15 **mineral water** eau minérale 15
minute minute *f.* 32
mirror glace *f.* 17

miser avare *m.* 9
Miss Mademoiselle 12
move (an object) déplacer 23
modern moderne 31
moment moment *m.* 13
Monday lundi 9
money argent *m.* 12
monster (figuratively) animal *m.*; **Be quiet, monster!** Tais-toi, animal! 18
month mois *m.* 6
more plus 13; **more . . . than** (comparison) plus . . . que 13
morning matin *m.* 22
mother mère *f.* 7
mother-in-law belle-mère *f.* 19
movement mouvement 30
Mr. Monsieur 1
Mrs. Madame 1
much beaucoup 1
music musique *f.* 14
my mon, ma, mes 5
my goodness! Mon Dieu! 16

name nom *m.* 5
naturally naturellement 3
near près (de) 5
necessary nécessaire 22
need avoir besoin 17
neighbor voisin *m.* 5
neighborhood quartier *m.* 2
neither . . . nor ni . . . ni 31
never jamais 31
new nouveau, nouvel, nouvelle 22
brand new flambant neuf 21
news nouvelle *f.* 9
next (then) puis 3
nice gentil, -ille 1
nicely (with good grace) gentiment 21
night nuit *f.* 7
no non 3
no longer ne . . . plus 31
no matter n'importe 32
No offense meant Ne t'en déplaise 29
nobody personne 31
noon midi 15
nostalgia nostalgie *f.* 22
not ne . . . pas 4
not at all aucunement 21
nothing rien 31
notice remarquer 11
novel roman *m.* 5
now maintenant 7
nurse infirmière *f.* 5

ocean océan *m.* 27
o'clock heure, heures *f.*; **at eight o'clock** à huit heures 6
of de 1
often souvent 14
oh oh 2; **Oh boy!** Oh là là! 6
old vieux, vieil, vieille 9
on sur 4
one (people, they, you) on (*pron.*) 3
onion oignon *m.* 22
only ne . . . que 13, seulement 6
opera opéra *m.* 14
opportunity occasion *f.* 14
or ou 7
or else de peur que 28
orange orange *f.* 10
orchestra orchestre *m.* 14
order ordre *m.* 30
order ordonner 29
ordinary ordinaire 26
other autre 13
otherwise autrement 30
our notre, nos 7
ours le nôtre, la nôtre, les nôtres 24
outdoors dehors 19
own propre 21

parent parent *m.* 6
Parisian Parisien, -enne 21
part partie *f.* 26
pastry man pâtissier *m.* 3
paunchy (person) ventru *m.* 27

pay payer 25
pay attention faire attention 16
pensive pensif, -ive 31
people gens *m. pl.* 5
per par 7
perfume parfum *m.* 12
person personne *f.* 13
personal personnel, -elle 26
pessimistic pessimiste 31
pharmacist pharmaciste 5
philosophy philosophie *f.* 31
photo photo *f.* 19
piece morceau *m.* 3
pill pilule *f.* 10
pink rose 11
pirate corsaire *m.* 28
place (spot) endroit *m.* 22, (room, space), place *f.* 29
place oneself se mettre 20
plan projet *m.* 24
plan avoir l'intention 27
play jouer 16
pleasant agréable 24
please s'il vous plaît 1
please plaire 1
pleasure plaisir *m.* 15; **to give pleasure** faire plaisir 15
pleasure délice *m.* 31
pond étang, *m.* 29
poor pauvre 11
pork butcher charcutier *m.* 3
pork butcher's shop charcuterie *f.* 4
possible possible 21
postpone remettre 28
practice s'entraîner 27
preface préface *f.* 31
prefer préférer 7
pregnant enceinte 32
prepare préparer 3
presence présence *f.* 30
pretty joli 1
price prix *m.* 5
privilege privilège *m.* 24
prize prix *m.* 25
probable probable 30
produce produire 30
produce merchant marchand des quatre saisons *m.* 2
progress progrès *m.* 22
protest protester 18
proud fier, -ère 27
pull someone's leg faire marcher quelqu'un 20
purchase achat *m.* 11
purse sac *m.* 14
push pousser 18
put mettre 14
put on (clothing) mettre 20
put on makeup se maquiller 18

quality qualité *f.* 25
question question *f.* 26
quiet tranquille 24
quietly tranquillement 24
quite tout 4
quite a few pas mal (de) 16
quote citer 31

railway station gare *f.* 19
rain pleuvoir 6; **It's pouring outside** Il pleut à verse 6
raise up relever 25
raisin cake cake *m.* 13
rampart rempart *m.* 28
rare rare 8
rather plutôt 9
read lire 8
reading lecture *f.* 31
realistic réaliste 30
really vraiment 2
reasonable raisonnable 10; (prices) modéré 11
reassure rassurer 19
recent récent 19
recognize reconnaître 21
red rouge 11
redhaired roux -sse 5
refined raffiné 8
refuse refuser 15
relative parent *m.* 17

relief soulagement *m.* 27
remember se souvenir 18
rent louer 24
replace remplacer 22
reread relire 23
resist résister 27
respect respect *m.* 31
rest repos *m.* 10
rest se reposer 17
restaurant restaurant *m.* 4
rich riche 11
rich (food) nourrissant 13
romantic romantique 8

sad triste 29
saddening attristant 31
sadness tristesse *f.* 31
saleswoman vendeuse *f.* 12
same même 14
sand sable *m.* 16
satire satire *f.* 8
satisfied satisfait 29
satisfy satisfaire 22
say dire 5
scanty pauvre 29
scene scène *f.* 14
scenery paysage *m.* 29
scholar savant *m.* 9
school école *f.* 16
schoolgirl écolière *f.* 26
scold gronder 16
sea mer *f.* 28
season saison *f.* 11
second second 14
see voir 6
see again revoir 19
seem sembler 30
sell vendre 21
send envoyer 11
sensitive sensible 30
sentimentality sentimentalité *f.* 30
serve servir 32
seven sept 6
several plusieurs 31
she elle 1
ship navire *m.* 28
shiver frémir 31
shocking choquant 21
shop boutique *f.* 2
magasin *m.* 2
short (person) petit 5
short court 25
short story conte *m.* 31
show spectacle *m.* 14
show montrer 22
shut se fermer 17
sick malade 10
silhouette silhouette *f.* 29
since depuis (*prep.*) 14, puisque (*conj.*) 23
sir monsieur 1
sister sœur *f.* 6
sit down s'asseoir 13
six six 6
sleep dormir 7
slender svelte 27
small petit 2
smell (something) sentir 32
so (to such an extent) si (*adv.*) 2, donc (*conj.*) 3
so many tellement de 13
so much tant 17
so that afin que 28, pour que 28
socks chaussettes *f. pl.* 12
solution solution *f.* 7
some quelque (*indef. adj.*) 6 (of it, of that) en 10
someone quelqu'un 31
something quelque chose 10
somewhere quelque part 6
son fils *m.* 7
soon bientôt 32 (early), tôt 27
soul âme *f.* 30
soup soupe *f.* 3
source source *f.* 31
speak parler 1
speak foolishness radoter 9
special spécial 4
specialty spécialité *f.* 8
spend (money) dépenser 12, (time) passer 24

spoil (a situation through carelessness, etc.) gacher 12, (a person) gâter 15
spoonful cuillerée *f.* 10
sport sport *m.* 27
stairway escalier *m.* 15
stay rester 24
still (as yet) toujours 25, (however) cependant 30, pourtant 25
stop s'arrêter 27
story histoire *f.* 15
street rue *f.* 2
strict sévère 29
stripe raie *f.* 25
striped rayé 25
strong fort 21, robuste 7
stubborn entêté 24; **you stubborn character!** grande entêtée! 24, obstiné 10
student étudiant *m.* 4
study étudier 16
subject sujet *m.* 29
subway métro *m.* 19
such tel, telle 16
suddenly tout d'un coup 32
sugar sucre *m.* 10
suggest proposer 23
summer été *m.* 16
sun soleil *m.* 6; **It's sunny** Il fait du soleil 6
Sunday dimanche 9
superb superbe 27
suppose supposer 21
sure sûr 11
surprise surprise *f.* 12
sweets sucreries *f. pl.* 27
swim nager 27
swimmer nageur *m.* 25
swimming nage *f.* 25
swimsuit maillot de bain *m.* 25
symphonic symphonique 14

table table *f.* 4
take prendre 10 (a person away) emmener 15
take again reprendre 5
take care of soigner 27
take the trouble (to do something) se déranger 17
take a walk se promener 22
tale conte *m.* 31
talk parler 1
task devoir *m.* 9
taste goût *m.* 26; **to each his own [tastes]** à chacun ses goûts 29
tea thé *m.* 10
tease taquiner 16
teasing taquin (*adj.*) 21
teasing taquinerie *f.* 22
tell dire 5
ten dix 6
terrific formidable (*colloq.*) 24 épatant 12
thank remercier 24
thank you merci 4
that ça (cela) (*demon. pron.*) 3; ce, cet, cette, ces (*demon. adj.*) 8; (which) ce qui, ce que (*rel. pron.*) 22; que (*rel. pron.*) 22; que (*conj.*) 5
that's fine! à la bonne heure! 15
the le, la, les, l' 1
theater théâtre *m.* 4
their leur, leurs 5
theirs le leur, le leur, les leurs 24
them eux, 16 les 8 (*str. pron.*)
themselves se 17
then (next) ensuite 18, puis 3
the one celui, celle, (*demon. pron.*) 25
there y 14, là 10
there is, there are il y a 5, voici 1, voilà 7
these, those ces (*adj.*) 9
thesis thèse *f.* 8
they elles *f.* 2, ils *m.* 5
thing chose *f.* 11
think penser 11, (reflect), réfléchir 23; **to think that . . .** (expression of astonished indignation) dire que . . . 25
thirst soif *f.* 10
thirsty (to be) avoir soif 10

thirty trente 7
this ce, cette, ces (*adj.*) 8, ceci (*demon. pron.*) 25
this way (in this direction) par ici 1
these, those ces (*adj.*) 9
those (the ones) ceux, celles (*demon. pron.*) 25
thousand mille 17
three trois 4
thrilling passionnant 30
thus ainsi 21
tie cravate *f.* 12
time temps *m.* 6, (of day) heure *f.* 7 **What time is it?** Quelle heure est-il? 7, (of year) époque *f.* 11, (instance) fois *f.* 14
tired fatigué 4
tireless infatigable 28
tiring fatigant 11
to à 3
toast (bread) toasts *m.* 10
today aujourd'hui 4
together ensemble 3
tomb tombeau *m.* 28
tomorrow demain 19
too (much) trop 5
tooth dent *f.* 18
top sommet *m.* 15
tourist touriste *m.* or *f.* 26
towards vers 19
tower tour *f.* 15
toy joujou *m.* 21
traditional traditionnel, -elle 13
train train *m.* 20
transfer (an object) déplacer 23
travel voyager 23
traveler voyageur *m.* 32
trip excursion *f.* 23
trouble ennui *m.* 27
true vrai 8
try essayer 10
Tuesday mardi 9
twenty vingt 4
twins jumeaux *m. pl.* 7
two deux 6

uh euh 11
uncle oncle *m.* 6
understand comprendre 18
until jusqu'à 29
unusual extraordinaire 26
upset désolé 29, navré 29
upset (someone) contrarier 22
usually d'habitude 13, ordinairement 2

vacation vacances *f. pl.* 13
valet valet *m.* 29
very très 1, bien 10
visit visiter 15

waist taille *f.* 14
waistline (measurement) tour de taille *m.* 25
wait (for) attendre 6
wake up se réveiller 17
walk promenade *f.* 22
walk marcher 28
walker promeneur, -neuse 28
walnut noix *f.* 13
want désirer 26, vouloir 6
warm chaud 6; **It's warm outside** Il fait chaud 6
wash (oneself) se laver 17
watch (over) garder 29
water eau *f.* 27
water skiing ski nautique *m.* 27
we nous 7
weather temps 6; **How's the weather?** Quel temps fait-il? 6; **The weather's awful** Il fait un temps affreux 6; **The weather's fine** Il fait beau 6
wedding mariage *m.* 9
week semaine *f.* 7
weep pleurer 20
weight poids *m.* 25
well bien (*adv.*) 5
well! eh bien 2, tiens! 4, dame! 28
what que (*rel. pron.*) 6, (which)

quel, quelle, quels, quelles (*adj.*) 6 (that which) ce qui, ce que (*rel. pron.*) 22
what! quoi! 28
when où (*rel. pron.*) 23, quand (*adv.*) 10, alors que (*conj.*) 16
where où 1
whew! ouf! 4
which qui (*rel. pron.*) 22
which one, which ones lequel, laquelle, lesquels, lesquelles 23
while tandis que 26
white blanc, -che 11
who qui 5
who cares! Ça m'est égal! 6
whose dont 27
why pourquoi 9
wife femme *f.* 1
willingly volontiers 25
win gagner 25
wind vent 6; **It's windy** Il fait du vent 6
wine vin *m.* 10
with avec 9
without sans (*prep.*) 16, sans que (*conj.*) 28
witty spirituel, -elle 8
woman femme *f.* 5
woods bois *m.* 29
word parole *f.* 19
work (of art, literature, etc.) œuvre *f.* 23
work (labor) travail *m.* 13
work (individual work of art, etc.) ouvrage *m.* 26
world monde *m.* 13; **the whole world** le monde entier 28
worn-out usé 11
worry s'inquiéter 17
write écrire 6
writer écrivain *m.* 8

yawn bâiller 14
year an *m.* 4, année *f.* 8
yellow jaune 11
yes oui 1, si (contradicting a "no") 8
yet encore 11
you toi (*str. pron.*) 16, te 9, tu (familiar form) 4, vous 1
young jeune 8
young-looking frais, -îche 19
your votre, vos, ton, ta, tes 3
yours le vôtre, la vôtre, les vôtres, le tien, la tienne, les tiens, les tiennes 24
youth jeunesse *f.* 26

INDEX

A B C D E F G H I J 9 8 7 6 5 4 3 2

PHONETIC SYMBOLS

[ɛ] très, être, seize, américaine, merci, payer, asseyez, ils paient
[i] Paris
[e] étudiant, parlez, parler, épicier
[a] quatre, vas, Paris, la, avoir, voyons, femme
[o] eau, gâteau, kilo, repos, côte
[ɔ] jolie, j'aurai, alcool, opium
[u] pour, ratatouille, vous
[y] du, refuse, mur, Vénus
[ø] monsieur, bleu, œufs, tricoteuse, Eugène
[œ] veulent, couleur, veuillent, accueil, œuf, œil
[ə] ce, ressembler, faisant, petit
[w] oui, jouer, soi, royal, poêle, soin, sandwich
[j] yeux, combien, billet, ayez, vieil
[ɥ] lui, huit, fruit, Suède, ennuyer
[ɑ̃] blanche, cent, Caen, camp, temps
[ɔ̃] mon, nom, oncle, tomber
[ɛ̃] un, vin, important, lynx, thym, main, faim, peindre, besoin, bien, viens, moyen, Benjamin, Reims
[œ̃] chacun, jeun, parfum
[f] faire, philosophie
[v] vais, wagon
[s] se, six, Rheims, scène, cela, bicyclette
[z] douze, raison, Suez
[ʃ] chez
[ʒ] jeune, gens
[m] morceau, femme
[n] Ninon, personne, automne
[ɲ] accompagner, oignon
[b] bon
[p] plage
[t] ta, thé, ouest
[d] dîner
[k] carte, quatre, cinq, parc, orchestre, excellent, index, kilo
[g] garçon, longue, aiguille
[l] lettre, ville
[r] parler, hier